BYW IAITH

Byw Iaith:

Taith i Fyd y Llydaweg

Aneirin Karadog

Argraffiad cyntaf: 2019
ⓗ testun a lluniau: Aneirin Karadog
ⓗ cerdd Mewn Hiraeth am Aneirin (t. 19-21): Eurig Salisbury

Rhif Llyfr Safonol Rhyngwladol:
978-1-84527-702-4

Cyhoeddwyd 'Kenavo Eurig' ac 'An Oaled' yn *Llafargan* a *Bylchau*.
Diolch i Gyhoeddiadau Barddas am ganiatâd i'w hailgyhoeddi yn y gyfrol hon.

CYNGOR LLYFRAU CYMRU

Cyhoeddwyd gyda chymorth Cyngor Llyfrau Cymru

Dylunio'r clawr: Eleri Owen

Cyhoeddwyd gan Wasg Carreg Gwalch,
12 Iard yr Orsaf, Llanrwst, Dyffryn Conwy, Cymru LL26 0EH.
Ffôn: 01492 642031
e-bost: llyfrau@carreg-gwalch.cymru
lle ar y we: www.carreg-gwalch.cymru

Argraffwyd a chyhoeddwyd yng Nghymru

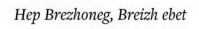

Hep Brezhoneg, Breizh ebet

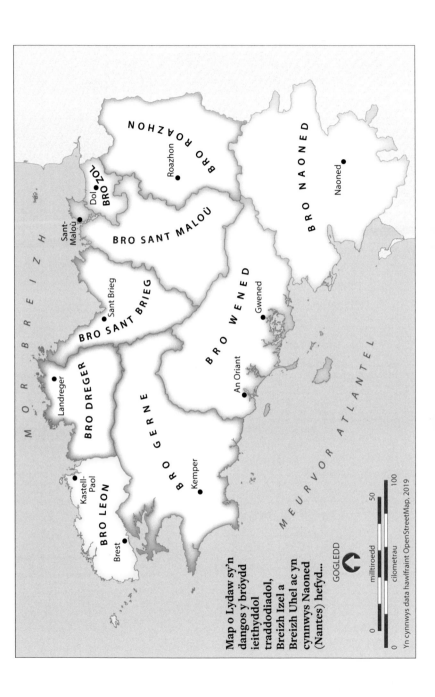

Map o Lydaw sy'n dangos y brdydd ieithyddol traddodiadol, Breizh Izel a Breizh Uhel ac yn cynnwys Naoned (Nantes) hefyd...

MOR BREIZH

BRO LEON

Kastell-Paol

Brest

BRO DREGER

Landreger

BRO SANT BRIEG

Sant Brieg

BRO DOL

Dol

BRO SANT MALOÙ

Sant-Maloù

BRO ROAZHON

Roazhon

BRO NAONED

Naoned

BRO GERNE

Kemper

BRO WENED

An Oriant

Gwened

MEURVOR ATLANTEL

GOGLEDD

milltiroedd

0   50   100

cilometrau

Yn cynnwys data hawlfraint OpenStreetMap, 2019

Cynnwys

Rhagair   8

Rakskrid   12

Setu ar Garadoked! / Dyma'r Karadogiaid!   13

Penodau Dyddiadurol

    Y Cerddi

    Kenavo Bro Gembre   16

    Mewn Hiraeth am Aneirin   19

    Kenavo Eurig   22

    Fesul un   50

    Sialóts   54

    Nadolig Llydewig   84

    Gwel a ran va yezh o vevañ   98

    Gwelaf fy iaith yn byw   100

    Canu'r daith   126

    Llydawr go iawn   140

    D'istribilh   163

    An Oaled   168

    Creu mêl   202

    I Byn Walters   208

    Kenavo   234

    Yr Ysgrifau

    Diwan y Llydaweg   29

    Ymgyrchu   74

    Dathlu   113

    Gwrando a Gwylio yn y Gwyll   133

    Ffatrïoedd iaith   154

    Estyn dwylo dros y môr   186

    An dazont / Y dyfodol   221

    Epilog: Yn ôl i Lydaw   235

Rhagair

Nid iaith sy'n marw yw'r Llydaweg. Trwy ymwrthod â'r negyddiaeth o weld düwch a diwedd y Llydaweg, hoffwn ddangos taw iaith sy'n adfywio yw hi; iaith a fu ar gyfeiliorn, ond a ganfu lwybr newydd; iaith a ganfu wisg newydd, gwisg y mae'n raddol dod yn fwy cyffyrddus ynddi bob dydd; iaith sydd, dipyn wrth dipyn, yn ailganfod ei lle yn ei gwlad ei hun, yn hawlio ei thiriogaeth eto, fodfedd wrth fodfedd, gan gydio yn nhafodau ei phobol.

Do, fe ganodd Gerallt Lloyd Owen gerdd yn portreadu 'llwydwyll gwareiddiad Llydaw' ond fe ganodd Guto Dafydd am syrffio'r don o besimistiaeth ieithyddol a 'rhedeg i'r eigion a bwrw iddi', gan nodi: oes, mae siawns y daw'r cyfan i ben, ond o leiaf bydd modd 'cwympo'n ogoneddus' os digwydd hynny. A bwrw iddi mae hoelion wyth y Llydaweg heddiw, gan gynnig arweiniad, yn eu tro, i do iau ysgolion cyfrwng Llydaweg Diwan, i'r trwch o rieni di-Lydaweg sy'n danfon eu plant i'r ysgolion hynny, i'r 3,000 o oedolion sy'n dysgu Llydaweg gyda'r nos yn wythnosol bob blwyddyn, a hefyd i'r to hŷn, a ddechreuodd amau 'beth yw'r pwynt?', i weld fod eu hiaith yn dawnsio'n hardd mewn gwisg newydd sbon.

Gallwn sôn am y cwymp a fu yn nifer y siaradwyr, gan bwyntio at fy nheulu fy hun yn Llydaw, nad ydynt, drwyddi draw, yn ei harddel hi nac, yn achos y to iau, yn ei medru hi. Gallwn gyfeirio at y diwylliant cywilydd a gydiodd yn y genedl wedi'r Ail Ryfel Byd wrth i'r wladwriaeth Ffrengig gyplysu siarad Llydaweg gyda Natsïaeth, ac mi fydd yna le i drafod hynny yn y gyfrol hon. Ond cefnlen yn unig, llenni i'w hagor a'u cau, yw hynny. Gall pesimistiaeth ieithyddol ynglŷn â dyfodol unrhyw iaith wireddu proffwydoliaeth o wae, gan achosi i'w siaradwyr a'i darpar siaradwyr posib holi 'Da betra a servij?' – beth yw'r pwynt? Gwn yn well na neb, fel un a fagwyd yn Gymraeg ac yn Llydaweg, gyda'r ymosodiadau cyson ar y Gymraeg o gyfeiriad y Saeson a'r Cymry fel ei gilydd, fod siarad iaith Geltaidd leiafrifol yn gallu arwain at anobeithio. Ond ers ychydig flynyddoedd bellach, penderfynais nad yw honno'n agwedd iach i berson ei chario gydag ef i bobman, yn faich ar ysgwydd, yn wg ar wyneb, yn olygfa nad yw'n atyniadol wrth geisio denu siaradwyr newydd.

Er imi dreulio fy oes yn byw yng Nghymru, mae Llydaweg yn famiaith imi, yn llythrennol, yn gyd-iaith-gyntaf law yn llaw â'r Gymraeg. Fe'm magwyd ar aelwyd lle siaradai fy mam Lydaweg â mi, a 'nhad yn siarad Cymraeg â mi. Cymraeg yw'r iaith pan siaradaf â Dat a Llydaweg fyddaf yn ei siarad â Mam, ac rwy'n arddel ac yn trosglwyddo'r Llydaweg yn ddyddiol i fy merch Sisial a fy mab Erwan, er nad yw gwneud hynny mor hawdd ag y dymunwn. Mae gormes y Gymraeg wedi profi'n drech na mi ambell dro yn ein cartref ni ac felly gwelson ni'r angen i gynnig profiad o drochi mewn addysg Lydaweg fel cam pendant i roi mwy o gadernid ieithyddol i'r plant. Dyna fy realiti gobeithiol i. Yn ein tŷ ni, mae'r Llydaweg yn hollbresennol ac yn ffynnu. Wrth inni gael y fraint o allu symud ein bywydau beunyddiol i Lydaw am flwyddyn, y gobaith yw y gall Laura hefyd ddod yn rhugl, gan nad wyf wedi llwyddo i fod yn athro Llydaweg da iawn iddi mor belled.

Ymdrech i fynd â'r agwedd a'r weledigaeth hon mas o'm cartref i ddarganfod enghreifftiau twymgalon, calonogol, i wrando ar guriad *kalon* y Llydaweg heddiw yw'r gyfrol hon. Ond byddaf yn ceisio holi ambell gwestiwn anodd a phortreadu'r gwirionedd, hyd yn oed os ydy hynny, ar brydiau, yn digalonni rhywun. Mi fydd y Llydaweg yn goroesi, ond y cwestiwn yw, sut bydd hi'n edrych i ni, o diroedd mynyddig Cymru, dros y degawdau a'r canrifoedd nesaf. Mi *fydd* y Gymraeg hefyd yn goroesi, ond yn yr un modd, ai iaith i'w chlywed yn nhrydariadau'r awyr, chwedl Guto Dafydd, fydd hi neu a fydd hi yn hawlio tir a chymuned o hyd ymhen degawdau a chanrifoedd? Gall y Llydaweg ddysgu cymaint oddi wrth y Gymraeg, a gall y Gymraeg hithau ddysgu ambell beth gan ei chwaer ar draws y dŵr.

Os edrychwn ar ein chwaeriaith Frythonaidd arall, y Gernyweg, sydd yn swyddogol wedi marw, wedi'i chladdu, ei galaru ac yna ei hatgyfodi drachefn; nid yw'n ddim llai na gwyrth iddi ganfod adfywiad, fesul unigolyn, i wynebu'r unfed ganrif ar hugain yn obeithiol. Dangosodd Gwenno fod modd i un albwm o gerddoriaeth bop drwy gyfrwng yr iaith honno wneud byd o wahaniaeth. Ychwaneged at hynny holl egni, grym a phrysurdeb y Sîn Roc Gymraeg, neu'r pwys cymdeithasol a roddir ar feirdd Cymraeg a'u gwaith, hyd yn oed ar ddechrau'r unfed ganrif ar hugain, neu'r creadigaethau cyffrous ar draws y celfyddydau sy'n digwydd yn Llydaweg ar y foment, ac fe welwch fod tswnami o Frythoneg yn dal i godi o'n cwmpas ac yn barod i drochi miloedd yn fwy o bobl a'u bachu fel darpar siaradwyr.

Mae gan Lydaw fît-bocswyr, rapwyr, cantorion, actorion, cyfarwyddwyr ffilm, artistiaid, beirdd, llenorion, heb sôn am arweinwyr diwyd y byd addysg sy'n ffurfio lleng o siaradwyr dylanwadol ac egnïol. Tu hwnt i'r rheiny mae yna do iau a fydd yn arweinwyr y dyfodol, ac fe geisiaf eu cyflwyno ichi drwy gyfrwng y gyfrol hon, yn hen bennau ac yn wynebau newydd llawn syniadau a brwdfrydedd dros eu hiaith. O'r Redadeg (Ras yr Iaith), i Mignoned ar Brezhoneg (mudiad tebyg i Gymdeithas yr Iaith), o ysgolion Diwan i orsafoedd radio Llydaweg eu hiaith, mae haenau i'w dadorchuddio o winwnsyn ystrydebol Llydaw, a modd o weld fod yr iaith yn gyfrwng y caeau a'r cyngherddau, y stryd a'r cyfryngau cymdeithasol.

Lle bu dwy filiwn, yn honedig, o siaradwyr Llydaweg cyn yr Ail Ryfel Byd, ond dim modd o gael addysg drwy gyfrwng yr iaith, na hyd yn oed hawl i'w siarad mewn ysgol, mae modd i siaradwyr Llydaweg heddiw dderbyn addysg trwy gyfrwng eu hiaith. Lle gynt roedd hi'n iaith yr aelwyd i gynifer, mae hi heddiw yn gallu cyrraedd cartrefi trwy'r we. Awn i ymweld ag ambell gartref, a thrwy gyfrwng skype, i glywed gan Lydawyr proffesiynol am eu defnydd o'r iaith bob dydd yn eu gwaith. Cawn wybod am y gwobrau Llydaweg blynyddol ac am y cynyrchiadau teledu Llydaweg, am y diwydiant llyfrau ac am ddefnydd o'r Llydaweg ym myd busnes. Mae ymdrechion ym mhob maes gan arddelwyr yr iaith i ganiatáu i'r Llydaweg ddawnsio i lwyfannau newydd yn gyson. Cawn hefyd ambell seidr wrth wrando stori o oriau mân y bore mewn fest-noz neu far. Awn y bore wedyn i ganu emynau yn Llydaweg yn eglwysi Pabyddol mawreddog ac addurnedig y wlad.

Efallai eich bod bellach wedi synhwyro fod gan yr anffyddiwr hwn grefydd, sef yr ieithoedd Celtaidd a'u holl ogoniant. Rwy'n cyrcydu ac yn addoli wrth allor y Gymraeg a'r Llydaweg yn ddyddiol, yn gweddïo drostyn nhw ac yn ymgolli yn arogldarth, tonau a seiniau'r ddwy iaith hon. Rwy'n hapus i ddatgan fy mod yn eithafwr ieithyddol, fy mod yn teimlo fod gan bawb yr hawl i siarad iaith eu gwlad, boed yn Gymraeg neu'n Llydaweg. Ie, fy mwriad yw dangos fod y Llydaweg yn iaith fyw, ac yn iaith fywiog, ond hefyd, rwy'n gobeithio y gwnewch fwy o ddefnydd o'ch Cymraeg chithau, ddarllenwyr, o weld pa mor werthfawr, hardd a bywiog yw ein chwaer-ieithoedd. Falle'n wir y gwelwch chi fod gennych awydd i ddysgu Llydaweg. Os digwyddith hynny, yna fe brynaf yn llon beint neu baned i chi wrth i ni sgwrsio yn iaith fy mam.

Fe'ch gwahoddaf felly i ddechrau'r daith ar hyd llwybrau fy mamiaith. Croeso mawr, *degemer mat!*

Rakskrid: Ur gerig d'ar vrezhonegerien.
(Rhagair: Gair bach i siaradwyr Llydaweg)

Setu ul levr savet ganin e Kembraeg evit klask diskouez d'an dud a oar Kembraeg hag a fell dezho lenn ar pezh am eus skrivet eo bev atav ar Brezhoneg. Me am eus desket Brezhouneg (Bro Bagan) war barlenn va mamm en eur vevañ a hed va buhez e Bro Gembre. Nag a chañs em eus da vezañ, ket hanter kembread nag hanter breizhad, met kembread ha breizhad a-bezh.

Ul levr neuze evit ar c'hembreiz eo al levr mañ met trugarekaat a ran deoc'h an holl a gomz Brezhoneg peogwir ablamour deoc'h c'hwi, en ur zont da vevañ gant va famihl e Breizh e-pad ar bloaz tremenet em eus gellet gwelout ur yezh a zo yaouank, liesliv, leun ha startijenn ha fur ha kozh d'ar memes mare, ur yezh a lak an dud da vezañ laouen, hag ur yezh a lak ac'hanomp da levañ ivez, met setu ar vuhez.

Gwelet m'eus, dre va bugale, va gwreg hag an holl a ra ur striv da zeskiñ, treuskas, implij hag ijinañ un dazont evit ar Brezhoneg, ez eus buhez enni c'hoazh. Ar pal eo diskouez an dra-se d'an dud e Bro Gembre, a deoc'h da c'houzoud ivez ez eus tud atav e Bro Gembre a soñj ennoc'h e Breizh hag a zo prest da reiñ un tamm sikour, da rannañ ar stourm evel ma vez rannet ur bane te, kafe, breizh cola pe ur werenned bier *D'istribilh* (bier Bro Leon, evel just!). Trugarez d'an holl evit pinvidikaat hon buhez deomp ni, ar famihl Karadog.

Ha *marplij*, implijid, lidit, komzit ha kaozit ho Prehoneg brav deoc'h ha deskit anezhañ d'ho pugale, ha da vugale ho pugale evit ma vefe komprennet ar gerioù-mañ gant unan bennak goude mar vin aet d'an Anaon.

Setu ar Garadoked | Cyflwyno'r Karadogiaid

Laura Wyn Karadog: Jones oedd enw teulu Laura cyn inni briodi, a magwraeth hynod o Gymreig a Chymraeg a gafodd yn Nhal-y-bont, Dyffryn Ogwen. Yn gyn-ddisgybl yn Ysgol Llanllechid ac Ysgol Uwchradd Dyffryn Ogwen, aeth ymlaen i brifysgol Aberystwyth, ar ôl blwyddyn mas yn dysgu Saesneg yn Siapan, a graddio mewn gwleidyddiaeth ryngwladol. Mae Laura bellach yn athrawes yoga ar ei liwt ei hun a hi a greodd y cynnwys ar gyfer yr ap myfyrio a meddylgarwch cyntaf yn Gymraeg, Ap Cwtsh. Mae'n awyddus i wella'r Ffrangeg a ddysgodd gan Mrs Winkle yn yr ysgol a medru dweud ei bod hi o'r diwedd yn Brezhonegerez, yn medru siarad Llydaweg.

Sisial Maela Karadog: Wrth inni fentro ar ein hantur i Lydaw ar ddiwedd Awst 2018, mae Sisial yn 6 mlwydd oed ac yn ddisgybl yn ysgol gynradd Pontyberem. Mae Sisial wedi dangos hoffter o wneud yoga a barddoni; wn i ddim o ba lefydd y daeth y dylanwadau hynny arni! Ond mae hi hefyd wedi arddangos gallu naturiol i drin iaith, boed yn Gymraeg, Saesneg neu Lydaweg. Er fy mod i'n siarad Llydaweg â hi, mae hi wedi tueddu i'm hateb i yn Gymraeg a throi i'r Llydaweg dim ond gyda'i 'Mammitch'. Yn y parti gadael a drefnwyd ar ein cyfer gan athrawon ysgol Sul capel Caersalem, Pontyberem, daeth yn amlwg fod gan Sisial nifer o ffrindiau da yn y gymuned yng Nghwm Gwendraeth. Bu ambell ddeigryn hefyd wrth ffarwelio. Caiff Sisial eu gweld eto whap ond gobeithio yn y cyfamser y bydd ganddi ffrindiau newydd da iawn yr ochr draw i'r dŵr yn Llydaw.

Erwan Teifi Karadog: Fe drodd Erwan yn ddyflwydd oed jyst cyn inni adael am Lydaw a theg dweud ei fod yn gymeriad hollol wahanol i'w chwaer. Lle mae gan Sisial duedd o ddechrau'n swil a magu hyder wedyn, tuedd Erwan yw cerdded mewn i sefyllfa yn ddibryder a llawn «helo bawb!». Daeth y ddawn o siarad ato yn go gynnar a chyn iddo gael ei flwydd oed roedd eisioes yn parablu fel pwll y môr ac yn llawn straeon. Yn wir, ers canfod ei goesau hefyd mae e'n hoff o fynd yn ddi-stop, yn aml cyn canfod beth yw ystyr dibyn! Byddwn yn aml yn ei holi o ba le yn union y daeth, gan bod natur hollol unigryw i'w gymeriad ac mae bod yn ei gwmni fel profi haul parhaus, hyd yn oed yng nghanol glaw Cymru a Llydaw. Ein gobaith yw y gall Erwan ddechrau yn fuan ar ôl y Nadolig yn adran feithrin yr ysgol Lydaweg leol, gan roi cyfle iddo yntau hefyd brofi addysg Lydaweg.

Mukti (Ynganiad: Mwcdi)**:** Ein ci hyfryd 11 oed sydd, diolch byth, yn teithio'n dda iawn ar y môr ac yn meddu ar basbort llawn ac, fe ymddengys, mwy o hawliau na ni mewn sefyllfa o frecsit caled. Mae e hefyd wrth ei fodd yn cwrso cwningod yn y wlad ac ar lan y môr yn Llydaw, a byth yn llwyddo i'w dal gan eu bod yn ei weld e'n dod, yn glustiau i gyd, tuag atyn nhw!

Derec Stockley: Cymro wedi dysgu Cymraeg yw Derec, sef fy nhad. Ond fel yn achos fy mam-yng-nghyfraith (sef Barbara Jones o Dal-y-bont a aned yn Derby ac a ddaeth i Fangor yn ddi-Gymraeg yn ddeunaw oed), ni fyddech yn gallu dweud taw wedi dysgu Cymraeg y mae. Arwydd o bosib o'i ddawn fel ieithydd. Bu'n athro Ffrangeg yn Ysgol Ystalyfera yn yr 80au cyn peri poendod i genedlaethau o bobol ifanc yng Nghymru drwy fod yn gyfarwyddwr arholiadau yn CBAC, a'i lofnod a'i enw ar bob papur arholiad gan CBAC ar un cyfnod. Mae bellach yn mwynhau ei ymddeoliad yn Llydaw ac yn gwneud pwynt o fynd i 'oifad' (nofio i bawb arall) yn y môr yn ddyddiol yn ystod misoedd mwyn y flwyddyn. Mae Sisial ac Erwan yn ei nabod fel Ta-cu.

Kristina Roudaut: Llydawes sy'n siarad Llydaweg fel mamiaith yw fy mam ac mae'n hanu o bentref Kerlouan, yng ngogledd-orllewin Llydaw. Mae'r pentref yn rhan o fro ddaearyddol fechan Bro Bagan, ardal amaethyddol a morwrol yn draddodiadol, ond cynyddol dwristaidd erbyn hyn. Bu mam yn byw yng Nghymru ar ôl priodi fy nhad, ond cyn hynny bu'n weithgar mewn ymgyrchoedd dros yr iaith ac wrth sefydlu cwmni drama Ar Vro Bagan. Roedd hi hefyd ymhlith staff cyntaf ysgolion Llydaweg Diwan. Ers ymddeol mae hi a fy nhad nawr yn byw yn ôl yn ffermdy genedigol fy mam, sef Kelorn, yn Kerlouan. Buon ni'n ddigon ffodus i gael byw yn un o'r bythynnod sydd ar safle cartref fy rhieni, ac felly cafodd y plant ddod i rannu'r etifeddiaeth deuluol rwyf finne a fy rhieni wedi cael y fraint o'i phrofi. Trwyddi hi y ces i fagwraeth Lydaweg yng Nghymru, a diolch i dân fy nhad dros ddysgu a meistroli'r iaith Gymraeg, y ces i felly fagwraeth Frythonaidd, yn Gymraeg a Llydaweg. Mae ei hwyrion yn ei nabod hi fel Mammitch (sef Mammig wedi ei ynganu yn nhafodiaith Bro Bagan lle daw'r 'g' i fod yn sain tebycach i 'tsh', felly'r ynganiad yw 'mamitsh' gydag 'i' Ladinaidd a phwyslais ar y goben.)

Kenavo Bro Gembre

Dan awyr lwyd awn nawr i Lydaw, awn
    â'n calonnau'n ddistaw;
    awn o drwst eu *brexit*, draw
    i chwilio tlysach alaw ...

Dyddiadur Byw Iaith

Dydd Llun, Awst 27, 2018 Pontyberem / *Dilun, 27 seizh warn-ugent a viz Eost, Daou vil triwec'h, Pontyberem*

Bu'r misoedd diwethaf yn ymarferiad diddorol mewn rhoi bywyd mewn persbectif. Mae sawl peth yn gallu sobri dyn ar hyd y daith a gwneud i rywun sylweddoli beth sy'n bwysig mewn bywyd, ond hefyd gall pethau bychain, os nad y pethau lleiaf, weithiau, arwain at y sylweddoliad hwnnw. Dwi a Sisial yn dipyn o gasglwyr: o gasglu stampiau pan oeddwn yn iau, i gasglu *Cyfansoddiadau a Beirniadaethau'r Eisteddfod* yn fwy diweddar, tra bod Sisial yn casglu 'perlau' o bob math (teg dweud mai darn o raean yw ambell berl!) a hefyd yn casglu nifer o bethau ymddangosiadol ddiwerth '*rhag ofn* y dôn' nhw'n handi rhyw ddydd'. Mae Erwan y mab yn ddigon hapus i ddifyrru ei hunan gyda beth bynnag sydd wrth law, mae Laura fy ngwraig yn un dda am gael gwared o *stwff*: o deganau'r plant y gŵyr hi na fydd y plant yn gweld eu heisiau, i fy hen gopïau o *Barn* sy'n pentyrru yn y gornel (pwy mewn difri calon all gyfiawnhau taflu campweithiau misol Dicw ar gyflwr gwleidyddiaeth Cymru a Phrydain i'r domen ailgylchu?!) a hyd yn oed hen luniau ohoni ei hun yn ei hugeiniau. Oes, mae gyda ni'n dau flwch atgofion yr un, ond teg dweud fod pentwr o atgofion blêr yn gorlifo o amgylch fy mlwch i, tra bod gan Laura far go uchel o ran beth sy'n gorfod golygu rhywbeth iddi.

A dyna ddod at ein sylweddoliad ni fel cwpwl: profiadau yw'r pethau sy'n aros, nid papur, plastig, pren a metel. Dim ond pan fydd y meddwl yn melynu, toddi, rhydu a phydru y bydd yr atgofion yn diflannu. Mae amser yn gallu bod yn ddigyfaddawd i'r *stwff* a'u stad. Buan y daw pethau i edrych yn ddi-raen, neu golli sglein. Anodd os nad amhosib yw dileu atgofion ffurfiannol a phwysig.

Felly, dros y misoedd diwethaf fe fuom yn cael gwared o'r *stwff* diangen yn ein bywydau. Hyd yn oed wedi dwsin o ymweliadau â chanolfan ailgylchu Nant-y-caws neu â siopau elusennol, bydd rhywun yn dal i ganfod fod angen trip arall! Rwy'n llwyr ymwybodol fod y *stwff* sydd yn y ffôn yn ddiangen, ac rwy'n boenus ymwybodol fy mod yn gwastraffu gormod o fy amser ar twitter, ond cam yn rhy bell fyddai taflu'r ffôn boced a'r aderyn bach glas i ben y domen ailgylchu . . . am y tro. Ond yn ei hanfod, y cyfan sydd ei angen arnom yw iechyd, teulu, y meddwl a llyfrau. Dyna o leiaf sy'n arwain at fy hapusrwydd i. Rydw i a Laura o'r farn mai profiadau sydd eu hangen ar y plant ac nid mwy a mwy o *stwff*. Dyna sbarduno ein taith i Lydaw am flwyddyn lle caiff y plant brofiad o weld eu mammitch a ta-cu yn ddyddiol, profiadau ieithyddol a diwylliannol, profiadau addysgol heb sôn am y profiadau annisgwyl a ddaw i'n synnu, fel sgwarnog ar garlam ar draws yr ardd.

Mewn Hiraeth am Aneirin

(cywydd a ddatganwyd gan fy nghyd-gyflwynydd ar bodlediad Clera
mewn noson farddol yn
Eisteddfod Caerdydd 2018.)

Dwy flynedd rhyfedd fu'r rhain,
Straeon nyts drwy'r we'n atsain,
Rhai'n gwyrdroi'r un gair droeon
Neu'n nyddu sbîl newydd sbon
Ac yn hau celwyddau lu,
Rhoi twyll ar dwyll i'n dallu;
Hawdd hefyd, os goddefir,
Wisgo gau â masg y gwir.

Dyna pam imi amau
Holl ystyr hyll stori au
Am ryw fardd ar Gymru Fyw
Â'i fryd (un difyr ydyw)
Ar grwydr ac ar adel
Ei wlad ddwys am Lydaw ddel
A chwalu'r tân a chloi'r tŷ,
A honnai ar ôl hynny
I gyd fod ganddo Gadair!
Wel yn wir, 'choeliwn i air
O abwyd hwn – clecbeit oedd,
Cynnwys sad ffêc niws ydoedd!
Newid byd ac ymfudo?
No wei! Se Nei ddim yn ...

O.

Roedd yn wir. Mor wir â'r wawr.

O bob un rhacsyn drycsawr
Mewn munud a alltudiwn,
O Dduw mawr, gwae fi, ddim hwn!

F'Aneirin, fy chwerthin chwil,
Fy ngho' enfawr, f'anghenfil,
Ie glei, fy Nei teneuach
Yn y byd o dipyn bach,
Der nôl i Ffostrasol draw,
Wennol hud – nad â i Lydaw!

Fy maen hir, fy mhen euraid,
Fy nghyd-*thesbian* Nationwide,
Rapiwr – ai'r wep arw hon
Yw'r achos? Yw fy rhychion
Mor ddu nes ei gwadnu i gwr
O Lydaw, gydbodlediwr?

Hael ieithgi athrylithgar,
Fy nghyd-arloeswr, fy nghâr,
Nid peth crwn yw'r byd hwn, twel,
Hebot ti, ond byd tawel;
Nid Aneurig o ddigawn,
Ond anEurig unig iawn.

Minnau ym mrath y meinwynt,
Tithau'r sant a'th ddrws i wynt
Y môr; a'r storm yn trymhau,
Fi sy'n was i fusnesau
Haid o Dorïaid mewn strop
Anwaraidd, tithau'n Ewrop;
Mwynhau wyt, minnau eto
Yn canu fyth *kenavo*.

Pan gyrhaeddi di dy wâl
Ar drwyn arfordir anial,
Yn hael i fi a 'nheulu
Doda di win yn dy dŷ,
Ac yn ail, sbo, gwna le sbâr
Yn dy lun dan dy landar;
Nionod a gwirod a gwin
A gawn, wir, ag Aneirin
A Laura, Sisial, Erwan
Lawr, i lawr yng Ngherlouán.

Mae eich angen eleni
Mewn bro'r naill ochor i'r lli.
Am hynny ewch a mwynhau'n
Ein hieithoedd, ac fel hithau
Ein hanthem, ewch ar fenthyg
A ffowch rhag y straeon ffug,
Cadwch ŵyl hael, codwch law,
Cariwch wlad, carwch Lydaw
Yn wych iawn, ac i'w chanol
Ewch yn wir ... ond dewch yn ôl.

Eurig Salisbury,
Awst 2018.

Kenavo Eurig

(Mewn ymateb i gywydd Eurig Salisbury
'Mewn hiraeth am Aneirin')

Canaf â hiraeth, *Kenavo* Eurig.
Kenavo i nos cnafon ynysig,
kenavo holl gred confoi llygredig
trên llawn o gwynion dynion prydeinig;
i Lydaw oleuedig af dan her
ar fyrder â hyder eangfrydig

tua'r awyr las a'r porfeydd brasach
lle mae sgyrsiau'r dociau'n garedicach,
i geisio gefeillio trwy gyfeillach,
magu heniaith ar aelwyd amgenach,
i dyfu iaith Llydaw fach, dyna'r gwaith:
i greu â heniaith do iau sy'n groeniach.

Ond ar y llong daw awr o ollyngdod,
awr lle sadiaf nes ildiaf i swildod
ac i'r awendwf daw pall yn gryndod
drwy'r llais fu'n gry, o'm deutu mae'n datod,
a thrwy'r môr llithra fy mod a'r Nei hy'
rhywle ar ei wely oer o waelod.

Ond wele, mae Llydaw yn dy awen;
dy holl *academia* yn un domen
o gerrig, Eurig, un cadwyn geirie'n
ein heddiw yn dal mai ddoe ein *dolmen*
yw'r maen hir yma'n y wên, dy gân gaeth
â llên derwyddiaeth yn llawn dy wreiddie.

Na, ni welais wrth ddianc trwy'r niwloedd
fod ynot ti holl gyfoeth y trioedd,
calon hen Frython a chof o'r ieithoedd
sy'n fôr rhyngom, yn seinfur i rengoedd
dorri pellter milltiroedd drwy'r awel.
Wyt *Vreizh Izel*, wyt fro'r oes oesoedd.

Drwy'r curlaw o Lydaw oleuedig,
carca di Walia drwy'r oes gythreulig;
bydd wyliwr, gwarchodwr ei hychydig
gywyddau yn y llannau pellennig.
Mewn antur fawr mentraf orig, 'sywaeth
canaf â hiraeth, *Kenavo* Eurig.

28/10/18

Betsan ac Eleri a'n cymodgion yn ffarwelio â ni,
a chriw Tinopolis yn ffilmio.

Sisial ac Erwan yn aros am y bad

Diod fach i nodi'r newid
mawr!

*Fy mam a
disybglion Ysgol
Diwan Lambaol-
Gwitalmeze*

Ymweld â melinydd gyda'r disygblion

Dydd Sul, Medi 2, Kerlouan / *Disul, d'an 2 a viz Gwengolo, Kerlouan*

Dechreuwch bob sgwrs gyda courgette...

Rydyn ni'n prysur setlo mewn i fywyd yn Llydaw, er ein bod yn ymwybodol y daw rhywbeth bach newydd bob dydd i agor ein llygaid neu i'n synnu am fywyd beunyddiol Llydewig. Rydyn ni'n byw mewn bwthyn ar safle ffermdy genedigol fy mam, Kelorn, lle mae hi a fy nhad, sef Ta-cu a Mammitch Sisial ac Erwan, yn treulio eu hymddeoliad.

Mae'r cymydog agosaf drichan llath bant, ffarmwr hynaws o'r enw François. Bob dydd rydyn ni'n pasio ei gae o *gourgettes* ac yn eu deisyfu'n barhaus. Mae sawl defnydd i *gourgette*. Defnydd yn y gegin, hynny yw. Felly dyma fynd ato yn y cae un bore gyda Sisial a gofyn am gael prynu ambell un. Dyma fi'n gofyn yn Llydaweg i Sisial gymryd y courgettes yn ei breichiau ac er mawr syndod dyma François yn ymuno yn y sgwrs yn Llydaweg (roedd fy nhad wedi dweud wrtha i nad oedd e'n medru Llydaweg). Dyma gario mlaen ac yntau wedyn yn troi nôl i'r Ffrangeg yn ei swildod.

Ces lond pen gan Ta-cu wrth adrodd yr hanes gan bod troi i siarad Llydaweg â rhywun nad ydych chi'n ei nabod yn dda yn gallu bod yn arwydd o amharch, ac yn gyhuddiad nad yw'r person hwnnw yn ddigon deallus i sgwrsio yn Ffrangeg. Golyga hyn nad yw wastad yn bosib dechrau pob sgwrs yn Llydaweg yn Llydaw. Gwell, felly, yw dechrau pob sgwrs gyda *chourgette*.

Dydd Llun, Medi 3, Kerlouan / *Dilun, 3 a viz Gwengolo, Kerlouan*

D'ar Skol! I'r ysgol!

Mae'r distro skol, neu *la rentrée scolaire*, yn beth mawr yn Llydaw fel ag ydyw yn Ffrainc hefyd. Rwy'n gwybod o brofiad nad yw Ffrainc yn dioddef o'r clwy masnachol-gyfalafol a geir ym Mhrydain adeg y Nadolig lle mae addurniadau ac anrhegion yn cael eu hysbysebu a'u gwerthu o fis Medi ymlaen weithiau. Cawn weld os ydy hynny'n dal i fod yn wir y Nadolig hwn, neu a ydy cyfalafiaeth gŵyl y geni wedi dechrau brathu yn fan hyn hefyd. Ond mae'r distro skol, ar y llaw arall, yn rhywbeth a hysbysebir wrth i'r gwyliau ysgol ddechrau. Rhaid casglu'r adnoddau addysgiadol beunyddiol, yn gas pensiliau, llyfrau sgwennu a mathemateg a nicnacs di-ben-draw yn barod at flwyddyn newydd yn yr ysgol. Bydd yna raglenni ar y radio a'r teledu ac erthyglau'n trafod pob math o ystadegau'n ymwneud â phoblogaeth iau Llydaw a'u haddysg.

Dan gysgod yr holl sylw a phwys a roddir ar ddiwrnod cynta'r flwyddyn newydd yn yr ysgol, cyrhaeddon ni'r ysgol yn barod i ymddiried Sisial i ofal uniaith Lydaweg Skol Diwan Lesneven. Er bod Erwan yn gallu dechrau yn ddyflwydd oed, mae angen iddo gamu'n rhydd o'i gewynnau cyn gallu mynychu'r dosbarth meithrin. Felly cafodd e hebrwng ei chwaer fawr i gwrdd â'i ffrindiau a'i hathro newydd. Mae Fañch, ei hathro am y flwyddyn, i'w weld yn berson hynaws a hwyliog, ac Anne y brifathrawes wedi bod yn gynnes iawn ei chroeso inni. Dyna elfen braf arall o ysgolion Diwan, sef bod y plant yn galw eu hathrawon wrth eu henwau cyntaf. Dyw e ddim i weld yn arwain at ddiffyg parch na phroblemau ymddygiad, hyd y gwyddom!

Wrth inni sefyll ar iard yr ysgol gyda'r rhieni eraill, rhai yn ffilmio'r holl beth, cawsom wylio Sisial yn camu, fel petai'n byrddio llong Diwan gyda rhesaid o'i chyd-deithwyr, ar ei ffordd i siarad Llydaweg yn rhugl.

Gyda hynny es i, Laura ac Erwan tuag at ynys arall o Lydaweg yn nhref Lesneven, sef Ti Ar Vro (Tŷ y Fro: mae 'bro' yn golygu 'bro' a 'gwlad' yn Llydaweg). Dyma ganolfan debyg i fenter iaith yng Nghymru lle gellir cael gwybodaeth am ddigwyddiadau Llydaweg a gynhelir ar hyd yr flwyddyn yn yr ardal, cofrestru i gael gwersi Llydaweg ac, wrth gwrs, cael clonc yn Llydaweg gyda'r staff. Er bod Laura'n gyfarwydd â seiniau'r Llydaweg ac yn deall ychydig ac yn gallu dweud ambell frawddeg, mae hi'n awyddus i fynychu gwersi a fydd falle yn caniatáu inni wneud newid radical a throi'r aelwyd yn aelwyd Lydaweg ei hiaith. Am y tro, mae'r Gymraeg yn tra-arglwyddiaethu ar ein haelwyd ac nid drwg o beth yw hynny chwaith. Ond roedd hi'n argoeli'n dda o ran gwersi Llydaweg, a chawn obeithio felly y bydd modd i Laura fynd a *deskiñ Brezhoneg.*

Wrth ei chroesawu hi nôl o'i mordaith addysgiadol gyntaf ar ddiwedd y dydd, ni fu unrhyw salwch môr ac roedd gwên lydan ar wyneb Sisial! 'Kenavo ha ken warc'hoazh' (Hwyl fawr, tan yfory) meddai hi wrth ei ffrindiau.

Diwan y Llydaweg

Yn fuan iawn wedi'r Ail Ryfel Byd, a modernrwydd y 1950au yn magu stêm, bu i Lydaw a Bro Leon, ardal amaethyddol enedigol fy mam, brofi newid aruthrol a chyflym iawn i'w ffordd o fyw. Mae'r straeon a glywais fwy nag unwaith gan fy mam am dristwch ac yn wir, am ddagrau Tad-kozh, fy nhad-cu, wrth orfod cael gwared o'i feirch er mwyn gadael i'r tractorau ddod i hawlio'r caeau, yn ddelwedd sy'n aros gyda fi'n glir yn y meddwl. Mae'n ddelwedd hefyd sy'n anodd ei dychmygu o weld arferion cefn gwlad ym Mro Leon heddiw lle mae gweld tractor mor naturiol a mynd i brynu torth ffres o *foulangerie* Bara ar Born yn Kerlouan.

Bron dros nos fe ddaeth hi'n ddiangen galw'r gymdogaeth ynghyd i gasglu'r mydylau gwair wrth gynaeafu, a gyda glaniad y peiriant golchi diflannodd y cyfle i sgwrsio rhwng gwragedd y ffermydd wrth iddyn nhw olchi dillad y teulu yn y *poull dour*, y pwll golchi dillad. Gwelir olion ambell un o hyd heddiw, rhai yn cael eu cynnal a'u cadw tra bod eraill yn farw o dan fieri. Gyda chyrhaeddiad tractorau, peiriannau golchi a setiau teledu, dinistriwyd hen gloddiau hanesyddol er mwyn ennill mwy o dir ffermio, a chyflwynwyd dulliau newydd, diwydiannol a chemegol o amaethu, gan dyfu llysiau gwahanol i fwydo'r boblogaeth yn ogystal â thyfu llysiau na ellir ond eu bwydo i'r da a'r moch. Aethpwyd ati i ddefnyddio plaladdwyr a gosod rhesi o blastig oedd yn sicrhau na allai'r cnydau fethu a bod llai o angen chwynnu. Digwyddodd hyn oll yn fwriadol o dan arweiniad gwladwriaeth Ffrainc wrth i honno greu cyfansoddiad newydd ac ailgodi o lwch y rhyfel. Gyda hyn hefyd daeth teithio yn haws a chododd awydd ymysg yr ifanc (a welai lai o gyfleoedd i weithio ar ffermydd) i fynd a darganfod llefydd y tu hwnt i'r ardal leol, neu y tu hwnt i'r *département* (yr enw ar gyfundrefn siroedd Ffrainc), tu hwnt i Lydaw, tu hwnt i Ffrainc, hyd yn oed. Mynd i lefydd lle nad oedd hyd yn oed ymwybyddiaeth o'r Llydaweg, na sut roedd llaeth yn cyrraedd y ffridj.

'Gwerth cynnydd yw gwarth cenedl', canodd Gerallt yn ei gerdd enwog 'Etifeddiaeth'. Ond i deuluoedd tlawd fel teulu fy nghyndeidiau, oedd yn cael cyfle i fyw bywydau fel yr hyn a welent ar setiau newydd teledu lliw, a chyfarwyddyd gan Baris i foderneiddio, daeth hi'n arfer i gwestiynu gwerth trosglwyddo iaith y cloddiau a'r ceffylau i'w plant a'u gorwelion eangfrydig. Fe fues i'n ffodus fod Mamm-gozh, fy mam-gu, wedi penderfynu magu ei phlant yn Llydaweg, tra bod ei chwaer yng nghyfraith hi wedi mynd ati, yn ei Ffrangeg fratiog, ei hail iaith, i fagu ei phlant hithau yn ddi-Lydaweg. Ydy, mae'n hawdd edrych nôl a dyfynnu llinellau o farddoniaeth sy'n siarad cyfrolau mewn prin hanner dwsin o eiriau. Mae mor hawdd â rhoi dillad yn y peiriant golchi a thanio'r tractor, ac mae'n haws fyth i fi fel Cymro Cymraeg, Cymro cyfan a thri chwarter Llydawr wedi ei freintio ag addysg, sy'n gweld buddiannau dwyieithrwydd ac amlieithrwydd i fy mhlant, a'r cyfleon i gyfoethogi bywydau sydd i'w cael drwy gynnig addysg Gymraeg i gymaint o blant â phosib, boed yn Llangennech neu Lantrisant. Ond yn ôl yn y pumdegau, lle roedd trwch poblogaeth Breizh Izel, o bosib dwy filiwn o bobol, yn dal i allu siarad y Llydaweg ac yn ei harddel bob dydd, roedd cynnydd yn symud mor gyflym fel na chafodd cenhedlaeth gyfan o rieni amser am seibiant i ystyried sut Lydaw fyddai hi heb y Llydaweg. Siawns y byddai eu plant hwythau yn cysylltu'r iaith i'w tractorau sgleiniog a'i llusgo fel aradr i weithio'r tiroedd fel erioed ...

Ond yn wahanol i Gymru, fe gafodd Llydaw, fel rhan o Ffrainc, ei goresgyn gan y Natsïaid. Gellir dweud i sicrwydd heddi fod yna ddyrnaid o genedlaetholwyr Llydaweg wedi gweld cyfle i ddiogelu'r iaith ac wedi derbyn, os nad croesawu glaniad y Natsïaid. Wrth gwrs, pen draw Natsïaeth, pe bai Hitler wedi ennill yr Ail Ryfel Byd, fyddai difa ieithoedd fel y Llydaweg a gorseddu'r Almaeneg a'r holl feddylfryd a'r ffordd o fyw ffiaidd honno yn Llydaw, fel yn Ffrainc. Ond wedi'r rhyfel, â gwladwriaeth Ffrainc yn ailganfod ei nerth o fod wedi cael ei dwylo yn rhydd o gadwyni'r goresgyniad, fe dalodd gwledydd fel Llydaw yn ddrud. Fe welodd y wladwriaeth gyfle i gyflawni'r hyn na fu'n bosib hyd hynny, er gwaethaf ymdrechion cyson ers dros ganrif, sef dyrchafu'r Ffrangeg yn brif iaith, ac o bosib, yn unig iaith y bobol yn Llydaw, fel ag y ceisiai hefyd ei wneud ymysg y bobl yng nghenedloedd eraill Ffrainc. Trowyd hen deyrnasoedd a fu'n genhedloedd ac yn wledydd hynafol yn Ewrop, fel Llydaw, Gwlad y Basg, Corsica ac Ocsitania, yn rhanbarthau o'r wlad fawreddog hon, yn *régions de la France*. Dywedwyd i bob pwrpas fod siarad Llydaweg gyfystyr â chefnogi gelyn ffiaidd y goresgyniad.

Dyrchafwyd y syniad, yn enwedig gan sefydliadau fel L'Académie Française, bod angen diogelu'r Ffrangeg yn wyneb peryglon nid o gyfeiriad y Natsïaid, ond bellach o gyfeiriad globaleiddio a grym di-rwystr y Saesneg. Gwelir llawer mwy o gariad o'r herwydd at y Ffrangeg nag a deimlaf sydd at y Saesneg yng Nghymru. Mae hi'n rhywbeth a gyflwynir fel rhywbeth i'w gwerthfawrogi, i'w dyrchafu yn ei holl ysblander, fel iaith y gyfraith, y stryd, y farchnad a'r byd addysg, fel yr iaith y gellir ymddiried ynddi i'ch symud chi ymlaen tuag at lwyddiant mewn bywyd. Nid peth anghyffredin yw cael eich cywiro am wneud cam-ynganiad ar ganol sgwrs. Profais sawl enghraifft o ddirmyg o fod yn siarad Ffrangeg carbwl ar brydiau a diffyg dealltwriaeth wrth i fi ymfalchïo fod fy Llydaweg yn llawer mwy

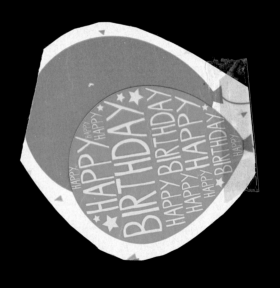

rhugl. Mae'n syndod meddwl mai dim ond ym 1994, wrth i Gytundeb Maastricht gael ei gymeradwyo gan Lywodraeth Ffrainc, y nodwyd mewn deddf am y tro cyntaf taw 'Le Français est la langue de la République' (Ffrangeg yw iaith y Weriniaeth). Ni feiddiai hyd yn oed wladwriaeth Y Deyrnas Anunedig, frecsitaidd, sy'n anelu i roi 'Great' ar bob darn o fwyd a diod, ddatgan bellach trwy ddeddf mai unig iaith Prydain Fawr yw'r Saesneg.

Hawdd anghofio, yn wyneb holl gynnydd y byd modern ac yn sgil y diwylliant cywilydd a osodwyd ar boblogaeth Llydaw wedi'r Ail Ryfel Byd, fod gan y Llydaweg rinweddau, bod ganddi gyfoeth o draddodiad barddol, canu gwerin, cyfoeth diwylliannol sy'n gysylltiedig â ffordd o fyw a ffordd o ddifyrru a diddanu megis Gouren (ynganiad: gŵren), yr ymaflyd codwm Llydewig sy'n llawn, hyd heddiw, o dermau technegol Llydaweg, er taw yn Ffrangeg yr ymleddir.

Wrth i'r saithdegau fynd rhagddynt, daeth sylweddoliad o ba mor gyflym y bu'r defnydd o'r Llydaweg yn dirywio ymysg ei phobol. Daeth sylweddoliad fod angen brwydro. Hyd yn oed yn wyneb gwladwriaeth a gwleidyddion a oedd yn gwneud eu gorau i ddifa'r Llydaweg, rhaid oedd sefydlu ffordd o gynnig Llydaweg i blant Breizh Izel, gan nad oedd pob aelwyd bellach yn cynnig holl gyfoeth naturiol yr iaith i'r to iau, er bod cyfran dda o'r rhieni a fynnai siarad Ffrangeg â'u plant yn dal i siarad Llydaweg rhyngddyn nhw. Daeth awydd i weithredu nid o un gornel fach o Lydaw, ond o sawl cyfeiriad: gyda phobol o ogledd Bro Leon, ardal Kemper a phobol ynghlwm wrth Skol an Emsav o gyfeiriad Roazhon, megis *pincer movement* trionglog yn codi a gweithredu. Ym 1975 fe fu cynrychiolwyr o Skol an Emsav yn ymweld â Gwlad y Basg a Chatalwnia er mwyn dysgu a chael ysbrydoliaeth o'r systemau addysg drochi oedd yn cael eu sefydlu yn y gwledydd hynny, ac roedd sawl un yn edrych tuag at y Mudiad Meithrin yn Nghymru fel enghraifft lwyddiannus o drochi ieithyddol. Os am ddechrau cynnig addysg yn Llydaweg, byddai'r ysgolion newydd yn gorfod cael eu geni a thyfu gyda'r genhedlaeth gyntaf. Golygai hynny sefydlu ysgol feithrin Lydaweg i ddechrau ac yna gobeithio fod modd i'r disgyblion hynny fod yn arweinwyr diarwybod drwy'r ffaith syml y byddent yn tyfu ac yn sgil eu prifiant yn dangos angen am ysgolion cynradd a, maes o law, ysgolion uwchradd a hyd at goleg chweched. Bron i chwarter canrif yn ddiweddarach, sefydlwyd yr ysgol uwchradd gyntaf ger Brest yn Releg-Kerhuon ym 1994.

Felly, gyda chefnogaeth Reun an Ostis (gŵr a ddaeth yn ddiweddarach yn ystod yr 80au i fod yn Llywydd Mudiad Diwan), ym 1977 yn Lambaol-Gwitalmeze, nid nepell o Blougerne ar arfordir gogledd-orllewin Bro Leon, fe ddechreuwyd yr ysgol feithrin gyntaf o dan faner mudiad Diwan. Dyrnaid o blant oedd yno, a'r unig adnodd a gynigwyd i'r plant oedd stafell ym Mairie Lambaol-Gwitalmeze. Cystal taflu hadau ar graig a gweddïo am wyrth. Penodwyd yr actor a'r canwr Denez Abernot, a oedd ar ganol ymarferion cwmni drama Ar Vro Bagan un dydd, gan ddweud wrtho y byddai'n berffaith i fynd at y plant bychain a bod yn athro arnyn nhw. Tua'r un adeg roedd ysgol feithrin arall yn agor ar gyrion Kemper. A dyna a fu, yr athro a'r criw meithrin cyntaf yn dechrau rhannu'r profiad o gael addysg trwy gyfrwng y Llydaweg. Mae'n destun balchder i fi fod gen i gysylltiad teuluol â dechreuadau Diwan gan taw fy mam a olynodd Denez Abernot yn ysgol feithrin Lambaol-Gwitalmeze a hi hefyd aeth ymlaen i Dreglonoù, nid nepell o Blougerne, ym mro'r Aberoedd (sawl golygfa drawiadol i'w chael os ewch i lefydd fel yr Aber Wrac'h a'r Aber Beniged) i fod yn athrawes yn un o'r ysgolion cynradd cyntaf ym mis Medi 1980. Doedd gyda fy mam ddim ond tri disgybl ac fe fu'n eu dysgu am flwyddyn cyn gwneud y penderfyniad mawr i symud i fyw Cymru gyda'i gŵr newydd, Cymro cenedlaetholgar o Nelson yng nghymoedd diwydiannol de Cymru, fy nhad. Bu bod ynghlwm wrth fenter gyffrous fel Diwan heb wybod a fyddai rhywbeth yn dod o'r ymdrechion cychwynnol yn gymysgedd o falchder a phryder i fy mam. Ond er iddi gymryd y naid anodd i newid gwlad, newid iaith a ffordd o fyw i fagu teulu, roedd ganddi ffydd yn ei chyd-wladwyr y byddai'r fenter yn ffynnu, yn egino a blodeuo. Cyfannwyd cylch mawr o egni, amynedd ac ymdrech pan gafodd fy mhlant fynd i'r ysgol yn Llydaw a chael eu haddysgu trwy gyfrwng y Llydaweg, a gwneud hynny o dan faner groesawgar Diwan.

Nid tan 2010 y cafodd ysgolion Diwan led-gydnabyddiaeth gan lywodraeth Ffrainc, a chael felly rywfaint o gyllideb i dalu'r athrawon. Gweithredu fel ysgolion preifat mae ysgolion Diwan, a hyd 2010 bu'n rhaid i'r cymdeithasau rhieni a chefnogwyr y mudiad gasglu arian yn barhaus, ac mewn ambell achos, fegera am adeiladau gan ddibynnu ar ewyllys da amrywiol awdurdodau lleol. Ond fe dyfodd yr hadau ar y graig, rywsut, i fod yn fudiad sydd erbyn heddi yn cynnwys chwech ysgol uwchradd, un coleg chweched a deugain ac wyth o ysgolion cynradd sy'n cynnig addysg i blant o ddwy oed ymlaen. Mae ysgolion Diwan hefyd wedi cael eu hagor, fel gweithred symbolaidd o hunaniaeth Llydaw, mewn ardaloedd yn Breizh Uhel, sef dwyrain Llydaw, lle yn draddodiadol y siaredir Gallo (ynganiad: Galo) ac nid Llydaweg. (Gellir cymharu Llydaw â'r Alban yn hyn o beth, lle mae un rhanbarth yn fwy tueddol o siarad Scots a rhanbarthau eraill yn froydd Gaeleg yr Alban.) Gwelir felly ysgolion Llydaweg Diwan yn Roazhon (Rennes, prifddinas Llydaw), Naoned (Nantes, sy'n hanesyddol yn rhan o Lydaw, ond nad ydyw yn Llydaw heddi, yn ôl y ffiniau a bennwyd ym Mharis), ac fe geir ysgol Diwan ym Mharis, hyd yn oed. Datblygiad cyffrous arall yw y bydd yna ysgol uwchradd newydd yn agor ei drysau ym mis Medi 2020 yn Roazhon.

Gellir dadlau taw Karaez (Carhaix) yng nghanol y Mynyddoedd Are yw prifddinas gyfoes y Llydaweg, o ran ei chryfder, ei gweithgaredd diwylliannol a'r ffaith taw dyma leoliad unig goleg chweched dosbarth Diwan. Yno mae Lise (o'r gair Ffrangeg Lycée, sef chweched dosbarth) sy'n cynnig llety preswyl i'r disgyblion, sy'n dod o bellafion Llydaw, o Naoned a Roazhon, os ydyn nhw'n dymuno sefyll eu harholiadau Baccalaureat drwy gyfrwng y Llydaweg. Fe welsom eisoes fod yn rhaid i lywyddion, trysoryddion, athrawon a rhieni'r mudiad Diwan ymgyrchu ac ymdrechu i godi arian yn barhaus er mwyn i Diwan allu goroesi, ond y llynedd ac eto eleni fe welwyd gweithred o aberth a phrotest gan ddisgyblion hynaf y mudiad – disgyblion dwy ar bymtheg a deunaw oed a fynnai'r hawl i sefyll eu harholiadau mathemateg drwy gyfrwng y Llydaweg. Am yr ail flwyddyn yn olynol, fe aberthodd dwsin ohonyn nhw eu cyfartaledd marciau ar draws y pynciau drwy ateb pob cwestiwn mathemateg drwy gyfrwng y Llydaweg. Honna llywodraeth Ffrainc nad oes digon o athrawon ar gael i farcio'r gwaith. Maen nhw'n dysgu mathemateg drwy gyfrwng y Llydaweg, ac mae eraill yn gwneud hynny hefyd mewn ysgolion dwyieithog. Afraid dweud nad yw'r hafaliad hwn yn cynhyrchu ateb cywir. Ond cewch glywed mwy am brotestio yn nes ymlaen...

Mae na glipiau fideo o François Mitterand, yr Arlywydd asgell chwith a safai gyda'r gweithwyr a'u hawliau, yn datgan fod ieithoedd rhanbarthol Ffrainc yn caethiwo pobloedd Ffrainc yn eu tlodi a taw trwy'r Ffrangeg mae ymgyfoethogi. Mewn darn arall o archif, ac yntau'n cael ei groesawu i Lydaw gan bysgotwr yn yr Wythdegau, a hynny yn Llydaweg: 'Ur blijadur eo degemer ac'honoc'h d'am Bro' (Mae'n bleser eich croesawu i'm gwlad), ymateb Mitterand oedd 'Ça ressemble à du chinois!' (Mae'n swnio fel Tsieinëeg!). Mae hyd yn oed y rhai da yn cyfeiliorni, ymddengys.

Nid yw pethau wedi newid heddi, hyd yn oed yn Llywodraeth 'oleuedig' Macron. Yr haf hwn gwnaethpwyd sylwadau gan Weinidog Addysg y Llywodraeth, Jean-Michel Blanquer (sy'n dipyn o Blanquer yn llygad sawl un ohonom!) yn nodi ei fod yn poeni fod 'unieithrwydd' Diwan yn rhwystr i addysg y disgyblion. Tu hwnt i'r ffaith nad oes modd dianc rhag y Ffrangeg o ddydd i ddydd, gadawaf i eiriau Dora Vargas, Prifathrawes Lise Karaez, wedi eu cyfieithu i'r Gymraeg, adrodd cyfrolau i'r gwrthwyneb:

> Cawsom sioc gan ddefnydd Jean-Michel Blanquer o'r gair 'unieithog', cans yma yn Diwan y mae'r Llydaweg ynghanol yr ieithoedd eraill. Nid yw disgyblion yn y Lise yn unieithog nac yn ddwyieithog. Rydyn ni'n amlieithog yn gyffredinol. Rydw i, a aned yng Ngholombia, yn enghraifft o sut y gall iaith fod o gymorth i rywun ganfod ei le mewn cymdeithas. Ces i fy nerbyn yn y wlad hon oherwydd y Llydaweg! Yma yn Diwan nid ydym yn gosod un iaith yn erbyn iaith arall. Rydym yn defnyddio'r dull trochi er mwyn dysgu Saesneg a Sbaeneg! Mae trochi yn golygu byw drwy gyfrwng yr iaith, gyda'r iaith.

Hyd heddi felly nid oes gan ysgolion Diwan statws ysgolion cyhoeddus: rhyw 'dir neb' preifat o statws sydd ganddyn nhw, sydd ar un wedd yn caniatáu i'r mudiad osod ei gwricwlwm ei hunan, ac yn aml mae disgyblion Diwan yn profi eu hunain i fod ymysg y mwyaf disglair yn academaidd o blith disgyblion Llydaw. Ond hefyd, golyga hyn fod y rhan fwyaf o gyllid Diwan yn dal i ddibynnu ar roddion ariannol. Derbynnir cyfraniadau misol gan unigolion, a threfnir digwyddiadau gydol y flwyddyn, o gasglu afalau, tatws neu sialóts i drefnu teithiau cerdded a chyngherddau poblogaidd. Bywyd ar y dibyn o hyd yw bywyd Diwan. Mae'r athrawon yn ymroddedig, a nifer gynyddol o athrawon di-Lydaweg yn cael eu trwytho ac yn dysgu'r iaith ar gyrsiau sy'n caniatáu iddyn nhw fynd i weithio yn Diwan. Mae nifer o rieni yn ddi-Lydaweg (o leia 80% ohonyn nhw ar gyfartaledd yn achos ysgol Diwan Lesneven) ac yn danfon eu plant i'r ysgol Diwan leol am eu bod nhw, nifer o'r rhai y des i i'w nabod, yn difaru na chawson nhw'r iaith gan eu rhieni neu gan eu neiniau a'u teidiau. Mae yna gefnogaeth gynnes ac ewyllys da gan nifer tuag at Diwan felly.

Ond mae yna hefyd ddrwgdeimlad yn mudferwi ymysg rhai, nid yn unig o barthau Paris a Llywodraeth Ffrainc a'u pryder am ddiffygion plantos bach Diwan wrth siarad Ffrangeg (sy'n wallgof o beth i'w ddweud o ystyried bod y Ffrangeg yn hollbresennol, i'r graddau fod Sisial, fy merch, bellach yn medru'r Ffrangeg o fod yn clywed yr iaith gymaint ymysg ei chyd-ddisgyblion ac o'i chwmpas o ddydd i ddydd), ond ymysg y boblogaeth yn gyffredinol. Mae yna ddrwgdybiaeth fod Diwan yn gul, yn para i gynnal ysbryd y *collabos* a gyflawnodd deyrnfradwriaeth a chydweithio â'r Natsïaid. Mae rhai yn mynd mor bell â dweud fod Diwan, ac felly'n ehangach y diwylliant Llydaweg, yn hiliol. Dyna aelodau o fy nheulu fy hunan (sy'n gefnogol i Diwan ond ddim yn danfon eu plant yno) yn synnu o glywed fod yn ysgol Sisial ac Erwan blant sydd â rhieni yn hanu o wledydd mor amrywiol ag Ecwador, Periw, yr Eidal, yr Wcráin, Canada a Chymru! Yn aml mae'r ddelwedd sydd gan bobol yn eu meddyliau o Diwan yn gwrthdaro â'r gwirionedd. Ydy, mae Diwan yn defnyddio technegau trochi er mwyn esgor ar ddisgyblion sydd mor rhugl yn Llydaweg ag ydyn nhw yn Ffrangeg. Ond hefyd mae Diwan yn cael anawsterau i ganfod siaradwyr Llydaweg wrth wneud gweithgareddau allgyrsiol. Ac ydyn, fel mewn sawl ysgol Gymraeg yng Nghymru, mae'r plant yn aml yn chwarae drwy gyfrwng yr iaith fwyafrifol, ormesol, yn hytrach nag yn naturiol drwy'r Llydaweg.

Ar fwy nag un achlysur fe glywais hefyd yn ystod y flwyddyn

ddiwethaf yma, ac ar ymweliadau blaenorol â Llydaw, y to hŷn yn dilorni Diwan ac yn aml yn dilorni siaradwyr iau wrth eu clywed yn siarad, am nad ydyn nhw'n teimlo fod y disgyblion yn siarad yr un Llydaweg â nhw bellach: 'N'eo ket ar memes Brezhoneg' (Nid yr un Llydaweg yw e). Gellir cymharu hyn ag agweddau pobol at acen Gymraeg Caerdydd, sydd yn ffordd hollol ddilys o siarad ac yn acen a gododd yn sgil twf addysg Gymraeg yn y ddinas. Ond mae'r sgism yn ddyfnach yn Llydaw. Mae ynghlwm wrth y diwylliant cywilydd a osodwyd ar genedlaethau o rieni. Mae ynghlwm wrth eu cywilydd eu hunain, mewn rhai achosion, nad ydyn nhw wedi trosglwyddo'r iaith i'w plant, a'u heuogrwydd o weld bod y Llydaweg wedi edwino cymaint yn sgil hynny. Mae'n hollol resymol a rhesymegol i ddisgwyl y byddai'r math o Lydaweg a siaredir heddiw, pe bai cymaint mwy wedi ei throsglwyddo yn ei holl ogoniant tafodieithol i'w plant, yn llawer agosach at Lydaweg y to hŷn. Nid yw'n gymaint o esblygiad araf o'r hen fath o Lydaweg i'r 'Ddiwaneg' newydd hon, ag yn 'jymp-start' o naid sydyn tuag at y dull newydd o siarad. Byddai rhywun yn disgwyl taw'r Llydaweg a glywir heddi o enau trwch y plant bychain (nid pob un, cofiwch) fydd Llydaweg diwedd yr unfed ganrif ar hugain. Ond dim ond bwlch dwy genhedlaeth sydd rhwng yr hen Lydaweg a fu'n teyrnasu ac yn esblygu'n araf am ganrifoedd a'r 'Ddiwaneg' honedig yma.

Ond mae'n gweithio'r ddwy ffordd. Pan fu Sisial ar ymweliad gyda'r ysgol â chartre'r henoed er mwyn sgwrsio yn Llydaweg i rannu straeon a dysgu gan y to hŷn, er iddi fwynhau'r ymweliad, ei phrif gŵyn oedd na allai ddeall yr henoed yn siarad. Mae lle felly i'w chenhedlaeth hi wrando'n fwy astud a gwerthfawrogi ffordd o siarad sy'n prysur gilio o'r tir. Rwyf innau wedi canfod fy hunan yn atgoffa Sisial yn wythnosol taw ar y goben mae'r pwyslais naturiol wrth siarad Llydaweg, ond dim ond amlygu fy rhagfarnau ieithyddol i mae hynny. Mae'r ffaith ei bod hi, yn y pen draw, yn mynegi ei hunan yn rhugl a naturiol yn Llydaweg yn gorfod bod yn ystyriaeth bwysicach.

Fel siaradwr Llydaweg, mae gwrando ar archifau o hen Lydawyr, neu o dro i dro, gwrando ar Lydawr yn siarad yn fyw o fy mlaen, yn brofiad nid llai nag ysbrydol, gan bod eu Llydaweg nhw yn agosach at y Gymraeg a chan bod y math hwnnw o acen yn diflannu. Mae'r acen ar y goben (sef y sillaf olaf ond un), a'r pwyslais hwnnw yn drwm, yn ymhyfrydol o drwm. Mae'n haws deall siaradwr o Vro Leon, i mi, o leiaf, gan bod tafodieithoedd eraill yn amrywio yn go eang ac nid oes cymaint o gyfryngau fel sydd yn Gymraeg er mwyn inni arfer â'u clywed. Ond mae Bro Leon yn eglur iawn. Mae Kerne yn torri geiriau'n fyr. Mae brodor o Vro Dreger yn swnio dwtsh fel Americanwr sy'n siarad Llydaweg (ie, gyda'r 'r' AmeRicanaidd!) ac yn ynganu geiriau mewn ffordd debycach i'r Gymraeg. Er enghraifft, dywedir 'klewed', yn lle 'kleved' fy nhafodiaith Leonaidd i, ar gyfer y gair Cymraeg 'clywed'. Mae Bro Wened hithau wedyn yn newid bron bob sain C yn 'tsh' a phob sain G yn 'dsh', sy'n ei gwneud yn rhyfedd i wrando arni, ac yn anodd i'w deall. Fel yn hen Gymraeg y Gododdin yn y chweched ganrif, mae'r Wenedeg hefyd yn cadw'r pwyslais ar y sillaf olaf, fel pe bai yr hen arfer honno rywsut wedi cael ei chadw wrth i'r Frythoneg fynd ar ei thaith i dde Llydaw drwy ryw lwyth styfnig a fynnodd, hyd heddi, roi'r pwyslais ar y sillaf olaf. Wedyn mae gennych Lydaweg ysgolion Diwan. Diwaneg. O raid, mae ysgolion Diwan wedi cymryd geiriau o fan hyn, ymadroddion o fan draw, o Vro Leon i Vro Wened ac mae 'na gysoni yn digwydd ar yr iaith, fel sy'n digwydd yn Gymraeg. Ond gyda hynny mae'r lliwiau tafodieithol yn pylu. Ond os ydy'r Llydaweg am fod yn berthnasol i fywydau plant ac oedolion yr unfed ganrif ar hugain, wrth dynnu arian o'r banc, neu drafod materion technegol peirianyddol, mae angen y termau i allu gwneud hynny yn Llydaweg.

Mae gan athrawon Diwan, felly, wrth gael eu hyfforddi, fanc geirfa a therminoleg sy'n filoedd ar filoedd o eiriau, yn gilometrau o eiriau o hyd. Mae hyn yn beth da. Ni safodd y Llydaweg yn ei hunfan rhwng y chweched a'r ugeinfed ganrif, ac ni ddylai hi wneud nawr. Dyna gymwynas felly gan Diwan i ddal i fyny â'r carlamu ymlaen a fu yn sgil cynnydd technolegol yn y ganrif ddiwethaf. Gellir tynnu ar eiriau sy'n bodoli o wahanol dafodieithoedd. Gellir bathu rhai geiriau lle bo angen. Mae'n arwydd fod iaith yn para'n fyw, yn dal i esblygu.

Ond fel y dywedodd un myfyriwr Llydaweg ei iaith wrthyf ym Mhrifysgol Brest, fe ddysgais Lydaweg yn Diwan Naoned, fe ddysgais yr acen Lydaweg ar ôl gadael yr ysgol drwy wrando ar yr henoed, 'ar re gozh'. Mae na le i'r ddwy genhedlaeth yn Llydaw'r unfed ganrif ar hugain: yr afieithus o ifanc i ddysgu'r to hŷn fod yna eiriau Llydaweg am bob dim dan haul, a'r hen do i ddangos bod modd i'r ifanc ymdawelu am ennyd, troi clust ac ymdrechu i gasglu'r perlau cyfoethog o ddulliau siarad, ymadroddion a diarhebion sy'n dal i fodoli hyd heddi ledled Breizh Izel. Yr un iaith yw hi, dim ond bod yna ddulliau newydd o'i thyfu hi a chaeau newydd, lle symudwyd y cloddiau, yn disgwyl ymweliad y tractor a'i arad.

Dylanwadodd bodolaeth Diwan hefyd ar ysgolion cyhoeddus y Wladwriaeth ac ysgolion preifat yr Eglwys Babyddol gan esgor ar ffrydiau dwyieithog. Mae yna bellach 17,000 o ddisgyblion yn derbyn eu haddysg naill ai yn gyfangwbwl neu'n rhannol drwy'r Llydaweg, gyda 4,337 o'r rheiny yn 2018-19 yn Diwan. Mae'n ffigwr calonogol, am eiliad. Yna digalonnir dyn pan welir fod 400,000 o blant yn derbyn eu haddysg heb gael fawr ddim Llydaweg o gwbwl. Gwelir wedyn fod gwladwriaeth Ffrainc wedi llwyddo i dyfu Ffrancwyr da fesul cannoedd o gaeau di-gloddiau dan sicrwydd plaladdwyr grymoedd llywodraethol Ffrainc. Ond nid trwy Diwan yn unig y daw nifer o siaradwyr Llydaweg i gyfoethogi byd y Llydaweg.

Daw rhai trwy'r ysgolion cynradd ac uwchradd dwyieithog, yn ysgolion y Wladwriaeth ac ysgolion yr Eglwys Babyddol. Mae astudiaethau wedi dangos bod yna gryn amrywiaeth rhwng gallu'r disgyblion hyn i siarad Llydaweg, gan ddibynnu ar athrawon dylanwadol a chryf eu Llydaweg ac ar bolisi iaith ysgol benodol i wneud gwahaniaeth. Ceir rhai ysgolion wedyn sy'n ddwyieithog mewn dim ond enw, lle cynhelir ambell wers docenistaidd trwy gyfrwng y Llydaweg. Mae un ysgol gynradd yn Lesneven yn dysgu trwy'r Llydaweg yn y bore a'r Ffrangeg trwy'r prynhawn. Ond ymddengys taw dim ond dealltwriaeth o'r Llydaweg a iaith lafar fratiog sydd gan y disgyblion ac nid gallu i'w siarad yn rhugl. Ond mae safon iaith disgyblion mewn ysgolion dwyieithog eraill yn cymharu'n ffafriol â rhai disgyblion Diwan gwan eu Llydaweg. Yn yr un modd, mae'n siwr fod yna ddisgyblion yng Nghymru sy'n mynd trwy addysg Gymraeg ac yn ddihyder eu mynegiant neu'n methu siarad yr iaith yn naturiol o rugl, er yn astudio eu pynciau trwy gyfrwng y Gymraeg.

Ystyr 'Diwan' yw 'egino', a does dim dwywaith pe na bai mudiad ysgolion Diwan wedi gallu brwydro drwy'r rhewi a fu ar yr iaith yn ail hanner yr ugeinfed ganrif, y llwydrew Ffrangeg a ddaeth i ddifa ei thwf naturiol, y byddem yn edrych ar ddiwedd yr iaith Lydaweg erbyn heddi. Iaith atgofion meddyliau sy'n araf ffwndro mewn cartrefi i'r henoed fyddai hi, iaith yn diflannu gyda diflaniad ei siaradwyr olaf hi. Ond diolch i'r mudiad, ac i'r rhwydwaith o ysgolion ledled Llydaw sy'n gosod gwreiddiau sy'n prysur ddyfnhau, mi fu egin o Lydaweg a blaendwf wedi hynny sy'n golygu fod yna heddi siaradwyr Llydaweg o bob oedran sy'n medru byw eu bywydau drwy gyfrwng y Llydaweg, boed hi'n famiaith neu'n iaith a gydiodd ynddyn nhw drwy stafelloedd dosbarth. Gwn fod rhai o sylfaenwyr y mudiad wedi disgwyl y byddai Diwan, wrth agosáu at yr hanner canmlwyddiant, wedi sicrhau fod y Llydaweg yn ailganfod ei lle ar dafodau'r bröydd, ac ar strydoedd pentrefi a threfi Llydaw. Os taw gyda'r bwriad hwnnw mewn golwg y mesurwn lwyddiant Diwan, yna mae Diwan wedi methu. Ond os taw i osgoi difodiant yr iaith Lydaweg yn llwyr y crëwyd Diwan, mae wedi bod yn llwyddiant ysgubol. Os taw creu amrywiaeth gyfoes a pherthnasol o eirfa newydd sy'n rhoi mynegiant i'n byd o gynnydd tragwyddol yw'r nod, yna mae Diwan yn cyflawni gwyrthiau. Os taw cynnal acenion cynhenid hen Lydaw oes aur yr iaith yw'r nod, yna 'nid da lle gellir gwell' yw hi. Fel gyda chymaint o bethau, mater o weld y gwydryn yn hanner gwag neu'n hanner llawn yw hi, neu falle y cae o lysiau yn tyfu yn ei anterth, neu ddim cweit yn tyfu fel ag y gallai mewn byd delfrydol.

I fi, wrth sefyll yn adwy'r cae a gweld y twf aruthrol a fu yng ngallu fy mhlant i fyw eu bywydau yn Llydaweg, a hynny wedi i fi, er gwaethaf siarad fy mamiaith gyda nhw ers yr anadl cyntaf ar ôl eu geni, fethu â'u cael i fy ateb i yn hyderus yn Llydaweg, mae fy niolch i ysgolion Diwan yn mynd i barhau i dyfu o ddydd i ddydd, gyda phob brawddeg Lydaweg ddaw o gegau Sisial ac Erwan.

Dydd Mawrth, Medi 4, Kerlouan / *Dimeurzh, pevar a viz Gwengolo, Kerlouan*

ki yw ci

Fy nhro i oedd hi heddi i hebrwng y ci ar ei wâc blygeiniol. Roedd y plant yn dal i gysgu. Yr ystlumod yn dal i hedfan a'r haul yn dal heb godi chwaith, er ei bod hi'n 7 o'r gloch y bore. Un peth yw arfer o'r newydd wedi gwyliau'r haf â chodi yn brydlon er mwyn cael y plant yn barod i fynd i Skol Diwan, peth arall yw codi'n fore a hithau'n dal i fod yn dywyll! Ond un peth da am gael ci yw fod angen mynd am wâc arno a bod hynny nid yn unig yn gallu rhoi cyfle i ddyn ddadebru a pharatoi ei hun yn feddyliol, heb sôn am roi cyfleon i ddyn farddoni wrth gerdded (rwy'n hollol grediniol fod ein ci wedi chwarae rhan allweddol yng ngherddi'r Gadair yn Eisteddfod y Fenni 2016), ond mae bod yn berchen ar gi hefyd yn ffordd o fod yn fusneslyd a gweld pwy arall sydd wedi codi'n fore.

Un oedd yn naturiol ar ei draed eisoes oedd y bore-godwr o gymydog François Salou. Dim syndod fyn'na ac yntau'n ffarmwr diwyd sy'n gwneud y cyfan ar ei ben ei hun. Fe'i magwyd yn yr union fferm mae'n ei gweithio nawr a hynny yn Llydaweg. Mae ei rieni ers ychydig flynyddoedd bellach wedi ein gadael ni ac yntau nawr yn gweithio'r caeau gan dyfu llysiau i wneud ei fywoliaeth. O leia does dim rhaid iddo fynd i odro ei gourgettes na'i lysiau eraill bob bore!

Wrth weld ei silwét trwy wyll y bore bach a'i synhwyro rhedodd Mukti ato ar ei fuarth fel pe bai'n gi sy'n gweithio'r ffarm honno. Yn fy Ffrangeg gore ymddiheurais a'i gyfarch â 'bonjour'. Fe daflais frawddeg fach o Lydaweg i'r sgwrs gan ddweud 'digarez evit a'r c'hi'. Ni ches ddim yn ôl ar ffurf Llydaweg ganddo ond fe nododd nad oedd yn broblem o gwbwl, a bod cŵn yn gŵn a bod chwilfrydedd yn eu natur nhw. Gyda cherydd fy nhad am siarad Llydaweg a minnau ddim yn ei nabod yn dda (er iddo fod yn bresenoldeb, yn rhan o'r filltir sgwâr hon trwy fy mhlentyndod a'm harddegau ers i fy rhieni brynu ffermdy'r teulu), ro'n i'n benderfynol bellach fod angen ymdrechu i'w gyfarch yn amlach a maes o law, gallu siarad Llydaweg gydag e.

Ac ymlaen â ni trwy'r gwyll. 'Ci da.'

Dydd Mercher, Medi 5, Prifysgol UBO, Brest / *Dimerc'her, pemp a viz Gwengolo, Skol-veur UBO, Brest.*

Beth sydd mewn enw?

Wythnos go ysgafn sydd gyda ni o ran dechrau'r tymor gan taw cofrestru myfyrwyr ar gyfer ein labordai iaith Saesneg llafar yw'r dyletswydd. Wrth ddod i ymgyfarwyddo â'r cannoedd o wynebau sy'n mynd a dod bob dydd i swyddfa'r *Lecteurs* Saesneg, difyr yw sylwi ar gymaint o enwau cyntaf a chyfenwau, yn enwedig, sy'n dod o'r Llydaweg ac wedi eu Ffrangegeiddio o ran eu sillafiad. Arwydd go bendant o siaradwr Llydaweg yw arddel y sillafiad Llydaweg. Ond mae dylanwad yr iaith, hyd yn oed os na chlywais yr un gair o Lydaweg gan fyfyrwyr yn fy nhridiau cyntaf, yn eang ar deuluoedd y myfyrwyr hynny sy'n hanu o Lydaw. Yn aml gellir canfod cyfieithiad Cymraeg i'r enwau hyn sy'n cyfateb bron yn union: Quemeneur (Cymonwr), Quegineur (Ceginwr), Rannou (Rhannau), Le Guen (y Gwyn), Marzin (Myrddin, sylwer taw Myrddin yn Ffrangeg yw Merlin, ond y Llydaweg sydd yn y cyfenw, siwr o fod wedi ei ynganu mewn dull Ffrengig ei ynganiad), Le Bras (Y Bras neu Fawr) a Le Bihan (Y Bychan). Mae cyfran go dda o fyfyrwyr yn dod o bellafion byd, nifer o ogledd yr Affrig ac o Dsieina hefyd. Difyr fydd cael ehangu fy ngorwelion i trwy brofiadau a chefndiroedd yr holl fyfyrwyr hyn. Falle y dof ar draws ambell siaradwr neu siaradwraig Lydaweg hefyd, gyda lwc.

Dydd Iau, Medi 6, Prifysgol UBO, Brest / *Diriaou/diziou e Bro Bagan, c'hwec'h a viz Gwengolo, Skol-veur UBO, Brest.*

Wedi wythnos o ddod i nabod fy nghydweithwyr Americanaidd, y *Lectrices* Kelsey, Elizabeth a Marlene, ces gwrdd â'r Lectrices Sbaeneg heddi. Eva yw enw un, o ardal Valencia, a Mónica yw enw'r llall. Daw hi o Ecuador. Wedi inni ddweud helô a chael mymryn o sgwrs yn swyddfa'r Lecteurs, dyma Mónica yn dweud: 'Esgusodwch chi, ond mae'n rhaid i fi frysio i gasglu fy mhlant o'r ysgol.'

Braf oedd gwybod fod yna un arall o'r Lecteurs a Lectrices, fel fi, yn gorfod jyglo bywyd fel rhiant, gan taw pobol sydd newydd raddio yn eu hugeiniau cynnar yw'r gweddill o'n cydweithwyr. Dyma fi'n dweud felly, 'A fi, rhaid i fi frysio i nôl fy merch o'r ysgol.'

Holodd Mónica ym mhle roedd yr ysgol.

– Lesneven, atebais. I Lesneven roedd hithau'n mynd hefyd. Ble yn Lesneven, holais.

– Ysgol Lydaweg yn y dre.

– Diwan, ie?

– Ie!

– Tybed ai Mael yw enw un o dy blant? Holais

– Ie!

– Mael sy'n siarad Sbaeneg? Dwi'n meddwl fod fy merch, Sisial, yn yr un dosbarth ag e!

– Ah! Hi yw'r ferch sydd ddim yn medru siarad Ffrangeg?

– Ie!

– Ha!

Bedig-bed. Byd bach.

Dydd Mawrth, Medi 11, Kerlouan / *Dimeurzh, unnek a viz Gwengolo, Kerlouan.*

Men sana in corpore sano

Ni chysylltir beirdd, o ran eu delwedd, â byw yn iach. Ond ers meitin nawr rwy wedi dod i ddeall fod corff iach yn hanfodol ar gyfer meddwl iach. Felly rwy'n hoff o redeg. Os rhedaf o'r Ti-fourn yn Kelorn i draeth Meneham ac yn ôl, mae'n gylchdaith braf o ryw 11km ond buan y daw rhywun i sylweddoli fod yr her o redeg yn Llydaw yn wahanol i'r her a wyneba'r rhedwr yng Nghymru. Yn lle tirlun bryniog a serth Cwm Gwendraeth, rhedaf ar hewlydd gwastad ac felly yn aml yn erbyn rhyw groeswynt direidus.

Fy hoff ran o'r rhediad yw pan fo'r gorwelion yn agor i ddatgelu'r môr a'r creigiau cadarn, trawiadol sy'n britho'r arfordir ym Mro Bagan, ac o'r golwg, rhwng y creigiau mae traethau o dywod gwyn paradwysaidd yn nythu.

Ar draeth Rudoloc dechreuodd erydiad effeithio ar y twyni rhwng y lôn a'r môr yn ddirfawr. Mae rhyw awdurdod neu'i gilydd wedi mynd ati i ailosod y twyni a'u diogelu, mae'n siŵr er budd y twristiaid gymaint â bywyd gwyllt y môr. Mae'r llystyfiant yn prysur hawlio'r twyni gwynion yn ôl.

Mae'n fy nharo wrth gyrraedd adre y byddai'r Llydaweg ar ei hennill o gael rhyw awdurdod neu'i gilydd yn ailosod ei thwyni ac annog y llystyfiant i ailhawlio ei le...

Dydd Sadwrn, Medi 15, Lilia / *Disadorn, pemzek a viz Gwengolo, Lilia*

Deiz ha bloaz laouen dit!

Cafodd Sisial wahoddiad i'w pharti pen-blwydd cyntaf o'r flwyddyn. Rwy'n dweud cyntaf gan y bydd yna fwy, heb os! Ymddengys fod rhai pethau felly yn debyg i fywyd plentyn ysgol ym Mhontyberem: y gylchdaith partïon pen-blwydd sy'n dechrau gyda holl frwdfrydedd neuadd bentre llawn balŵns, blomónj a *bouncy castles*! Ond braf iawn o beth yw gwybod fod Sisial wedi cael y fath groeso fel bod plant sydd ond wedi ei nabod am bythefnos dros y Sulgwyn diwethaf ac ers dechrau'r tymor wedi rhoi gwahoddiad iddi fynd i barti pen-blwydd.

Draw â ni felly ar hyd arfordir creigiog Bro Bagan trwy gaeau india-corn i gyfeiriad tref Plougerne (Plwycernyw, neu Langernyw, fyddai'r enw yn Gymraeg) ac i bentref cyfagos Lilia. A than gysgod goleudy Ynys Wyryf (sef Enez Werc'h / L'ile Vierge, sy'n lle da i fynd i'w ddringo a gweld am filltiroedd o'ch cwmpas o'r brig) cyrhaeddom gartref ffrind newydd Sisial, Soaz.

Cyfle am ddisgled o goffi (gas gen i goffi, ond fe gymerais gwpanaid, er cwrteisi) a chyfle hefyd i fi a Laura ddod i nabod rhieni plant eraill dosbarth Sisial, tra bod Erwan yn rhedeg yn rhemp dros bob man fel mae'r plant dyflwydd di-ofn. Daethom i ddeall fod yna deimlad mawr o golled yn perthyn i rai o'r rhieni, colled na dderbynion nhw Lydaweg gan eu rhieni. Eraill yn deall Llydaweg ond ddim yn ddigon hyderus i'w siarad. Ond yn amlwg, os ydyn nhw'n gwneud penderfyniad i ddanfon eu plant tu hwnt i ddalgylch addysg eu plant, mae yna awydd i adfer sefyllfa ac awydd i roi cyfle i'w plant na chawson nhw.

Dyma ddeall, wrth i ambell riant arall gyrraedd, fod ambell un yn deall dim Llydaweg nac yn llwyr argyhoeddedig o ddulliau addysgu Diwan. Rhaid cwestiynu pam fod rhiant o'r safbwynt yna yn danfon eu plant i ysgol Lydaweg o gwbwl. Heb ganfod yr ateb i hynny, ni all rhywun ond ymfalchïo fod hyd yn oed rhieni nad ydyn nhw'n byw iaith yn rhoi'r cyfle gwych yma o ddysgu iaith gynhenid y fro i'w plant. Dyma ddeall fod yr un rhiant o dan sylw yn cwestiynu pam fod gen i acen Ffrangeg mor garbwl! Bu'n rhaid esbonio fod mam, sy'n Llydawes, wedi fy magu trwy gyfrwng y Llydaweg. Roedd wyneb y cyfryw riant yn bictiwr! Yr anghrediniaeth fod yna 'Ffrances' ddim yn siarad Ffrangeg â'i phlentyn.

Ta beth, roedd trwch y rhieni yn bobl groesawgar a charedig a hawdd sgyrsio â nhw, ac ambell un yn medru'r Llydaweg hefyd. Daeth yn amser i ni, y rhieni, ac Erwan fynd am dro a gadael i'r parti pen-blwydd ddechrau. Roedd Sisial yn gwenu wrth inni ffarwelio. Aethon ni am ddisgled, a chrempogen (beth arall?!) yn yr haul cyn dod nôl i gasglu Sisial oedd yn dal i wenu fel adwy cae india-corn. Gan nad yw hi eto'n medru Ffrangeg (ddiddorol fydd gweld pa mor gyflym, neu beidio, y daw hi i ddysgu Ffrangeg heb inni wneud unrhyw ymdrech gyda'r agwedd honno) bu'n rhaid i'r plant gyfieithu cyfarwyddiadau Ffrangeg y rhieni yn y gemau pen-blwydd iddi. Mae'r ffaith mai Llydaweg yw'r unig bont i ddealltwriaeth rhwng Sisial a'i ffrindiau, am nawr, yn chwa o awyr iach y môr i'r sefyllfa gymdeithasol, i ni, ac i rieni uniaith Ffrangeg, a dwyieithog y parti.

Bydd yn rhaid inni feddwl am wahodd ffrindiau newydd Sisial i'w pharti pen-blwydd hi ym mis Mawrth...

Dydd Mercher, Medi 19, Brest / *Dimerc'her an naontek a viz Gwengolo, Brest*

Beth yw'r gair Llydaweg am bureaucratie?

Fel rhan o weithio fel Lecteur Saesneg ym mhrifysgol Brest UBO, un o'r breintiau pwysig yw fy mod i'n cael hawl i garden iechyd, ac mae'r plant yn cael yr un hawliau iechyd drwy fy ngharden i. Er bod gyda ni garden iechyd Ewropeaidd, mae gwybod hynny yn tawelu'r meddwl. Er, nid yw Laura'n cael hawlio carden iechyd am nad yw hi'n gweithio yma ac nid oes ganddi rif Yswiriant Gwladol. Ond nofel gyfan arall yn llawn o alwadau ffôn a chadwyni o ebyst nôl ac ymlaen rhwng Llydaw, Llundain, y cyfrifydd yng Nghymru a phobol ddigon digroeso tu ôl i ddesgiau yn Ffrainc yw honno!

Bant â ni felly i apwyntiad ynglŷn â chwbwlhau'r ffurflenni angenrheidiol i gael fy ngharden iechyd. Er mawr syndod inni, roedd y person a'n gwelodd yn swyddfa yswiriant iechyd MGEN yn gwenu'n groesawgar! Mae'r rhan fwyaf o gost biliau iechyd yn cael eu hysgwyddo gan y wladwriaeth, ond bod angen talu lleiafswm am ymweliadau â'r doctor, sy'n golygu fod yna beiriant talu â charden ar ddesg y meddyg teulu, golygfa ryfedd i ni o wlad yr NHS.

Wrth i'r plant chwarae yn ein gŵydd a Laura a finne'n llenwi'r manylion angenrheidiol, dyma Madame Doare (sy'n enw Llydaweg) yn ein holi ni ac yn dod i ddeall arferion ieithyddol y teulu. Ac yna, fel cyflwr meddygol annisgwyl, fe'n trawodd â'r datganiad: 'Es i ati i astudio Llydaweg yn yr ysgol, ond pan welais nad oedd e'r un Llydaweg â Nain a Taid, rhois y gorau iddi gan ddweud wrthyf fy hunan nad oedd diben ei dysgu.'

Mae Ffrangeg ysgrifenedig yn go wahanol i Ffrangeg llafar a dim diben i'r iaith honno mewn nifer o wledydd yn y byd lle nad yw pobol yn ei siarad. Hefyd, mae'r plwyfoldeb a'r ymlyniad at ffordd arbennig o siarad Llydaweg sy'n nodweddu ardal yn mynd yn ddyfnach, yn fy nhyb i, nag ydyw yng Nghymru gan arwain at ddrwgdybiaeth o acenion a thafodieithoedd gwahanol. Un peth sy'n amlwg yw fod perthynas pobol â'r

Llydaweg yn gymhleth, yn emosiynol ac yn rhywbeth na ellir ei drafod mewn manylder pan fo ffurflen ar ben ffurflen a llungopi ar ben llungopi angen ei wneud i foddhau chwantau'r bwystfil biwrocrataidd Ffrengig.

Wrth inni fynd o'na ac anelu am adre, yn anorfod fe droiodd y sgwrs rhyngof fi a Laura at drafod ein syndod o glywed fod y fath gymhlethdod ynghlwm wrth resymeg pobol dros ddewis dysgu neu beidio â dysgu'r iaith. Tra bod Erwan yn brysur yn addoli ar allor Sam Tân a Batman, mae Sisial bellach mewn oedran i holi cwestiynau anoddach i rieni eu hateb, ac er na ddywedodd ddim byd wrth ein clywed yn trafod yr yswiriwr iechyd a'i hymwrthod â'r iaith, rwy'n dawel hyderus fod yna gariad dwfn a naturiol at y Gymraeg a'r Llydaweg yn Sisial a fydd yn golygu y bydd hi eisiau parhau i arddel ei hieithoedd wrth iddi dyfu a chanfod ei llwybrau yn y byd. Rwy'n amau hefyd y bydd Erwan yn gryf ei Gymraeg a'i Lydaweg, tra'n diffodd tanau gydag Elvis, Penny a'r Prif Swyddog Steel yn Gotham City.

Fesul un

(i Sisial Maela)

Fesul un fe sylwa hi
ar fy rhodd ddirfawr iddi.
Rhodd enbyd ei bywyd bach
yw holl enwau ei llinach
a'i chur yw'r baich o eiriau
sydd arni hi yn trymhau.
Ond i'w thad, bendith ydyw,
air wrth air, nid melltith yw
fod chwedl fy nghenedl o 'ngheg
yn *diwan* ei Llydaweg.

Nos Fercher, Medi 26, Brest / *Dimerc'her, c'hwec'h warn-ugent a viz Gwengolo, Brest*

English Pub Quiz

Dydyn ni prin wedi dadbacio ein pethau wrth drio setlo mewn ac rydyn ni eisoes wedi cael ein hymwelydd cyntaf o Gymru. Yr wythnos hon, mae Anti Anna, chwaer Laura, wedi dod i weld ei neiaint hoff, Sisial ac Erwan, a'i chwaer a'i brawd yng nghyfraith hefyd, er, o'r holl sylw mae'r plantos yn ei gael ganddi, mae'n amlwg fod Sisial ac Erwan yn toddi calon Anna'n hawdd. Ond gyda'r plant yn cysgu a Laura yn cael hoe haeddiannol fe dderbyniodd Anna fy nghynnig i ddod gyda fi i'r *English Pub Quiz* pythefnosol rydyn ni fel Lecteurs Saesneg yn ei drefnu. Hen draddodiad mae'n debyg, ond mae'n gyfle da i fi ddod i nabod fy nghydweithwyr o America a dod i nabod mwy o'n myfyrwyr ni. Er mawr syndod, daeth ambell fyfyriwr o gampws y brifysgol yng Nghemper! Tipyn o daith dim ond i obeithio ennill crysau T Breizh Cola!

Cafodd Anna hwyl yn cymdeithasu yn hawdd, fel mae Anna, gyda phawb, a hithau a Marlene, fy nghydweithwraig o Wisconsin, yn ymhyfrydu yn eu cyfenw Cymreig, Jones, tra fy mod i yn cael cyflwyno'r acen Gymreig i fyfyrwyr Brest ac yfwyr tafarn y Tara Inn, y dafarn Wyddelig sy'n lleoliad i'n cwis ni. Roedd y barman Gwyddelig yn gwerthfawrogi'r mynegiant o Gymreictod a syndod fu'r nifer o stiwdants a ddaeth i 'ymarfer eu Saesneg', os taw dyna'r term am fynd i'r dafarn ar nos Fercher fel stiwdant bellach.

A chyn i fi yrru fy chwaer yng nghyfraith adref yn saff i Gerlouan, fe'n llenwyd ni gyda hyder a brwdfrydedd Brythonaidd gan ddau beth: y cyntaf oedd y sticer 'Plaid Ifanc' oedd yn galw am Gymru Rydd yn y tŷ bach, a'r ail oedd Clémence, fy myfyrwraig a ddaeth o Gemper ac sy'n medru

Llydaweg, yn datgan heb fymryn o amheuaeth, 'Wrth gwrs fod y Llydaweg yn mynd i fyw, dwi a fy ffrindiau yn ei siarad hi!'.

Dydd Sadwrn, Medi 29, Lesneven / *Disadorn, nav warn-ugent a viz Gwengolo, Lesneven*

Cyfarfod rhieni (a phlant swnllyd)

Treulion ni nos Sadwrn mewn ffordd anarferol, i ni o leiaf, drwy fynd i gyfarfod cymdeithas rieni Skol Diwan Lesneven. Roedd gwahoddiad i'r plant ddod i chwarae tra bod y cyfarfod yn digwydd, oedd yn beth hyfryd. Ond wedi inni straffaglu i ganfod y neuadd iawn, ac yna sefyll tu fas yn aros i gael ein gadael mewn, cawsom o'r diwedd eistedd yn dawel yng nghefn y cyfarfod er mwyn dilyn y trafodaethau ar faterion dyrys gwirfoddoli a chefnogi bywyd ysgol Lydaweg Lesneven. Tra bod y ddelfryd o wahodd plant i chwarae yn yr un stafell â'r cyfarfod yn un flaengar, croesawgar a theuluol, mae'r realiti, i riant sy'n trio gwrando ar y trafodaethau, yn go wahanol! Profiad tebyg i geisio cynnal pwyllgor mewn parti penblwydd i blentyn 7 mlwydd oed oedd hi! Byddai meicroffon wedi helpu. Ond nid fy lle i yw cwyno am gyfarfodydd rwy'n eu mynychu fel rhywun sy'n dal i fod ar y cyrion. Â dweud y gwir, rhywbeth i'w ganmol am ysgolion Diwan yw fod yr ymwneud rhwng rhieni a'r ysgol yn dynnach ac yn agosach nag ydyw nôl yng Nghymru, gan bod angen i'r gymdeithas rieni ddarparu gwirfoddolwyr i oruchwylio amser cinio, i gynnal sesiynau chwaraeon a gweithgareddau amgen fel rhan o wersi'r ysgol, trefnu bysiau i gludo plant a chasglu arian cinio. Y rhieni sy'n gwneud yr holl bethau hynny. Dan warchae fu natur mudiad ysgolion Diwan ers ei sefydlu ar ddiwedd y 1970 pan fu fy mam yn athrawes yn yr ysgol feithrin gyntaf.

Difyrrwch mawr y digwyddiad i fi oedd pan gynigiwyd fod caeau o sialóts oedd gan un o'r rhieni yn cael eu tyfu yn enw Diwan, lle roedd e'n fodlon rhoi cyfran o'r elw ar y cnwd i goffrau Ysgol Diwan Lesneven. Mae angen bod yn ymroddgar o ran amser ac egni fel rhiant yn Diwan a hefyd yn greadigol gyda syniadau am gasglu arian. Rhywbeth hynod o Leonaidd (Bro Leon yw'r enw ar ein hardal ni o Lydaw) yw gweld cyfleon i godi arian trwy blannu llysiau. Erbyn meddwl, un o adnoddau mwyaf Bro Leon yw'r llysiau a dyfir yma ar ei thiroedd gwastad a ffrwythlon. Felly pam lai?!

Difyr iawn oedd deall mwy ar yr agwedd honno o fywyd rhiant yn Skol Diwan. Trueni mawr felly oedd fy mod i wedi gorfod dibynnu ar fy Ffrangeg i allu deall hynt y sgwrs yn y cyfarfod ac na chlywyd gair o Lydaweg drwy'r cyfarfod...

Sialóts

(ni all ysgolion cyfrwng Llydaweg Diwan oroesi heb ymdrechion cyson
gan rieni a chymdeithasau i godi arian ac yn ddiweddar un ffordd o godi
arian oedd drwy dyfu sialóts)

I'r cae cyrhaedda'r tractor
â'r tir i'w fraenaru 'to;
mae dosbarth yn ailagor
'rôl gwyliau hir dan glo.

Daw plant lle bu plant o'u blaen
dymor ar dymor yn dod,
a haid o wylanod a brain
i wledda ym mwyty'r rhod.

Nid yn lifrai y Llydaweg
y daw'r gweithwyr tir drwy'r glaw,
ond gosod amod fel dameg
i gadw chwyn y Ffrangeg draw

a wneir yn *Diwan* o hyd
fel y rhesi cledrau du,
y rhesi plastig sy'n grud
i'r sialóts gael tyfu'n ffri.

Nawr fe dyf y rhain yn drwch,
yn filoedd o bennau iach,
lle 'slawer dydd bu dim ond llwch
mewn cae a deimlai mor fach.

Y pennau iach hyn, bob un,
cnydau cyfoethog o hyd,
pan ddaw'r gloch bob bore Llun,
sy'n cyfoethogi ein byd.

A'u cân nhw yw'r cynhaeaf,
pan ddaw eto'r gweithwyr tir
i gasglu drwy fis Gorffennaf,
geiniogau o elw, wir.

Bu colli tir ac nawr ni thyf
yr iaith fel gwnâi, ond sdim ots!
Fe *ddaw'r* Llydaweg nôl yn gryf,
maes o law, drwy'r holl sialóts.

Lilia, gydag goleudy Enez Werc'h yn y cefndir

Mukti yn ei gynefin newydd ar draeth Brignogan

Nid anarferol oedd gweld tractorau'n gweithio'r cae y tu ôl i'r tŷ yn Kelorn

Gydag Ifan Prys ac Angharad Gwyn o flaen bythynod Meneham

Yr enwog Ty Coz

Ifan Prys a'i ferched Maelan a Nyfain o flaen traphont enwog Montroulez

Dydd Mawrth, Hydref 1, Goulc'hen / *Dimeurzh, ar c'hentañ a viz Here, Goulc'hen*

Heno aeth Laura i'w gwers Lydaweg gyntaf. Fe hebryngon ni hi tua lleoliad y wers fel teulu, er mwyn gwneud yn siwr ei bod hi'n cyrraedd yn saff. Mae hyd yn oed taith fer i bentref cyfagos yn brofiad nerfus mewn gwlad sy'n gymharol ddierth i Laura, felly dyma ni'n gwneud y daith fer o'r cartref yn Kerlouan i bentref cyfagos Goulc'hen (Goulven yn Ffrangeg), yr ydyn ni'n gyfarwydd iawn â'i dwyni eang a'i fae trawiadol, ond na fuon ni erioed yn sgwâr y pentre. Tra bod cymaint o'r wlad gyda ni i'w ddarganfod yn ystod y flwyddyn nesa `ma, mae llwybrau twyni bae Goulc'hen yn gyfarwydd iawn inni, ac yn lle mae'r ci wrth ei fod yn carlamu ar ei draws a'r plant wrth eu boddau yn gwlychu traed yn y rhoddion o byllau ddŵr a adawyd ar ôl gan y môr.

Ond troedio llwybrau anghyfarwydd fyddai Laura heno trwy dwyni sy'n symud yn barhaus wrth ddechrau dysgu Llydaweg yn ffurfiol. Ac wrth iddi gamu drwy ddrws yr ystafell gymunedol i gwrdd â'i hathrawes a'i chyd-ddysgwyr, yr unig beth a chwyrlïai drwy ei phen oedd croeswyntoedd Ffrangeg (mae Laura yn trio mireinio ei Ffrangeg yn ogystal â dysgu Llydaweg). Anghofiodd bob gair o Lydaweg a wyddai (ac mae Laura'n deall cryn dipyn o Lydaweg o fod wedi fy nghlywed i yn ei siarad â'r plant) a dweud: 'Bonjour, je m'appelle Laura, j'habite à Kerlouan!'

Dydd Mercher, Hydref 16, Prifysgol UBO Brest / *Dimerc'her c'hwezek a viz Here, Skol-veur UBO Brest*

Un o fy nyletswyddau fel Lecteur yw eistedd mewn am ddwyawr bob wythnos yn y llyfrgell adnoddau digidol ar gyfer dysgu ieithoedd. Mae'n ddwyawr ddigon hwylus lle mae modd cynnal sgyrsiau anffurfiol i wella iaith myfyrwyr neu fwrw mlaen â'm gwaith fy hunan. Braf oedd canfod yn fy sesiwn gyntaf yn gwneud hyn fod y stafell ddysgu drws nesaf yn denu haid o fyfyrwyr sy'n astudio Llydaweg bob pnawn Mercher am 5 o'r gloch, a dim ond ffenestri mawr sy'n ein gwahanu. Felly mae yna olygfa o bennau ifanc o'm blaen a seiniau'r Llydaweg yn codi i'r wyneb ac yn ymwthio drwy'r ffenestri o dro i dro.

Hyd yn hyn, dim ond gweld arwyddion, posteri a llyfrau Llydaweg yn hel llwch a wnes wrth fynd o le i le o fewn y Brifysgol. Ond nawr, mae 'na ddosbarth llawn o Lydaweg o fy mlaen, bob pnawn Mercher. Ar ben hynny, maen nhw'n siaradwyr Llydaweg ifanc!

Dydd Sadwrn Hydref 19, Karaez / *Disadorn, naontek a viz Here, Karaez*

Levrioù forzh pegement... Llyfrau, llyfrau a mwy o lyfrau

Os ydych chi erioed wedi bod i'r Fedwen Lyfrau a drefnir bob mis Mai gan Gwlwm Cyhoeddwyr Cymru ac a gynhelir mewn lleoliad gwahanol o flwyddyn i flwyddyn, byddwch fel ag yr o'n i cyn cyrraedd Karaez yn gallu dychmygu'r math o ddigwyddiad yw Ffair Lyfrau flynyddol Karaez. Ond o ystyried fod nifer siaradwyr y Llydaweg i fod yn llai na'r niferoedd sy'n siarad Cymraeg, fe gerddon ni, drwy'r glaw, i neuadd Glenmor (neuadd a enwyd ar ôl bardd a chanwr gwladgarol dylanwadol o'r ardal a fu farw ym 1996) a chael ein syfrdanu mor fawr oedd y neuadd ac mor orlawn o stondinau gan wahanol weisg oedd hi. Roedd hi'n amlwg fod sawl cyhoeddiad yn amseru eu dyddiadau cyhoeddi i gyd-fynd â'r ffair lyfrau, fel y bydd llyfrau Cymraeg yn dod mas yn bennaf naill ai cyn Steddfod neu cyn y

Nadolig. Un llyfr a ddaliodd ein sylw ac y prynson ni gopi ohono oedd *Gwez ar Vro* (Coed y Wlad), llyfr wedi ei ysgrifennu gan Padrig an Habask a'i ddylunio yn gain gan Anna Duval-Guennoc. Mae'n nodi enwau holl goed cynhenid Llydaw yn Llydaweg, Ffrangeg a Lladin. Llyfr defnyddiol ac arhosol. Ac wrth inni gylchdroi; gweld ambell stondin gan gyhoeddwyr Llydewig oedd yn cyhoeddi llyfrau Ffrangeg am Lydaw, ac yna dod ar draws pentwr ar bentwr o lyfrau, cylchgronau a chyhoeddiadau difyr gan gyhoeddwyr a chan unigolion annibynnol. Roedd y dewis yn eang i bobol o bob oedran; o'r adnoddau addysg hwyliog, yn llyfrau ac apiau, mae sefydliad addysgol TES yn eu cynhyrchu i blant yn Llydaweg, i nofelau, cyfrolau barddoniaeth a llyfrau ffeithiol gan gyhoeddwyr hanesyddol ddylanwadol yn Llydaw fel An Here.

Hyd yn oed fel newydd-ddyfodiad i Lydaw, mae rhywun yn taro mewn i bobol mae'n ei nabod. Difyr oedd gweld myfyriwr ail flwyddyn ar y cwrs meistr Celtaidd yn UBO Brest, un sy'n astudio cerddi Dafydd ap Gwilym gyda fi bob wythnos y tymor hwn, Malo Adeux, â'i ffrindiau o Naoned (Nantes) yno'n cynnal stondin ar gyfer eu cylchgrawn llenyddol Llydaweg, *Nidiad*. Ystyr 'nidiad' yw 'creu', ac mae'n gylchgrawn annibynnol a olygir gan griw o ffrindiau egnïol a chryf eu Llydaweg yn ninas Naoned. Gallwch ei gymharu, falle, gyda chylchgrawn y Stamp neu Tu Chwith, slawer dydd, o ran ei gynnwys a'i fydolwg ifanc, di-ildio ac eangfrydig.

Yn y Ffair Lyfrau hefyd fe wobrwyir y llyfrau gorau yn Llydaweg, ar lun seremoni Llyfr y Flwyddyn, a thros ddeuddydd felly mae yma rannu, dathlu ac ymddiddori yn y cyhoeddiadau Llydaweg diweddaraf. Un cyhoeddiad sydd newydd ei lansio ac sydd ar gael ar lein yn unig yw *Dispak*. Eto mae'r weledigaeth yn wreiddiol a chyffrous, gan taw trafod materion bob dydd sydd o ddiddordeb i'r ifanc trwy gyfrwng y Llydaweg, yn ffasiwn, diwylliant poblogaidd a llawer mwy er mwyn normaleiddio'r Llydaweg a wneir, heb fynd byth a hefyd i gylchdroi o gwmpas trafod tynged yr iaith (ahem, ti'n un da i siarad, Nei! Gol.).

Roedd yno hefyd weithdai i blant, a digwyddiadau, yn ffilmiau a darlithoedd neu seiadau, oedd yn cyfrannu at benwythnos difyr o weithgarwch a llwyth o Lydaweg i'w glywed yn y neuadd. Wy'n siŵr byddai Glenmor yn falch. A sôn am weld pobol rydyn ni'n eu nabod, fe drefnon ni hefyd i gwrdd â ffrindiau y daethon ni i'w nabod ym maes pebyll Eisteddfod Môn, 2017. Roedd Keith Chapin, Americanwr o Alaska, yn yr Eisteddfod gyda ffrindiau o'r Almaen: yntau'n medru'r Almaeneg, wedi dysgu Cymraeg yn rhugl, hefyd yn medru'r Ffrangeg gan taw o Lydaw y deuai mam ei blant. Roedd amlieithedd rhwng ein plant ni a'i blant e felly yn beth naturiol, a Chymraeg, Saesneg, Ffrangeg a Llydaweg yn llifo fel y glaw ar hyd strydoedd Karaez, wrth inni fynd i ffindo ail bryd o fwyd ar ôl ymborthi a phesgi ar lyfrau Llydaweg.

Dydd Mercher, Hydref 23, Kelorn / *Dimerc'her, tri warn-ugent a viz Here, Kelorn*

Mae ein hwythnos yng nghwmni ein ffrindiau da o Gymru, Betsan ac Eleri, yn prysur ddirwyn i ben. Mor braf fu gallu eu croesawu nhw i'n hail filltir sgwâr a chael ein hatgoffa fod sawl rheswm da dros ddychwelyd i Gymru ymhen y flwyddyn. Fe gawson nhw hwyl yn ymweld â thref Kemper ddechrau'r wythnos ac mae 'na sôn am fynd i Enez Werc'h (L'Ile Vierge) fory er mwyn dringo goleudy uchaf Ewrop. Os bydd hi'n ddiwrnod braf bydd y golygfeydd yn siwr o swyno, yn enwedig i Betsan, sy'n ffotograffydd ac yn rhedeg ei chwmni ei hun, Celf Calon. Eleri oedd testun y gân a ganodd Betsan ar Cân i Gymru, ac ar y cyd gydag Eleri y crëwyd Ap Cwtsh. Cyfle heno, dros sawl gwydraid o win, i gynllunio ein syniadau creadigol nesaf ar gyfer pan fyddwn ni nôl yng Nghymru.

Dydd Iau, Hydref 24, Plougerne / *Diriaou, pevar warn-ugent a viz Here, Plougerne*

Ar gitar hag an aval douar!

Mae 'y gitâr a'r daten' yn deitl difyr, os nad annisgwyl, i ddrama lwyfan. A dyna oedd yr her a wynebai Sisial yn ystod gwyliau'r Hollsaint, neu hanner tymor y gaeaf fel rydyn ni'n galw'r gwyliau hynny yng Nghymru! Er gwaethaf seciwlariaeth Ffrainc, mae crefydd a Phabyddiaeth yn pwyso'n drwm ar fywyd yn Llydaw o hyd! Ta waeth, bant â Sisial felly i sesiynau drama Llydaweg a gynigir gan gwmni theatr Ar Vro Bagan yn Plougerne i blant yr ardal yn ystod y gwyliau. Roedd Sisial yn dioddef rhywfaint o *stagefright* cyn y sesiwn gyntaf ac yn poeni na fyddai'n gallu deall, heb sôn am gofio ei leins.

Er fy mod i wedi siarad Llydaweg gyda Sisial ers iddi gael ei geni, mae hi ar y cyfan wedi bod yn fy ateb i yn Gymraeg; dyna reswm mawr dros fynd i fyw yn Llydaw am flwyddyn, fel bod modd ei throchi mewn addysg Lydaweg.

Cam mawr felly, i Sisial, oedd paratoi ar gyfer bod mewn drama Lydaweg. Heddi oedd diwrnod y perfformiad. Gan fod yn rhaid i fi fynd i Gemper bob dydd Iau i ddysgu Saesneg i fyfyrwyr UBO, aeth Laura, Erwan, Betsan ac Eleri i'w chefnogi a chael ei gwylio hi'n actio yn Llydaweg am y tro cyntaf. Camodd Sisial i'r llwyfan yn hyderus. Datganodd bob llinell yn eglur a chydag arddeliad. Nid yn unig yr hawliodd hi eiriau o sgript gan rywun arall fel ei geiriau ei hun, ond fe hawliodd hi ei thadiaith o'r diwedd a'i harddel yn falch, ac fe gafodd y daten a'r gitâr gymeradwyaeth wresog gan y gynulleidfa.

Dydd Mawrth, Hydref 29, Montroulez (Morlaix) / *Dimeurzh, nav warn-ugent a viz Here, Montroulez*

Mi wn am dŷ ym Montroulez...

Mae rhai llefydd yn teimlo mor gyfarwydd inni fel nad ydyn ni'n sylwi ar eu gwir hyfrydwch na'u prydferthwch, ac un o'r llefydd hynny i mi yw Montroulez (Morlaix). Pan awn i aros gyda fy nghefndryd a fy modryb a'm hewythr yn Tredudon-le-moine (yr ail bentref yn Ffrainc i wrthwynebu Natsïaeth, neu'r 'deuxième village résistant de la France', fel y dywed yr arwydd ar y ffordd mewn i'r pentref), ger Berrien yn y mynyddoedd Are, Montroulez fyddai'r dref fawr y bydden nhw yn troi eu golygon ati pan fyddai angen mynd i brynu cynnyrch ar gyfer bwyty'r Ferme Auberge (gwesty sy'n defnyddio cynnyrch a phresenoldeb y fferm i groesawu a bwydo gwesteion) roedden nhw'n ei rhedeg. Roedd ganddyn nhw eifr a da prin o ucheldiroedd yr Alban a byddai fy wncwl, Yves Berthou, yn aml yn diddanu'r gwesteion gyda'r hwyr mewn deuawd gyda fy nghefnder Goulc'hen ar y bombard a'r pibgyrn Albanaidd o flaen tanllwyth o dân agored yn yr hen simne fawr. Bues i a fy mrawd yn ffodus i gael treulio hafau yn nghefn gwlad Llydaw yn profi'r fath gyfoeth diwylliannol ac amaethyddol. Ond hyd yn oed wedyn, mae angen y manion bethau bob dydd sy'n mynd mewn i greu'r pwdinau hyfryd roedd Riwanon, fy nghyfnither, yn eu creu a'r prydau blasus y byddai Hervelina, chwaer fy mam, yn eu paratoi. Cyd-ddigwyddiad rhyfedd, erbyn meddwl, yw fod chwaer hynaf fy mam, Jeanne, a'i gŵr Pierre, hefyd wedi rhedeg Ferme Auberge yn Gwiseni, nid nepell o Kerlouan. Rhwng y ddau byddwn i a'm brawd yn aml yn treulio cyfnod o'r gwyliau haf ar wahân ond yn y naill le a'r llall, yn cael profiad Ffranco-Lydewig, yn ieithyddol a diwylliannol (prin eu Llydaweg yw'r cefndryd ond mamiaith yr ewythrod yw'r Llydaweg felly byddai cyfleon lu i siarad y ddwy iaith) ac yn profi gwahanol ddiwylliannau amaethyddol o fewn yr un wlad. Bro Leon y llysiau, moch a defaid, lle byddai Jeanne a Pierre, ac felly llawer mwy o fwyta'r saig draddodiadol kig-ha-farz, ac yna'r Llydaw wylltach, heb ei dofi gymaint gan ddyn a'i dechnegau modern o amaethu, tiroedd pori yn hytrach na phlannu a choedwigoedd anghysbell yn cuddio caeau'r anifeiliaid gyda rhwydwaith o bobol ifanc y fro yn mynd o bentre i bentre i geisio'r fest-noz nesa, rhwng godro geifr a jamio cerddoriaeth werin. (Darganfyddais y rhwydwaith o fywyd nos hon yn hwyrach yn fy arddegau, nid oeddwn i mas yn *riboulat* (galifanto) yn ddeuddeg mlwydd oed!

Tref hollbresennol yn fy llencyndod a'm hieuenctid oedd Montroulez, o'r mynych dripiau siopa i'r nosweithi o ddechrau darganfod beth yw mynd mas gyda fy nghefndryd. Heddi, ces wedd wahanol arni, a gweld rhannau na welais i erioed o'r blaen, efallai am fod fy nghefndryd a'm hewythrod yn ei nabod hi'n dda ac yn mynd i'r un cyrchfannau heb fy nhywys i'r cilfachau twristaidd. Mae'r diolch felly i'n cyfeillion o Gymry, Ifan Prys ac Angharad Gwyn a'u plant Maelan a Nyfain, am ein hudo i weld y dref a'i golygfeydd. Bu chwerthin mawr cyn mynd, wrth i Angharad ddweud yr hoffai hi weld Montroulez, ac y byse hi'n eithaf hoff o fynd i Morlaix hefyd os oedd amser! Ond erbyn meddwl, y Montroulez sy'n fyw yng ngeiriau Iwan Llwyd ac yn gerrig a adeiladwyd o lais Dafydd Dafis oedd cyrchfan ein pererindod ni heddi, nid y Morlaix di-Lydaweg, yr arferwn fynd iddo gyda fy nghefndryd.

Doeddwn i erioed wedi cerdded ar hyd y draphont awdurdodol sydd ynghanol y dref, na chwaith wedi gweld ei thoeau yn disgleirio yn yr haul a'i hehangder, yn gymysgedd o goed, bryniau ac adeiladau hynafol yn debycach i dref ymhellach mas ar gyfandir Ewrop na fy Llydaw i. A dyna'r hen ardal hanesyddol wedyn, a'i myrdd o siopau (digon drud) a hen dai yn bentwr ar ei gilydd, fel pe baent yn cydbwyso'n frau ar echel a'u bod yn dal ei gilydd lan, gyda threigl chanrifoedd yn hytrach na sment yn dal y cerrig yn eu lle. Roedd hon yn dref hanesyddol bwysig, yn dref ar groesffordd, rhwng y Llydaw amaethyddol a'r môr, ar y ffin rhwng Bro Leon a Bro Dreger. Yn honedig, fe sefydlwyd y dref ar safle lle'r arferai gwersyll Rhufeinig fod, arwydd sicr o leoliad strategol bwysig. Ond mae'r holl ryfeddu yma ar hanes yn gwneud i blant nad ydyn nhw'n gwirioni yr un fath deimlo'n llwglyd, a'r addewid o grempog yn tynnu dŵr i'w dannedd. Dyma felly daro ar y syniad o fynd i fwyty Ty Coz (neu Ti-kozh tasai'r sillafiad yn Llydaweg, a chofier, gyflwynwyr Radio Cymru, taw 'o' hir sydd yn Ty Coooooz, dychmygwch fod yna do bach ar yr 'o' a plîs, ynganwch y gair yn gywir. Ry'n ni'n ddigon parod i gollfarnu pobol sy'n cael trwbwl gyda Llanelli a Machynlleth, wedi'r cyfan.) yn dwristiaid Cymraeg go drist yn llafarganu geiriau'r gân enwog ac yn addo profiad ysbrydol i'n plant, a chrempog yn y fargen!

Maen nhw'n dweud na ddylech fyth gwrdd â'ch arwyr, neu bobol rydych yn eu hedmygu. Peidiwch chwaith â mynd i lefydd sanctaidd yr ydych yn eu haddoli, heb ddisgwyl mai meidrolion go stresd a blin yw'r bobol sy'n gweini yno! Sai'n moyn i bobol beidio â mynd yno ar gownt ein profiad, ond mae'n bosib nad fel grŵp llwglyd o bedwar oedolyn a phedwar plentyn, a'r dewis fwy neu lai'n gyfyngedig i gawl, a dim crempog, y dylid ymweld â'r lle. Er, cawsom eistedd lan yn un o'r stafelloedd uchaf lle roedd y lloriau a'r trawstiau o bren tywyll yn edrych mas dros y sgwâr yn sicr yn gwneud inni deimlo fel se'n ni'n ecstras yn fideo un o'r caneuon enwocaf i beidio ag ennill Cân i Gymru. Trueni fod y gweinydd mor anghynnes!

Ond bu'r daith ar ôl cinio, a'r bar crempogau y canfuon ni'n nes ymlaen, yn sicr yn ddigon i wneud ein hymweliad â Montroulez yng nghwmni ein cyfeillion o Gymru yn un pleserus.

Dydd Sadwrn, Tachwedd 17, Lannuon / *Disadorn, seitek a Viz Du, Lannuon*

Des wyneb yn wyneb â'r Gilets Jaunes heddi. Es ar dramp ar draws Llydaw yn sgil angen i ffilmio mwy ar gyfer rhaglen ddogfen y cynhyrchydd-gyfarwyddwr Ronan Hirrien sy'n gweithio i'r unig ddarlledwr teledu cyhoeddus yn Llydaweg. Rhaglen ddogfen yw hon y dechreuson ni ei ffilmio yn Eisteddfod Genedlaethol Caerdydd yn cyflwyno byd y gynghanedd i gynulleidfa deledu Lydaweg gan bortreadu'r sin farddol fywiog sydd gyda ni yng Nghymru a hefyd, gobeithio, datgelu rhywbeth a fydd o syndod i nifer o Gymry (gan y bydd y rhaglen i'w gweld ar S4C rywbryd) sef bod yna gynghanedd wedi bodoli mewn barddoniaeth Lydaweg yn y canol oesoedd, ac yn fwy fyth o syndod ar ben hynny, bod yna ryw ddyrnaid o feirdd Llydaweg yn dal i ysgrifennu mewn cynghanedd heddi!

Dechreuson ni ein taith yn Ar Merzher (La Martyre) ger Landerne. Ystyr Ar Merzher yw 'Y Merthyr': mae rhestr faith o enwau llefydd sy'n gyffredin rhwng Cymru, Llydaw (a Chernyw o ran hynny), rhai oherwydd bod yr un sant wedi sefydlu plwyf yn y ddwy wlad ac eraill yn rhannu'r un enw yn sgil tebygrwydd ieithyddol. Ystyr Laniliz, er enghraifft, ydy Llaneglwys. Ac yna Plougerne ydy Plwyf Cernyw, neu Langernyw. Ta waeth, ar wahân i fod yn debyg i enw lle yng Nghymru, y peth arall sy'n gyffredin yn eglwys Ar Merzher ydy fod modd darllen penillion mewn cynghanedd yno, fel y gallwch weld englynion ar gerrig bedd.

Neithiwr wrth iddi fachludo y buon ni yno yn ffilmio ac aethom ymlaen wedyn at westy yn Lannuon, sydd yn *département* Aodoù an Arvor (Côtes d'Armor), rhan o Lydaw sy'n cynnwys trefi fel Lannuon (Lannion) a Gwengamp (Guingamp) sydd yn cynnal diwylliant a nifer siaradwyr y Llydaweg yn weddol. Ond buan y sylweddola rhywun o gyrraedd gwesty yn Lannuon nad yn y dderbynfa nac yn y bwyty y clyw Lydaweg. Diolch felly fy mod yng nghwmni Ronan Hirrien a'i griw ffilmio sy'n gwybod ble mae'r siaradwyr Llydaweg yn cuddio.

Ond un anhawster a'n hwynebai wedi amser brecwast y bore ma oedd ein bod ni'n ceisio mynd i ffilmio o le i le a hynny ar Sadwrn cyntaf y protestio gan y Gilets Jaunes, neu'r Jiletennoù Melen yn Llydaweg. Roedd cylchfannau Lannuon bron i gyd ar stop gyda phalets pren a thanau mewn drymiau dur yn cael eu cynnau, a'r lluoedd yn eu siacedi melyn yn llafar a bywiog eu presenoldeb. Roedd popeth i'w weld yn go heddychlon tua canol dydd. Ond bu'n rhaid gadael y car a cherdded at ein cyrchfan cyntaf. Mynd i dŷ gŵr difyr o'r enw Gilles Siche, un a fu'n byw ym Mhen-y-groes, Dyffryn Aman, flynyddoedd yn ôl, a oedd wedi gwneud traethawd hir ar y cysylltiadau diwylliannol rhwng Cymru a Llydaw. Difyr oedd deall fod Gil yn arfer byw a gweithio trwy gyfrwng y Llydaweg a'i fod yn hanu o Lesneven. Ond bellach roedd ganddo wraig a mab nad oedden nhw'n medru'r iaith ac yntau'n brifathro ar ysgol uniaith Ffrangeg. Teimlwn ei fod e'n gweld colli'r ymwneud â'r Llydaweg, ond gall amgylchiadau bywyd arwain pobol i gyfeiriadau annisgwyl sy'n gadael y gorffennol a'i hiaith ar ôl.

O Lannuon aethom yn ein blaenau i Porzh Gwenn i gwrdd ag Herve ar Bihan, gŵr difyr arall sy'n Athro ym Mhrifysgol Roazhon ac sy'n medru'r Gymraeg. Ro'n i wedi cwrdd ag e pan o'n i'n blentyn, yng nghartref Gareth a Gina Miles ym Mhontypridd (yn ôl Herve). Ni chofiwn hynny, rhaid cyfadde. Ar y ffordd yno bu'n rhaid inni ufuddhau i fympwyon y Jiletennoù Melen o drogylch i drogylch, lle byddai baricêd ac yn aml sgwrs gyda'r baricedwyr yn ein disgwyl bob tro. Pob un wastad yn glên a ninnau yn nodi ein bod ni, fel gyrwyr, yn deall eu safiad. Ro'n i hefyd wedi sylwi ar geir yn dangos eu cefnogaeth i'r ymgyrchwyr drwy osod fest felen ar ddashbord y car.

Dylwn esbonio'n sydyn darddiad arfwisg y protestwyr. Dechreuodd fel protest yn erbyn bwriad yr Arlywydd Macron i weithredu polisïau gwyrddion (rhai wy'n cytuno â nhw) drwy godi pris disel ac arafu'r terfyn cyflymder o 90km yr awr i 80 ar lonydd y wlad (cytuno hefyd gyda hynny). Ond i ardaloedd gwledig, yr hyn sy'n nodweddiadol o fywyd cyfran uwch o bobol y tu hwnt i'r dinasoedd mawr fel Paris yw fod angen car i fynd o le i le gan bod llefydd yn gallu bod yn anghysbell, fel ein cartref ni am y flwyddyn yn Llydaw. Dyma safiad, felly, sy'n rhannu barn ac yn amlweddog a chymhleth. Mae Macron yn cynrychioli byd busnes a daliadau go gyfalafol. Eto i gyd, mae e i'w weld yn well opsiwn na'r ffasgydd mewn gwisg dderbyniol, Marine le Pen a'i chasineb creiddiol. Mae hithau, fel y chwith caled, yn gefnogol i'r Jiletennoù Melen. Felly y peth gorau oedd ceisio osgoi ffrae ar bob cyfri. O, ac ie, holl bwynt arfwisg y Gilets Jaunes yw eu bod yn defnyddio cyfraith Ffrainc fel symbol sy'n cael ei droi ar ei ben i sefyll yn erbyn Macron. Yn gyfreithiol, mae'n rhaid i bob car ar y lonydd yn Ffrainc gynnwys siaced, neu fest felen i bob person sy'n teithio yn y car, rhag ofn bod y car yn torri neu'n gorfod dod i stop ar ochr y lôn. Mae yna lifrai parod felly gan y protestwyr!

Wrth holi Herve ar lan y môr am faterion o bwys fel y defnydd o gynghanedd lusg mewn dramâu yn y bedwaredd ganrif ar ddeg yn Llydaw, sylwais ei bod hi'n oeri'n gyflym. Druan â'r protestwyr melyn ledled y wlad yn yr oerfel ma.

Ymlaen â ni wedyn i orffen y diwrnod o ffilmio yn Gwengamp, yng Nghartref Herve Seubil gKernaudour, deintydd a bardd Llydaweg sy'n sgwennu llawer ar gynghanedd. Af fi ddim i wneud jôcs amlwg am gerdd dafod a cherdd dant!

Difyr iawn oedd cwrdd ag Herve Seubil gan inni'n syth fynd ati, fel y bydd dau berson sy'n deall pethau go *geeky* yn ei wneud, i drafod y materion mwyaf technegol gyda brwdfrydedd. Roedden ni'n seiadu'n hapus fel pe baem ar bwyllgor Barddas! Mae ganddo gartref go grand a llyfrgell gynhwysfawr, a chi annwyl, corgi o'r enw Gralon, sef yr enw ar frenin Ker Is, y ddinas a foddwyd dan y dŵr, Cantre'r Gwaelod Llydaw. Bu'r croeso'n gynnes a'r drafodaeth ar gamera a thu hwnt i'r camera yr un mor gynnes.

Daeth yn amser wedyn, a hithau wedi nosi, i'w throi am adre, taith go hir yn ôl o dref Gwengamp i Kerlouan. Llwyddais i ganfod fy ffordd o ganol y dref yn iawn, ond yna dechreuodd yr anhawster. Roedd yr hent-tizh, neu'r voie express yn Ffrangeg, sef y ffordd ddeuol, wedi ei chau: dim modd ymuno â hi, gan awgrymu felly bod y lôn fawr wedi ei chau gan y protestwyr. Dyma finnau a sawl un arall yn straffaglu drwy dywyllwch nos Sadwrn oer ar gyrion Gwengamp i ganfod lôn gall a dyma rhywun yn crybwyll bod angen dilyn y lonydd bychain i gyfeiriad Plounerin (e bzhneg). Ystyr Plounerin yw Plwyf Aneirin! Efallai ei fod yn arwydd fod rhyw sant, os nad rhyw dduw, o 'mhlaid i! Dilynais geir eraill i mewn i'r gwyll, ar hyd lonydd na welodd fwy nag ambell dractor ar ddiwrnodau arferol. Wrth i'r nos fy amgylchynu, a'r perthi'n culhau ar bob ochr, dechreuais sylweddoli y byddai'r daith hon yn troi mas i fod yn un go hir ar hyd lonydd cefn Llydaw. Yn sydyn gwelais arwydd mawr gwyrdd, un sy'n dynodi hewl ddeuol a mentrais ei ddilyn. Dyna fi wedyn ar y ffordd ddeuol, heb un enaid byw yn teithio bob ffordd. Roedd hi'n hanner awr wedi chwech ar nos Sadwrn. Teimlais am eiliad fy mod i'n saff ac o bosib yn mynd i allu cyrraedd adre, ond buan y daeth yn amlwg nad oedd yna gyd-deithwyr am fod yna flocâd yn dod i'r amlwg ar y gorwel. Roedd rhes o ryw ddwsin o geir yn aros yn stond a dau gar Gendarmes (heddlu arfog) yn gymysg â haid o brotestwyr digon swnllyd. Gadawent i un car basio ar y tro, a daeth yn amlwg taw gorfodi'r ceir i fynd i'r allanfa oddi ar y ffordd ddeuol roedden nhw. Gallwn weld lonydd unig y wlad yn aros amdana i eto. Doedd hyn ddim yn argoeli'n dda. Diolch byth am bresenoldeb yr heddlu, gan bod pob car wrth gyrraedd yr haid yn cael ei amgylchynu, fel pe bai'n mynd mewn i *gar-wash* o faneri a siacedi melyn. Doedd rhif car Prydeinig ddim yn ffafriol i'r sefyllfa hon. Synhwyrais hefyd bod rhai wedi meddwi. Wrth agosáu clywais un yn galw, 'Il y a un anglais!' (Mae na Sais!). Er imi gloi'r drysau, weindiais fy nwy ffenest i lawr er mwyn gallu sgwrsio a gwneud fy mhrotest fach fy hun. 'Chuis pas anglais, eh!' (Nage Sais mo'na i!). A dyma drio fy lwc a dechrau siarad Llydaweg. Clywais lais benywaidd ifanc yn nodi taw nad Sais o'n i gyda'r gallu i siarad Ffrangeg fel na (oedd yn braf clywed!) ac wrth i fi ofyn sut noson oedden nhw'n ei gael dyma ŵr ifanc yn dechrau fy ateb yn Llydaweg. Roedd dyrnaid yn eu plith yn amlwg yn medru. Trodd yr awyrgylch yn syth yn fwy croesawgar wrth i fi esbonio rhywfaint o'm cefndir teuluol a fy mod i ond eisiau cyrraedd adre i Gerlouan at fy ngwraig a'm plant. Yn sydyn, dyma un o'u cadfridogion yn datgan yn Ffrangeg: 'Laissez passer, c'est un celte!' (Gadwch iddo basio, mae'n Gelt!).

A dyna fi'n cael mynd ymlaen ar fy nhaith ond yn canfod fy hunan yn ôl ar lonydd cefn y wlad. Roedd y protestwyr hynny yn *département* Aodoù An Arvor. Erbyn i fi fynd mewn i Penn-ar-Bed (Finistère) roedd llai o brotestwyr a modd ymhen hir a hwyr i fynd yn ôl ar y lôn fawr. Ar wahân i'r gylchfan yn Landivizio oedd yn llythrennol ar dân, llwyddais i gyrraedd gatre'n saff. Wrth gyrraedd cofiais mai'r Miz Du yw'r enw ar fis Tachwedd yn Llydaweg. Enw addas. Ond falle am eleni y dylsai Tachwedd fod yn Viz Melen.

Dydd Llun, Tachwedd 19, Kerlouan / *Dilun naontek a viz Du,*
Kerlouan

Newyddion mawr y dydd yn Llydaw yw fod babi 18 mis oed
wedi ennill brwydr gyfreithiol yn erbyn gwladwriaeth Ffrainc!
Mae hawl gan Fañch Bernard i arddel ei enw a chael tystysgrif
geni, cyfreithiol gadarn, o'r diwedd! Un pennawd a ddarllenais
heddi oedd: 'Fañch, le bébé breton «arme de destruction de la
République»'. (Fañch, y babi Llydewig sy'n arf dinistriol yn
erbyn y Weriniaeth.) Wrth i fi ysgrifennu hyn mae Fañch fwy
na thebyg yn paratoi i fynd i gysgu, neu'n edrych mlaen i
ddihuno ei rieni yn oriau mân y bore.

Y ffordd hyn i Skol Diwan!   *Mammitch ac Erwan yn y Stread Zoun*

Ta-cu, Sisial ac Erwan a'r tractor!

Enghraifft o gynghanedd Lydaweg ar fur eglwys Ar Merzher

Gyda'r bardd Llydaweg cynganeddol Herve Seubil gKernaudour

Porth trawiadol eglwys Ar Merzher

Ymgyrchu

Ryw dro yn niwloedd y degawdau diwethaf bu i'r Arglwydd Dafydd Elis-Thomas ddatgan fod 'brwydr yr iaith ar ben', ac er ei bod hi'n amlwg nad yw hynny'n wir ym marn y rheiny ohonom oedd ar y pryd ac sy'n *dal* i weld bygythiadau i'r iaith o bob cyfeiriad ac mewn sawl ffurf, yr hyn rwy'n tybio y ceisiai Dafydd Êl ei ddweud oedd fod gan yr iaith bellach statws a hawliau yn sgil Deddf Iaith 1993. Dyma, wedi'r cyfan, oedd penllanw degawdau o brotestio ac ymgyrchu, o'r tro cyntaf i 'Cofiwch Dryweryn' gael ei baentio yn Llanrhystud gan y diweddar Athro Meic Stephens, i'r tro cyntaf y gwrthododd protestwyr symud o'r fan ar bont Trefechan Aberystwyth. Bu fy nhad, fel rhieni cymaint fy oedran i, yn rhan o'r protestiadau hyn yng Nghymru a bu fy mam, yn yr un cyfnod, yn ymgyrchu a phrotestio yn Llydaw. Mae edrych nôl a gweld bod Senedd-dy Prydain, a'i holl hanes o Seisnigrwydd rhonc a rhodres ymerodraeth, wedi pasio deddf sy'n gosod y Gymraeg yn rhan ganolog o fywyd cyhoeddus yng Nghymru, yn gryn gyflawniad i iaith leiafrifol, a hynny cyn datganoli. Mae'r ffaith ein bod wedi cael sianel Gymraeg, nad anghofier, yn nheyrnasiad Margaret Thatcher, yn dangos grym bygythiadau fel un Gwynfor Evans i ymprydio hyd farwolaeth.

Ar un wedd, Cymru cyn y Ddeddf Iaith, Cymru cyn S4C, Cymru cyn cael Senedd ym Mae Caerdydd, yw Llydaw heddi. Ond eto, o fod yn bodoli o dan gyfraith gwladwriaeth wahanol, gyda chroeswyntoedd gwleidyddol a hanesyddol gwahanol, o ddylanwad yr Eglwys Babyddol a wnaeth gymaint i gynnal yr iaith ag y gwnaeth i ddamsgin ar yr iaith yn ôl ei hanghenion a'i mympwyon crefyddol-gymdeithasol, i bolisïau ac ymdrechion cyson Llywodraeth Paris i Ffrangegeiddio ei phobol, ni ellir gwneud cymhariaeth deg a chytbwys rhwng Llydaw a Chymru. Llydaw yw Llydaw heddi, nid Cymru fel ag yr oedd hi ddoe.

Ond gellir nodi nad oes gan Lydaw sefydliad deddfwriaethol cydradd â senedd Bae Caerdydd, na sianel sy'n darlledu drwy gyfrwng y Llydaweg am 18 awr bob dydd, na chwaith reidrwydd ar gyrff cyhoeddus i'w defnyddio yn eu gohebiaeth a'u busnes o ddydd i ddydd. 'Ur yezh hep statut', iaith heb statud yn asgwrn cefn cyfreithiol y tu ôl iddi, yw'r Llydaweg. Wedi'r cyfan, flwyddyn wedi i'r Gymraeg dderbyn deddf iaith, fe nodwyd mewn deddf yn Ffrainc taw iaith y République yw Ffrangeg.

Defnyddir triban geiriol Pumed Gweriniaeth Ffrainc, 'Liberté, égalité, fraternité' yn aml i olygu fod pawb yn rhydd i siarad Ffrangeg, yn gydradd wrth siarad Ffrangeg ac yn rhan o frawdoliaeth, ie, wrth arddel y Ffrangeg. Ac fe ddefnyddir y rhesymeg yn aml hefyd fod yr iaith Ffrangeg gymaint o dan fygythiad gan y Saesneg, fel bod angen gwneud pob ymdrech i'w diogelu, ac mai ofer felly poeni am fanion bethau fel ieithoedd brodorol, hanesyddol Ffrainc, eglwysi cadeiriol gwreiddiol y wlad. Ym 1794, cyhoeddwyd adroddiad Barère a aeth ati i gondemnio amrywiaeth fel gwendid gwladwriaeth Ffrainc. Ar yr un adeg dyma ddatganiad gan yr Abad Grégoire: 'Le fédéralisme et la superstition parlent Breton. L'immigration et la haine de la République parlent Allemand. La contre-révolution parle Italien et le fanatisme parle le Basque. Brisons ces instruments de dommage et d'erreur. Chez un peuple libre, la langue doit être une et la même pour tous'.

(Mae ffederaliaeth ac ofergoeliaeth yn siarad Llydaweg. Mae mewnfudo a chasineb at y Weriniaeth yn siarad Almaeneg [cyfeiriad at Alsacien]. Mae'r gwrthryfel yn siarad Eidaleg [cyfeiriad at yr iaith Gorseg] ac mae ffanatigiaeth yn siarad Basgeg. Dinistriwn yr offerynnau trueni a chyfeiliornad hyn.

Ymysg poblogaeth sy'n rhydd, dylai un iaith fod yn gyffredin i bawb.)

Gwelir dadl debyg, yn llai a llai aml falle, ond o hyd yn adrannau llythyrau papurau newydd neu ar fforymau trafod ar y we, lle ceir rhai yn edliw gwario arian ar y Gymraeg, fel pe na bai'r Saesneg ddim yn derbyn unrhyw wariant o gwbwl! Inc yw inc ym mha bynnag iaith. Ac yn Llydaw, ar arwyddion ffordd, mae'r ffont yn aml wedi ei italeiddio, os oes yna Lydaweg o gwbwl. A dyna'r frwydr heddi. Sut mae cael enwau llefydd nid yn unig mewn ffont sydd *heb* ei italeiddio, fel bod pobol yn weledol-feddyliol ddim yn gosod yr iaith rhwng cromfachau hanesyddol; ac yn fwy na hynny, sut, o bosib, y gellir canfod ffordd o osod y Llydaweg uwchben y Ffrangeg, fel sy'n digwydd gyda'r Gymraeg mewn rhai ardaloedd lle mae'r cyngor sir wedi penderfynu hynny fel polisi.

Oes, mae'n rhaid brwydro dros bob llythyren yn Llydaw heddi, fel y dangosodd hanes diweddar 'Fañch'. Fersiwn Lydaweg o'r enw Ffrengig 'François' yw 'Fañch' ac mae'n enw y bydd pobol yn ei ddefnyddio ar lawr gwlad wrth gyfarch pobol o'r enw François, fel y bydd ambell David yn cael ei alw'n Dai neu Dei ac fel y bydd ambell Dorothy'n cael ei galw'n Dot. Ond yn achos y bobol hynny a elwir yn Fañch, ar eu tystysgrifau geni byddai 'François' wedi ei nodi yn ddieithriad. Pan aned mab i Lydia a Jean-Christophe Bernard ar yr 11eg o Fai, 2017, fe aethpwyd ati i lenwi ac arwyddo ei dystysgrif geni, a'i enw cyntaf 'Fañch' mewn inc du ar y ddogfen gyfreithiol. Ymddengys, yn ddiarwybod i'r rhieni, mai dyma'r tro cyntaf i Fañch gael ei nodi ar dystysgrif geni yn ôl pob tebyg. Peth naturiol i'w wneud, meddech chi, o ystyried bod yna blant yn cael eu galw yn Dai neu Dei a Dot heddi yng Nghymru. Y broblem oedd nad yw Ffrangeg yn cynnwys 'n-tilde', sef y llythyren 'ñ', sydd i'w ganfod yn Llydaweg. Nid oedd hawl felly, yn ôl La Préfecture de Finistère à Quimper, canolfan weinyddol *département* Penn-ar-Bed yng Nghemper gan y babi bach newydd-anedig yma i gael ei alw'n Fañch (ac nid llywodraeth Ffrainc a nododd anfodlonrwydd â'r tystysgrif geni, cofiwch, ond gweinyddiaeth ranbarthol yn Llydaw, sy'n dangos cymaint yw llwyddiant y wladwriaeth yn Ffrangegeiddio ei phobloedd). Yn wir, roedd peryg y gallai'r un babi bach diniwed hwn arwain at ddymchwel Pumed Gweriniaeth Ffrainc!

(Esboniaf yn gyflym ddiben yr 'ñ', sef gwneud llafariad yn drwynol. Felly heb roi *tilde* ar ben yr enw, byddai Fañch i lygaid a chlust ffonetig Cymro yn cael ei ynganu fel 'Ffansh', gan odli gyda'r gair Cymraeg 'hansh'. Ond gyda'r 'ñ' daw'r llafariad 'a' i fod yn un hir, trwynol sydd rhwng 'a' ac 'o' ac ni chlywir sain 'n' yn y ffonem. A dyna ddiwedd ar faterion technegol-ramadegol-orgraffyddol Llydaweg yn yr ysgrif hwn, addo!)

Yn sgil clywed na fyddai eu dewis o enw i'w mab yn gyfreithiol bosib, greddf Lydia a Jean-Christophe oedd ildio i'r drefn a dewis enw arall. Efallai nad yw'r Llydaweg mor rymus ag oedd hi o ran nifer siaradwyr na dylanwad ar y boblogaeth o'r herwydd, ond mae 'na hanes hir o ymgyrchu a grymoedd di-ildio yn dal i'w hysgwyddo pan fydd yr elfennau, neu Wladwriaeth Ffrainc, yn chwythu yn ei herbyn. Daeth yr hanes i glyw Skoazell Vreizh 1969 (ystyr 'skoaz' yw 'ysgwydd' a Breizh gyda 'V' ydy 'Llydaw' wedi ei dreiglo) sy'n fudiad a sefydlwyd ym 1901 i amddiffyn hawliau Llydawyr sydd o dan ormes y gyfraith ym mha bynnag fodd, boed yn garcharorion gwleidyddol, rhywbeth nad yw'n digwydd fel rheol i'r boblogaeth bellach, diolch byth, neu yn rhieni sy'n geni babi i'r byd gan ddigwydd bod eisiau rhoi enw â sillafiad Llydaweg arno.

Ta beth fyddai canlyniad terfynol yr achosion llys, byddai effaith Fañch ar ei gydwladwyr, os nad ar ei wlad a'r wladwriaeth dra-arglwyddiaethol, yn un bellgyrhaeddol. Roedd gan y bobl achos i'w cefnogi, un llythyren fach a fyddai'n codi diddordeb yn yr iaith, yn gwneud i ambell un gwestiynu ei hunaniaeth a chwestiynu rhesymeg a meddylfryd Ffrainc yn ganolog. Daeth yn bwnc trafod misol os nad wythnosol a'r bachgen bach yn para yn ddi-dystysgrif geni drwy gydol yr holl beth. Trydarwyd am y peth gan enwau mawr, symbolau byw, goleudai o bobol, fel Alan Stivell, o bosib y Llydawr enwocaf sy'n fyw. Ysgrifennwyd erthyglau oedd yn mynd at wraidd un gwirionedd mawr, sef bod Ffrainc yn gysyniad rhithiol, yn brosiect annaturiol sy'n dibynnu ar gymathu pawb o dan un faner ac un iaith, boed yn frodorion y wlad neu'n newydd-ddyfodiad i'r wlad sy'n dymuno dod yno i fyw. Gallwch ymfalchïo yn eich hunaniaeth ranbarthol, leol, ond cofiwch na chewch dîm pêl-droed i'w gefnogi ar lwyfan rhyngwladol nad yw'n gwisgo crys glas nac yn bloeddio'r Marseillaise. Cewch arddel pob math o eiriau rhyfedd ar eich mathau bach difyr chi o fwydydd, ond cofiwch mai *cuisine française* yw'r cyfan. Nid peth Ffrengig yn ei hanfod a'i draddodiad yw'r grempogen, ond rhywbeth Llydewig. O sylweddoli mai prosiect, mai rhith yw Ffrainc, daw ail wirionedd i'r amlwg, sef breuder ac ofn y wladwriaeth bod yr holl beth yn mynd i ddymchwel. Cymharer hyn â'r Swistir, er enghraifft, sy'n glytwaith o ieithoedd gwahanol ac yn gallu nodi gyda balchder fod ganddi bedair iaith swyddogol, ac fe welir ansicrwydd dwfn wrth wraidd y sefydliad Ffrangeg a Ffrengig yn ganolog.

Ac yntau'n 18 mis oed, tybiem fod achos Fañch wedi ei setlo unwaith ac am byth. Ar ddydd Llun y 19eg o Dachwedd 2018 cyhoeddodd y llys apêl yn Roazhon fod *gan* Fañch berffaith hawl i'w enw a'i sillafiad. Bu'n foment fuddugoliaethus a ledodd ledled Llydaw a thu hwnt. Heb iddo yngan gair fe drechodd un bachgen bach wladwriaeth Ffrainc. Ond ni ddymchwelwyd y rhith. Mae La France yn dal i deyrnasu ym meddyliau a chalonnau cyfran mor uchel o'i phoblogaeth.

Nododd y llys apêl fod 'Liberté, égalité, fraternité' yn y cyd-destun yma yn golygu fod gan ei phobloedd hawl i lythrennau o bob math. Sut mae modd cyfiawnhau a chaniatáu enwau fel Jack Lang, cyn-weinidog yn Llywodraeth y Weriniaeth? Does dim K yn yr iaith Ffrangeg. Yna'r eironi mwyaf, sef bod Macron wedi penodi Laurent Nuñez (cyfenw sy'n hanu o Sbaen) fel is-weinidog i'w lywodraeth! A beth am y don o enwau difyr a ddaw o bedwar ban byd sy'n rhan greiddiol o hunaniaeth unigolion sy'n dymuno dod yn ddinasyddion Ffrengig? Mae'r triban geiriol yn golygu fod ganddyn nhw hawl i'w henwau. Yn anffodus, ers y dyfarniad buddugoliaethus ar y 19eg o Dachwedd, mae apêl pellach yn erbyn y dyfarniad yn golygu fod yr achos yn dal o dan ystyriaeth ac yn dal i rygnu yn ei flaen. Mae Goursez Vreizh (Gorsedd Llydaw) hyd yn oed wedi anrhydeddu Fañch a'i rieni am eu safiad ac yn un o'r grwpiau sy'n ceisio sefyll lan dros hawliau'r Llydawyr i fynegi eu hunaniaeth gydag un llythyren fach. Yn y cyfamser, mae Fañch yn para i wneud yr hyn a wna plentyn ei oedran e, sef chwarae, cysgu, chwerthin, llefain a chyfoethogi bywyd ei rieni gan raddol ddysgu pethau mawr am y byd ry'n ni'n byw ynddo.

Nid dim ond mynd yn ei blaen fesul llythyren y mae'r frwydr dros yr iaith yn Llydaw heddi. Mae'n rhaid brwydro dros rifau hefyd, y pethau hynny sydd y tu hwnt i iaith, y symbolau sy'n ddealladwy ar draws ffiniau. Yn 2018 fe fynnodd pymtheg o ddisgyblion chweched dosbarth Lise Karaez eu hawl i ateb pob arholiad trwy gyfrwng y Llydaweg. Ar hyn o bryd, rhaid ateb y papur arholiad mathemateg trwy gyfrwng y Ffrangeg ar gyfer y Baccalauréat (yr arholiadau sy'n cyfateb i Safon Uwch neu Lefel A). Ond penderfynodd y disgyblion hyn taw digon yw digon gan eu bod eisoes yn gweld bod disgyblion yng Ngogledd Gwlad y Basg (y rhan Ffrengig, hynny yw) ac mewn gwledydd fel Cymru, Iwerddon a Chatalwnia yn cael sefyll eu holl arholiadau drwy gyfrwng eu hieithoedd cynhenid nhw. Felly daeth y disgyblion dwy ar bymtheg a deunaw mlwydd oed hyn i'r casgliad aeddfed, rhesymegol, gan eu bod nhw'n derbyn addysg Lydaweg, taw cam naturiol sy'n gwneud perffaith synnwyr yw cael ateb eu papur arholiad mathemateg trwy gyfrwng y Llydaweg.

Ie, dim ond 15 disgybl yn rhifyddeg fawr system addysg Ffrainc oedd y rhain. Ond bu'n aberth ar eu rhan nhw gan y gallai'r safiad yma effeithio ar eu cyfartaledd marciau ar draws eu baccalauréat, gan allu peryglu eu trywydd tuag at addysg uwch. Yr hyn sy'n dangos bod yna ruddin a dyfalbarhad i'r ymgyrch, ac sydd, trwy hynny, yn dangos fod yr iaith wedi gwreiddio'n ddwfn yn hunaniaeth ddyddiol y disgyblion hyn, yw'r ffaith fod 14 o olynwyr sy'n sefyll y baccalauréat mathemateg yn 2019 yn Lise Diwan Karaez hefyd yn gwneud yr un safiad. Mae'n argoeli felly y gallwn ddisgwyl i'r un safiad gael ei gwneud eto'r flwyddyn nesaf, safiad o ben a phastwn y disgyblion, heb bwysau na gorfodaeth gan athrawon. Dengys fod prin dros ddwsin o leisiau yn gallu cyfri, hyd yn oed ymhlith cannoedd o filoedd o'r un genhedlaeth. Mi fydd yr hawl yn dod cyn hir, cyhyd ag y bydd ton arall o ymgyrchwyr yn mynnu'r hawl i gyfrifo a chydbwyso eu hafaliadau trwy gyfrwng y Llydaweg. Mae'n bur debyg y gellir darogan y *bydd* disgyblion yn gwneud yr un safiad gan bod mudiad ymgyrchu o'r enw Bak e Brezhoneg bellach wedi cael ei sefydlu i ddwysáu'r ymdrechion a chynnig cefnogaeth i ddisgyblion sy'n digwydd bod eisiau gwneud yr un safiad.

Mae'r ddau achos yma'n enghreifftiau da o'r brwydrau sy'n wynebu'r Llydaweg ar ei thaith i gael statws swyddogol yn ei gwlad ei hun. Gyda blwyddyn wedi mynd ers i'r Gilets Jaunes droi Paris yn faes y gad lythrennol bob Sadwrn, fis ar fis, a sawl ffenest siop a chaffi yn cael eu rhacso neu eu rhoi ar dân ac ambell un yn colli ei fywyd, gwelir fod yn Ffrainc rymoedd sy'n arddangos anfodlonrwydd mawr gyda'r weinyddiaeth, a gwelir hefyd nad yw'r dull rhacslyd anarchaidd o hyd yn gwneud i'r arweinyddion newid eu meddwl. Mae grwpiau fel Ai'ta, y gellir eu cymharu â Chymdeithas yr Iaith, wedi cynnal ymgyrchoedd sy'n targedu llefydd ag arwyddion uniaith Ffrangeg, yn arwyddion mewn gorsafoedd trên neu arwyddion ffordd, a thra bod hynny'n dangos ysbryd tanllyd, egnïol a gwrthryfelgar, nid yw wastad wedi arwain at lwyddiannau. Gwneir llawer o waith yn y cefndir, yn sgyrsiau tawel mewn coridorau a phleidleisiau mewn pwyllgorau sydd weithiau'n esgor ar fwy o lwyddiant, gam wrth gam, gan roi presenoldeb i'r Llydaweg. Trodd nifer o aelodau ac ymgyrchwyr Ai'ta, y mudiad ifanc ac anarchaidd ei wedd, i sefydlu mudiad newydd o'r enw Mignoned ar Brezhoneg (Cyfeillion y Llydaweg) sy'n trio ennyn mwy o gefnogaeth trwy barch a chydymdeimlad, trwy ddathlu a sefydlu mentrau entrepreneuraidd fel yr ap 'Stall.bzg' fydd yn gobeithio gallu cynnig map o fusnesau yn Llydaw sy'n cynnig gwasanaeth i'r cwsmer yn Llydaweg.

Mae ymerodraeth y Llydaweg hefyd yn hawlio tiroedd i'w hunan o'r newydd na fu yn rhai ffrwythlon iddi am fileniwm cyfan. Collodd yr iaith Gallo dir sylweddol fel y gwnaeth y Llydaweg yn ail hanner yr ugeinfed ganrif. Cyfrifir fod ryw 200,000 o siaradwyr ar ôl ond bod y rhan helaeth o'r rheiny dros eu pedwar ugain a bod unrhyw siaradwyr iau yn wynebu sefyllfa o siarad yr iaith yn eu cartrefi, mewn cilfachau llechwraidd lle na ellir ei chlywed ar strydoedd Breizh Uhel. Sefyllfa debyg i'r Llydaweg yw honno ar un wedd, lle mae bellach yn eithriad i glywed Llydaweg ar y stryd. Ond mae'r grymoedd ymgyrchu gyda'r Llydaweg. Mae Gallo yn chwaer iaith i'r Ffrangeg, yn dafodiaith uniongyrchol o'r Lladin. O'r herwydd, ac yn sgil swnio'n agosach at y Ffrangeg, bu'n anodd i'r Gallo gynnal ei hunaniaeth. Mae'r Llydaweg yn swnio ac yn edrych yn hollol wahanol i'r Ffrangeg. Mae hynny o'i phlaid, fel yn achos y Gymraeg. Yn baradocsaidd, mae'r ffaith yma hefyd yn gweithio yn erbyn y Llydaweg a'r Gymraeg gan ei bod yn haws i ddarpar ddysgwyr nad ydynt wir awydd dysgu ddatgan fod yr iaith yn rhy anodd, yn rhy wahanol i'r seiniau cyffyrddus a geir yn Saesneg a Ffrangeg, i'w siaradwyr uniaith.

Os awn i Gatalunya, er bod yr iaith Gatalaneg yn debycach i'r Sbaeneg nag yw'r ieithoedd Celtaidd i ieithoedd eu cymdogion, mae'r agosrwydd ieithyddol yma wedi gweithio o blaid y Catalaniaid, gan ei gwneud hi'n haws i gymathu siaradwyr uniaith Sbaeneg i gymdeithas sy'n bennaf Gatalaneg ei hiaith a'u cael i ddysgu siarad yr iaith. Clywais Sbaenwr o Galicia yn dweud wrthyf unwaith mai datganiad gwleidyddol gan Madrileños rhonc (dinasyddion Madrid) yw dweud nad ydyn nhw'n deall Catalaneg. Dewis peidio â deall a wnânt. Yn ieithyddol, mae modd deall llawer ac fel mae ymerodraeth y Gatalaneg yn mynd o dde Ffrainc dros y Pireneos i odre Valencia a thros fôr y Canoldir i'r Baleares, mae ymerodraeth y Llydaweg yn raddol hawlio Llydaw gyfan, nid dim ond ei chadarnle traddodiadol ym Mreizh Izel. Mae arwyddion dwyieithog yn Roazhon (Ffrangeg a Llydaweg) ac mae ysgolion Diwan a gorsaf radio newydd sbon newydd ddechrau darlledu yn Llydaweg yn Naoned. Ac mae'r frwydr yn poethi, ar sail refferendwm posib, i ailuno dinas hanesyddol Naoned gyda gweddill Llydaw. Os bu un babi bach yn codi braw ar Baris, dychmygwch weld dinas bwysig Naoned yn troi ei golygon yn ôl at Lydaw. Mae'r grymoedd hyn o ran hunaniaeth a iaith yn mynd law yn llaw ac yn bethau a all rymuso ei gilydd. Y teimlad o berthyn i Lydaw, a'r awydd wedyn i ddysgu siarad Llydaweg.

Lle cafodd pobol fel fy rhieni eu harestio yng Nghymru ac yn Llydaw am weithredu ac ymgyrchu dros yr iaith, nid yw treulio noson mewn cell o reidrwydd yn aberth sy'n rhaid ei gwneud er mwyn ennill brwydrau bellach. Oes, mae'n rhaid parhau i aberthu. Aberthu amser ac egni ac weithiau ffrindiau neu deulu, aberthu mynediad i brifysgol neu aberthu tystysgrif geni, aberthu ambell drywydd at yrfa lwyddiannus er mwyn cadw'n driw i ddaliadau a mynnu hawl. Dros y flwyddyn ddiwethaf wrth i fi dyrchu yn ddyfnach i ddeall safbwyntiau gwleidyddol a hunaniaeth, dywedodd aelod o'm teulu wrtha i, 'Yn ddiwylliannol rydyn ni'n Llydawyr, yn economaidd, rydyn ni'n Ffrancwyr'. Mewn cyfnod lle mae 'na anniddigrwydd economaidd dwfn yn parhau yn Ffrainc, fel mewn sawl gwlad ar draws y byd, pwy a ŵyr na fydd yna chwyldro arall yn ystod y ganrif hon yng ngwlad y chwyldro a fydd yn rhwygo'r wlad a'i chyfansoddiad yn rhacs, os daw'r economi Ffrengig i beidio â gweithio i'r Llydawyr diwylliedig, gan gynnig dalen wen i bobl Llydaw a'r Llydaweg gael ddechrau o'r newydd a lle ar y ddalen wen honno i'r 'ñi' gael ei harddel mewn inc gyda balchder.

Y peryg gyda brwydro gam wrth gam, neu hyd yn oed fodfedd wrth fodfedd ac arfer â byw ar friwsion, yw fod angen gochel rhag gorfoleddu pan fydd Paris yn taflu tafell at Lydaw, fel pe bai'r dafell honno'n dorth. Nid yw brwydr yr iaith byth ar ben.

Nadolig Llydewig

Cawsom Nadolig Llydewig lled-dawel,
heb yr un mins pei nac eira ar y gorwel,
dim ond teulu bach a'u hatgofion
yn ymhél.

Cawsom Nadolig Llydewig lled-dawel,
â blas y *faux fois-gras* yn dal ei afel
ag ambell i anrheg yn cronni
dan yr angel.

Cawsom Nadolig Llydewig lled-dawel
a thanllwyth yn rhuo rhag yr oerfel
a danteithion o fwyd môr y noswyl
fel mêl.

Cawsom Nadolig Llydewig lled-dawel
a Chymraeg yn gymysg â iaith Breizh-Izel
a'n bwthyn bach clyd yng ngolau seren
mor ddel.

Cawsom Nadolig Llydewig lled-dawel
a'r plantos hwythau'n breuddwydio am barsel
a ddaw yn sgil sŵn carnau Tad Nedeleg
ymhen sbel.

Cawsom Nadolig Llydewig lled-dawel
a'r wawr yn dod fel rhimyn o dinsel
a'r cyffro o ddarganfod anrhegion
dan sêl

yn llenwi'n Nadolig Llydewig lled-dawel
â gwên ar ôl gwên a sawl diolch uchel.
A'r anrheg gorau? Gwybod fod dwy iaith
yn ddiogel.

28/12/2018

Dydd Mawrth, Ionawr 1, 2019, Kerlouan / *Dimeurzh, ar c'hentañ a viz Genver, 2019, Kerlouan*

Mae'r plant yn cysgu. Laura hefyd yn dala lan gyda chwsg haeddiannol wrth i ddiwrnod cyntaf 2019 ddirwyn i ben. Bu'n dymor difyr o ddysgu Saesneg a Chymraeg canoloesol i fyfyrwyr Prifysgol Brest UBO a hwythau'n cael cyflwyniad i Gymraeg y canol oesoedd drwy gyfrwng y Mabinogi a cherddi Dafydd ap Gwilym. All Cymro ond cenhadu am yr iaith, ble bynnag y mae!

Wedi pedwar mis yn byw yn Llydaw, rydyn ni'n sicr yn teimlo ein bod eisoes wedi cael profiad cymaint dyfnach na phob adeg arall y bues i ar wyliau yma yn fy mhlentyndod a'm harddegau, ac i Laura a'r plant hefyd, mae yna deimlad o adnabod cynefin wrth ddilyn llwybrau cyfarwydd y drefn wythnosol, rhwng ysgol, gwaith ym Mhrifysgol Brest, troi am adref, cyrchu i wersi Llydaweg gyda'r nos ac ymweld â theulu a ffrindiau. Buom yn byw ym yng nghanol protestiadau angerddol, os nad bygythiol, y Gilets Jaunes, yn gorfod dygymod gyda'r prinder disel i allu dilyn hynt ein llwybrau beunyddiol.

Ond rydyn ni hefyd yn ymwybodol fod Cymru yn ein galw nôl, er gwell neu er gwaeth. Rhaid dweud, yn go annisgwyl, fy mod i'n profi tynfa i aros yn Llydaw. Cyn dod, roedd gen i amheuaeth a fydden i'n meddwl dwywaith am ddod nôl i Gymru. Ond yn gymysg â'r dynfa mae hiraeth gwirioneddol am deulu a chyfeillion nôl yng Nghymru. Cymru Brexit. Cymru ar ddibyn. Ond Cymru, er gwell neu er gwaeth. Ac mae gwybod ein bod yn hel ein pac ym mis Gorffennaf yn ein hatgoffa mai antur dros dro yw hon. Gwledd flasus, llawn o ddanteithion annisgwyl sy'n dal i gyrraedd ein bwrdd, fel arwyr y Mabinogi ar Ynys Gwales, yn gwledda'n ddibryder yng nghwmni Pen Bendigeidfran. Ond ar ryw bwynt, bydd yn rhaid inni agor drws ein bwthyn a gweld y byd allanol yn ei gyflawnder, waeth mor ddigalon neu obeithiol yw hynny. Brexit. Ond wrth agor ein drws ni i wynebu ein Aberhenfelen, fe welwn hefyd fod cymaint i ymfalchïo ynddo am y Gymraeg. Dyma iaith sydd yma o hyd. Efallai, i deuluoedd lle mae Llydaweg yn dal i dwymo'r aelwyd, y gall byw drwy gyfrwng y Llydaweg deimlo fel gwledda yn ynys Gwales. Pan agorir y drws, prin yw'r arwyddion o obaith wrth wrando'r sgyrsiau, anochel o Ffrangeg, ar hyd y strydoedd, yn y caffis ac mewn siopau. Ond yna, wrth syllu ar Aberhenfelen, a chraffu, fe welir nad yw'r cyfan yn ofer, fod yna ynysoedd sy'n dal eu tir yn erbyn y llif. Mae'n frwydr i adennill tir i'r Llydaweg bellach. Mae gyda'r Karadogiaid eu rhan fach i chwarae yn hynny hefyd. Dyma addunedu felly i agor y drws a wynebu 2019...

Dydd Sadwrn, Ionawr 5, 2019, Lesneven / *Disadorn, pemp a viz Genver, 2019 Lesneven*

Aet omp d'ar sinema hirio!! Aethon ni i'r sinema heddi. Nid i weld ffilm o Hollywood, na chwaith y blocbystyr diweddaraf gan Pixar neu Disney, ond i weld ffilm yn Llydaweg! Ffilm annibynnol Almaeneg, wedi ei dybio i'r Llydaweg, yw *Heidi*. Drama hanesyddol ddifyr, dwys a doniol. Braf felly oedd cael treulio'r prynhawn, dim ond fi a Sisial (gan nad yw rabsgaliwns bach dyflwydd oed fel ei brawd, Erwan, ddim yn cael dod i gadw twrw yn y sinema), yn gyrru i dref Lesneven, trafod yn Llydaweg am y cynnwrf wrth edrych mlaen at weld y ffilm, prynu ein tocyn yn y sinema yn Llydaweg a mwynhau stori a sgript ffraeth, oll yn Llydaweg, ar brynhawn llwydaidd a glawog ym Mro Leon.

Cynhaliwyd y digwyddiad gan Ti Ar Vro, ac ariannwyd y gwaith dybio i'r Llydaweg gan gyngor rhanbarthol Llydaw. Roedd gweld a chlywed Llydaweg ar y sgrin fawr, mewn ffilm safonol annibynnol, yn dipyn o wefr ac falle yn un enghraifft o rywbeth y gallen ni ei wneud nôl yng Nghymru, gan roi lle a llwyfan i'r Gymraeg yn sinemâu Cymru, yn hytrach na gadael i genedlaethau o blant a phobol ifanc feddwl taw Saesneg yn unig yw iaith y sgrin fawr.

Braf fyddai meddwl fod modd i rieni a'u plant, yn Nghymru, fel yn Llydaw, rannu popcorn melys o eiriau eu hiaith yn y dyfodol.

Dydd Sul, Ionawr 13, Marchnad Kerlouan / *Disul, trizek a viz Genver, Marc'had Kerlouan*

Mae marchnad wythnosol y pentref yn lle bach hyfryd i brynu cynnyrch lleol, iachus a ffres, yn llysiau, ffrwythau, bwyd môr, cig a chaws. Ond hyd yma dim ond Ffrangeg a glywsom o'n cwmpas ar ein hymweliadau â'r farchnad. Mae fy ymdrechion i siarad Llydaweg â'r plant (a hynny mewn llais go uchel ar brydiau yn gyhoeddus!) o'r diwedd wedi talu ffordd, nid yn unig o ran hunaniaeth a threftadaeth a gallu ieithyddol Sisial ac Erwan, ond hefyd fel dyfais i ddenu siaradwyr Llydaweg atom yn y pentref. Wrth i Erwan ddawnsio ei ffordd yn wyllt o gwmpas llawr y farchnad, a Sisial yn gwneud ei gorau i gadw ei brawd ar y llwybr cywir, dyma gwpwl priod hynaws yn troi i siarad â ni yn Llydaweg, gan wenu'n braf ar antics y plant. Tra bod clywed am bob math o brosiectau difyr sy'n digwydd drwy gyfrwng y Llydaweg yn y papur newydd ac ar y cyfryngau yn braf, does dim arwydd brafiach fod iaith yn para'n fyw ac yn berthnasol na siarad wyneb yn wyneb â phobol yn eu cymuned.

Enwau Llydaweg wedi eu ffrangegeiddio ger y tŷ

Hysbyseb ar gyfer app Stal.bzh

Y ganolfan ddringo yn Brest. Na phoener, mae Krapañ yn golygu 'dringo'!

Nadolig Landerne

Poster yn cynnig
cwrs mireinio
Llydaweg

Plant Diwan yn diddanu'r
gynulleidfa yng nghyngerdd
blwyddyn newydd
Skol Diwan Lesneven

Dydd Sadwrn, Ionawr 26; Ysgol Diwan Lesneven / *Disadorn, c'hwec'h warn-ugent a viz Genver, Skol Diwan Lesneven*

Y ddelwedd a ddefnyddir yn aml wrth ddisgrifio ieithoedd lleiafrifol sydd yn ymddangos fel petaent ar farw yw fod yr iaith dan sylw 'ar ei gliniau'. Efallai taw arwydd iach o ran dyfodol iaith leiafrifol yw fod pobol ar eu gliniau er ei mwyn! Dyna fues i a Sisial yn ei wneud heddi, sef shifft o lanhau, sgwrio, tacluso a pholisho ysgol gynradd Diwan Lesneven o'r top i'r gwaelod. Y Sadwrn nesaf bydd diwrnod agored yn yr ysgol er mwyn ceisio denu mwy o ddisgyblion i'r ysgol, a pherswadio rhieni Lesneven a'r cylch fod yna fudd mawr o ddanfon eu plant i ysgol Lydaweg. Tra bod y ffyrdd o ddysgu a'r athrawon yn rhai egnïol a charedig, mae cael yr ysgol i edrych ar ei gorau yn helpu'r achos.

Es â Sisial gyda fi gan feddwl y byddai hi yn gallu helpu ei thad sy'n heneiddio gyda baich y gwaith, ond tra fy mod i yn golchi olion pensiliau lliw oddi ar welydd y neuadd roedd hi'n mwynhau chwarae gyda'i ffrindiau, a oedd hefyd wedi dod i 'helpu' eu rhieni i lanhau. Mae pawb, mae'n siŵr, hefyd yn gyfarwydd â chlywed oedolion yn dweud wrth blant sydd newydd regi y byddan nhw'n 'golchi eu tafodau â sebon'; roedd tafod Sisial mor lân ag y gall tafod plentyn fod wrth iddi chwarae'n braf yn Llydaweg gyda'i ffrindiau. Tu hwnt i allu dweud fod muriau gwyn neuadd yr ysgol yn gloywi bellach, gallaf ddatgan taw gweld fy merch yn chwarae drwy gyfrwng ei thadiaith yw fy llwyddiant mwyaf.

Dydd Sadwrn, Chwefror 2, Lesneven ac Ar Pontoù / *Disadorn, daou a viz C'hwevrer, Lesneven hag Ar Pontoù*

Dorioù Digor / Drysau Agored

Soniais eisoes fod yna ysbryd croesawgar ac agored iawn i ysgol Diwan Lesneven, gyda rhieni o bob cefndir ac o sawl gwlad dramor yn danfon eu plant yno. Yn wir, mae meicro-gymuned Sbaeneg ei hiaith o gwmpas yr ysgol, gyda rhai rhieni o Dde'r Amerig wedi cyrraedd Llydaw (oherwydd cariad!) felly yn aml pan fyddaf yn mynd i gasglu'r plant o'r ysgol, byddaf yn siarad mwy o Lydaweg a Sbaeneg gydag athrawon a rhieni nag o Ffrangeg! Ond nid yw ysgolion Diwan fel ysgolion cynradd Cymraeg Caerdydd lle mae'r galw am addysg yn aruthrol o uchel gan olygu fod yr ysgolion hynny yn orlawn; mae wastad lle i fwy o ddisgyblion ac felly mae angen ymdrech i'w denu nhw. Ac fel a nodwyd, ar y Sadwrn blaenorol, ro'n i ar fy ngliniau er mwyn sicrhau nad yw'r iaith ar ei gliniau!

Doedd dim cymaint â hynny o rieni newydd i'w gweld yn yr ysgol, yn sicr nid y stampîd y byddai Anne Caer, y brifathrawes, yn ei ddymuno. Ond os ystyriwn y rhesymegu sy'n mynd ymlaen ym mhennau cymaint o rieni di-Gymraeg sydd wedyn yn penderfynu fod gwerth i ddanfon eu plant i ysgol Gymraeg, mae rhestr sy'n dal i dyfu o resymau da yn y Gymru sydd ohoni mewn ardaloedd fel cymoedd y de-ddwyrain, rhesymau sy'n effeithio ar gyfleon bywyd y plentyn a balchder mewn hunaniaeth Gymreig a Chymraeg, hyd yn oed os nad oes gan y rhieni hynny fwriad fyth i ddysgu'r iaith. Ond yma mae'n rhaid palu'n ddyfnach am resymau dros roi addysg Lydaweg i'ch plant. I rai, mae'n amlwg. Ond i eraill nid oes cyfleon gwaith o reidrwydd i'w cael drwy'r Llydaweg. Yng Nghymru rydyn ni'n dechrau mynd y tu hwnt i drwmpedu'r ffaith y gall yr iaith roi cyfleon proffesiynol i bobol – mae'r ffaith honno'n amlwg – rydyn ni nawr yn symud yn raddol i argyhoeddi pobol fod gennym wlad, sy'n amcanu i fod yn wladwriaeth, a bod ei hiaith, fel Norwyeg, Daneg, Fflemeg, Tsiec, yn iaith i bobol y wlad hon ei defnyddio a'i thrysori. Nid dim ond tic mewn bocs i drio cael swydd.

Ond *Conseil Régional*, cyngor rhanbarthol go wantan sydd gan Lydaw. Ac iaith wedi ei hitaleiddio ar arwyddion yw hi.

Ta beth, roedd cyfle gyda'r pnawn i anghofio am y fath fanion bethau â difodiant iaith a chael mynd i wledda gyda'r teulu estynedig, *en français*. Bob blwyddyn bydd un o blith brodyr a chwiorydd fy mam yn gwahodd y teulu estynedig cyfan, yn gefndryd, gor-gefndryd, wyrion a chŵn. Mae'n olygfa go drawiadol pan fydd y teulu Roudaut oll yn cwrdd. Cafodd Laura fraw, braidd, o fynd i'r 'te bach teuluol' cyntaf wedi inni gwrdd a chael ei chyflwyno i dros hanner cant o bobol! Wn i ddim ai Pabyddiaeth sydd i'w gyfri, ond dydyn ni prin yn codi o'r ffigurau sengl o ran y teulu estynedig yng Nghymru.

Y tro hwn felly aethom at fy nghawr o wncwl, sef François Louis, ac i bentre Ar Pontoù (Y Pontydd). Cymeriad hynod sy'n entrepreneuraidd os nad yn or-fentrus ei ysbryd weithiau, gan iddo godi melin wynt o bren a metal yn yr ardd, sy'n rhoi golau i'w gartref, ac mae'n aml yn dyfeisio teclynnau garddio o hen injans ac offer ffermio. Fe'i magwyd yn Llydaweg, ond fydda i byth, er trio, yn llwyddo i gael gair o Lydaweg ganddo, gwaetha'r modd. Mae rhai o'r ewythrod eraill (gan nad yw fy nghenhedlaeth i, namyn un neu ddwy yn y teulu, yn medru'r Llydaweg) yn fwy parod i'm hateb yn Llydaweg, ond wedyn, o bosib yn sgil arferion oes bellach, neu gwrteisi o flaen eraill, yn ôl i'r Ffrangeg y try'r sgwrs.

Roedd y *charcuterie* a'r *pâtisserie* a'r gwydryn o *vin rouge* yn flasus iawn.

Dydd Gwener Chwefror 8, Plogoneg / *Digwener, eizh a viz C'hwevrer, Plogoneg*

Drwy'r rhyferthwy mwyaf o law a welais ers tro, es yn bwyllog ar y daith gymharol hir o Gerlouan i Blogoneg, i annerch cymdeithas efeillio Plogoneg-Llandysul. Gair da yw rhyferthwy ac i fi mae'n un o'r geiriau byddaf yn hoff o'i arddel am fod yr un gair yn bodoli yn Llydaweg. Os clywch chi fi'n defnyddio geiriau rhyfedd, ffuantus neu led-anghyfarwydd yn fy Nghymraeg, yn aml dyna pam, sef bod yna frawd i'r gair yn Llydaweg. *Dre ar reverzhi,* drwy'r rhyferthwy, a'r car yn fwy o gwch nag o gerbyd, y mentrais i ran fach o Lydaw sy'n go ddierth i fi, ond hefyd yn lle hyfryd. Wrth droi oddi ar y lôn ddeuol a dechrau gweld arwyddion am Blogoneg argoelai'n well ar gyfer gweddill y noson gan i'r glaw beidio ac i'r haul fynnu hawlio diwedd y prynhawn cyn iddi nosi. Yng ngolau diwedd dydd roedd y caeau o'm cwmpas yn ymdebygu fwyfwy i fryniau gwyrddion Sir Gâr na'r Llydaw wastad oedd wedi ei ffurfio yn fy meddwl dros flynyddoedd o bererindota yn ôl a mlaen o Gymru. Er taw Llandysul yw gefeilldref pentre Plogoneg, mae'r enw yn cyfateb bron yn union i bentref arall yng Ngorllewin Sir Gâr, sef Llangynog. Yr un Cynog yw Koneg ac ystyr 'Plo', neu 'plou' mewn rhannau eraill o Lydaw, yw 'plwyf'.

Ond Llandysul sy'n rhannu sgwrs barhaus ar draws y dŵr gyda Phlogoneg. Gwelir pam hefyd y bu i'r ddau le benderfynu gefeillio, gyda thirwedd tebyg ac ysbryd gwledig yn perthyn i'r ddau le. Ond fel sy'n hyfryd am bob gefeillio, mae'n gyfle i ddysgu am y pethau sy'n wahanol a dod i ddeall gwahaniaethau.

Wrth barcio'r car dyma fi'n gweld Yann-Bêr Rivalin, y gŵr a'm gwahoddodd i annerch y gymdeithas, yn fy nisgwyl yn ei sbectol haul. Ces groeso cynnes ganddo a llond y croeso o Lydaweg ganddo hefyd cyn cael fy nhywys i'r stafell lle byddwn o fewn dim yn gwneud fy anerchiad trwy gyfrwng y Llydaweg.

Wrth gamu at y neuadd bentre fe glywais gerddoriaeth werin a chryn stampio traed yn taranu o'r ail lawr, a deall yn go glou taw dosbarth dawnsio gwerin Llydewig ydoedd. Ond o wrando fwy astud wedyn, clywed taw Ffrangeg oedd iaith y traed yn yr achos hwn.

Rwy'n go gyfarwydd ac yn gyffyrddus yn annerch pobol yn gyhoeddus, ond roedd yna elfen o ansicrwydd a nerfau yn codi heno gan fy mod yn gorfod gwneud trwy gyfrwng y Llydaweg. Rwy wedi dysgu bod yn groendew pan ddaw i siarad ieithoedd yn gyhoeddus ac er bod y Llydaweg yn famiaith imi o'r crud, rwy'n ymwybodol nad yw fy Llydaweg mor gywir ag yr wy'n teimlo mae fy Nghymraeg, ond eto, mae yn famiaith imi. Efallai bod twtsh o ansicrwydd yn codi wrth siarad Llydaweg am na fues i drwy addysg Lydaweg. Roeddwn yn falch o fod wedi elwa ar amser yng nghwmni Ronan Hirrien a fu i bob pwrpas yn gloywi fy iaith wrth inni gydweithio ar ein rhaglen ddogfen. Yr elfen arall a berai ansicrwydd oedd fy mod yng Nghymru bron ar bob achlysur o siarad cyhoeddus yn canfod esgus i ddatgan o leiaf un gerdd, hyd yn oed os taw nid i ddatgan fy ngherddi y'm gwahoddwyd yno. Hyd yn ddiweddar, doedd gen i ddim ond un gerdd i fy enw yn Llydaweg, sef 'Gwel a ran va yezh o vervel' ('Gwelaf fy iaith yn marw') a gyhoeddwyd fel rhan o ragair fy ail gyfrol o gerddi, *Bylchau*. Cerdd ysgafn a llon! Cyn dod, felly, fe gyfansoddais gerdd newydd a oedd yn wrthbwynt i'r gerdd flaenorol: 'Gwel a ran va yezh o vevañ' ('Gwelaf fy iaith yn byw').

Roedd gen i rywbeth barddol i lenwi rhywfaint o amser yn fy anerchiad. Treuliais y gweddill yn trafod y Gymraeg heddi yng Nghymru. Pethau fel yr ymdrech i gyrraedd miliwn o siaradwyr, yr agwedd newydd tuag at ddysgwyr sydd i weld yn magu gwraidd bellach yng Nghymru, lle rydyn ni'n ceisio annog a dathlu yn hytrach na chywiro iaith a dilorni. Digwyddiadau fel yr Eisteddfod a Ras yr Iaith (a ysbrydolwyd gan Ar Redadeg yn Llydaw) a diwrnod Shwmae/Sumai a'r ffaith fod yna gryn ddefnydd ers tro bellach o'r bathodynnau oren sy'n dynodi fod rhywun yn medru'r Gymraeg mewn siop neu sefydliad sy'n gwasanaethu'r cyhoedd. Difyr oedd cael rhywfaint o drafodaeth wedi'r sgwrs lle daeth hi'n amlwg fod yna ymdrechion tebyg wedi bod yn Llydaw yn y blynyddoedd diwethaf, pethau fel gwisgo bathodyn i ddangos eich bod yn medru'r iaith neu anogaeth i bobol ddysgu. Roedd gan nifer yn y gynulleidfa syniad da o sut le yw Cymru drwy'r tripiau i Landysul a'r cyffiniau, a braf oedd gweld cymaint o ymwybyddiaeth am ein traddodiadau a'n hiaith, a chymaint o ddiddordeb oedd yn y Gymraeg a'r Pethe. Ond buan wedyn hefyd yr amlygodd ambell un yn y gynulleidfa nad oedden nhw'n hoff o'r *math* o Lydaweg sy'n codi y dyddiau yma, yn enwedig ymhlith plant ysgol: nad yw'r Llydaweg yn raenus na chyn bured â'u Llydaweg nhw.

Ces y pleser o swpera cyn ei throi am gatre gyda Yann-Bêr a'i wraig Jaklin ac fe ymunodd Yann-Bêr arall â ni hefyd – Yann-Bêr Kemener oedd hwn, gwr difyr ac awdur llyfrau plant. Fe roiodd un o'i lyfrau imi yn anrheg er mwyn i Sisial ac Erwan gael ei fwynhau, sef un o'r gyfres sy'n portreadu dafad o'r enw Moutig. Aeth y sgwrs i sawl cyfeiriad a daethon ni hefyd i aildroedio hynt yr anerchiad. Ro'n i'n awyddus i wybod fy mod wedi cyflawni'r disgwyliadau fel gŵr gwadd, yn un peth, ond hefyd ro'n i'n awyddus i drafod yr agweddau at siaradwyr Llydaweg o'r to iau a'r rhaniad sy'n dod yn amlycach o hyd wrth i'r flwyddyn fynd rhagddi, rhwng yr ifanc a'r ifanc eu hysbryd, ond gwynnach eu gwallt. Holais am y wraig a ddechreuodd fynegi safbwyntiau cryf yn erbyn y math o Lydaweg a siaredir heddi. Daeth hi'n amlwg nad oedd y fenyw dan sylw yn siarad Llydaweg â'i phlant, ond eto roedd hi'n danbaid ei barn wrth wneud ei phwyntiau gynne fach. Nododd Yann-Bêr (Rivalin) mai da o beth oedd peidio â chodi'r cwestiwn 'a ydych chi'n siarad Llydaweg â'ch plant?' Yr ateb yn aml yw na, ac mae na gymhlethdodau hanesyddol-gymdeithasol ynghlwm wrth hynny sy'n hawdd i Gymro dŵad fel fi eu beirniadu, heb fod yn sgidiau'r person fy hun. Gallai pethau fod wedi troi'n gas o fynd i'r cyfeiriad hwnnw, felly da o beth oedd ein bod wedi cynnal ysbryd o fwynhad a dathlu ar hyd y digwyddiad. Bu derbyniad digon gwresog i'r gerdd a'i hoptimistiaeth fregus, hefyd. Es ati i gyfieithu'r gerdd o'r Llydaweg er mwyn amlygu'r elfennau ieithyddol sy'n debyg rhwng y ddwy iaith, yn ysbryd y gefeillio sy'n para ym Mhlogoneg ac yn Llandysul.

Gwel' a ran va yezh o vevañ

Gwel' a ran va yezh o vevañ;
ganet eo bet dirazon,
o levañ gant levenez he buhez
nevez hag anavezout a ran
he dremm, ar mousc'hoarzh yaouank
hag an tan en he daoulagad.

Gwel' a ran va yezh o vevañ;
mont a ra d'ar skol bemdez,
he sac'h skol leun a levrioù,
leun gant heurdiaoù memes
ha leun gant gerioù he bro,
leun gant istorioù gwechall gozh
ha menozioù pep warc'hoazh a vezo...
Ur sac'h skol leun gant barzhoniezh
ar galon.

Gwel' a ran va yezh o vevañ;
emañ bremañ o timeziñ
hag o rannañ pokoù hir
er parkoù aour, teod war deod
o santout stumm peb ger,
pep ger oc'h ober gillig d'ar gouzoug
en eur lonkañ berradoù brezhoneg
etre pep pok.

Gwel' a ran va yezh o vevañ
etre kerent dindan ur ganevedenn
ha bugale vihan a glask an alc'houezh aour
e fin an hent liesliv. Gwel' a ran
deizioù brav an dazont bras
e lec'h ma wel va yezh he bugel dezhi
oc'h en em gaout er bed hag o levañ gant levenez
ur vuhez nevez en he divrec'h...

Gwelaf fy iaith yn byw

Gwelaf fy iaith yn byw,
fe'i ganed o flaen fy llygaid
yn llefain â llawenydd ei bywyd
newydd ac rwy'n adnabod
ei hwyneb, y wên ifanc
a'r tân yn ei llygaid.

Gwelaf fy iaith yn byw;
mae'n mynd i'r ysgol beunydd,
ei bag ysgol yn llawn o lyfrau,
llyfyr ar lyfyr yn dafodieithoedd
sy'n llawn o eiriau ei gwlad,
yn llawn straeon o slawer dydd
a syniadau pob yfory a fydd ...
Bag ysgol yn llawn o farddoniaeth
y galon.

Gwelaf fy iaith yn byw;
y mae'n priodi yn awr
ac yn rhannu cusan hir
yn y caeau aur, tafod ar dafod
yn teimlo siâp pob gair,
pob gair yn gogleisio'r gwddwg
wrth lyncu diferion o Lydaweg
rhwng pob sws.

Gwelaf fy iaith yn byw
rhwng rhieni o dan yr enfys
a phlantos bychain sy'n ceisio yr allwedd aur
ym mhen draw'r hewl amryliw. Gwelaf
ddyddiau braf dyfodol mawr
yn lle y gwêl fy iaith ei phlentyn hithau
yn cyrraedd y byd ac yn llefain â llawenydd
bywyd newydd yn ei breichiau ...

Dydd Llun, Chwefror 18, Plougerne / *Dilun, triwec'h a vis C'hwevrer, Plougerne*

Gan bod Sisial wedi mwynhau'r cwrs drama yn ystod y gwyliau hanner tymor cyn y Nadolig fe ofynnodd i gael mynd unwaith eto. Y tro hyn, y ddrama y byddai hi'n cael bod yn rhan ohoni, ac angen paratoi ar ei chyfer oedd y *Bleizi Mor*, sef y môrfleiddiaid, gair da am fôr-ladron! Ces i fy magu gan mam i arddel 'Mor-laeron' sy'n cyfieithu'n uniongyrchol i'r Gymraeg am peirat, ond unwaith eto, dyma enghraifft o Sisial yn ehangu gorwelion fy adnabyddiaeth o'r Llydaweg. Cafodd Sisial ehangu ei gorwelion hi hefyd o ran dod i nabod plant newydd gan nas gosodwyd hi yn yr un grŵp actio â'i ffrindiau ysgol. Yn ogystal â chreu ffrindiau newydd, cafodd hi gydweithio gydag arweinwyr newydd. Anna oedd enw un – athrawes mewn ysgol ddwyieithog Lydaweg. Ond cafodd hi hefyd weithio o dan arweiniad pen bandit cwmni drama Ar Vro Bagan, sef Goulc'hen Kervella. Digon efallai yw ei ddisgrifio fel Cefin Roberts Llydaw.

Mewn ysbryd anturus a natur ddigyfraith y sefydlwyd Ar Vro Bagan gan bobol fel Goulc'hen Kervella, ynghyd â fy mam a Llydawyr gweithgar yr ardal hon o ogledd Penn-ar-Bed ryw ddeugain mlynedd yn ôl. Nid peth ffasiynol, nac wedi ei gefnogi gan y wladwriaeth Ffrengig na hyd yn oed y département (sef y sir) oedd dechrau clwb drama fel y gwnaeth fy mam a'i ffrind Maryvonne Berthou, yn Brignogan ddiwedd y chwedegau; clwb a aeth ymlaen wedyn i fod yn Strollad (grwp) Ar Vro Bagan, un o'r cwmnïau drama Llydaweg ei hiaith i fodoli gyda'r bwriad o gynnal profiadau theatrig yn broffesiynol. Mae gen i gof o sawl noson drawiadol yn yr wythdegau a'r nawdegau lle byddem yn mynd â'n blancedi a phicnic bychan a hithau wedi nosi i wylio sioeau *son et lumière* Ar Vro Bagan lle byddai llongau ar y môr, gynnau mawr, goleuadau a synau rhyfeddol a straeon am forwyr a môr-ladron gan ddefnyddio traethau tywodlyd a chreigiog Bro Bagan yn lleoliad unigryw ar gyfer gosod dramâu. Ond nid ar draeth oedden ni nawr, ond yn hangar mawr Ar Vro Bagan, sy'n cynnwys hen setiau gwisgoedd a'r holl adnoddau y gallech ddychmygu sydd eu hangen ar gwmni drama proffesiynol. Roedd hi'n benllanw'r gwaith paratoi a'r *Bleizi Mor* yn barod i ysbeilio!

Dyma'r math o brofiad na chaiff twristiaid i Lydaw sy'n dymuno clywed Llydaweg yn cael ei siarad, gan taw rhieni a theulu'r bobol ifanc oedd yn y gynulleidfa, a'r hangar yma am y bore hwn yn llawn o gyflwyniadau gan staff y cwmni yn Llydaweg a pherfformiadau Llydaweg gan yr actorion ifanc. Defnyddiwyd hefyd drac sain gan un arall sy'n torri tir newydd i'r Llydaweg, sef y rapiwr Krismenn. Os cewch gyfle i wrando arno drwy youtube neu wefannau eraill, fe glywch yn syth fod ganddo ddawn rapio sydd cystal ag unrhyw rapiwr Americanaidd neu o wledydd eraill. Dyna sy'n allweddol pan fo ieithoedd lleiafrifol yn ymhel â chelfyddyd nad yw'n gyfarwydd iddynt, sef gallu arddangos doniau sy'n cymharu'n ffafriol â'r safon yn rhyngwladol. Daw'r rheiny wedyn sy'n amau bodolaeth iaith leiafrifol i orfod cyfaddef, hyd yn oed os na wnânt ar goedd, fod yna rinwedd a gwerth i'r iaith honno. Fel tipyn rapiwr, amser maith yn ôl, bu'n rhaid i fi ddweud helo wrth Krismenn, a oedd yn y gynulleidfa, cyn i bawb ddiflannu. Nododd ei fod wedi bod mewn cyswllt â Mr Phormula, neu Ed Holden, fel mae ei fam yn ei nabod. Byd Bach. Mae'n braf gwybod fod y we, fel y môr gynt, yn cysylltu môr-ladron Llydaw a Chymru. Gwerth nodi hefyd fod Sisial yn gwneud bleiz-mor ffyrnig iawn! Mae ei hyder a'i gallu i fynegi ei hunan yn ei thadiaith yn para i flodeuo ac mae'n dangos cymaint o werth sydd i gynnal gweithgareddau drwy gyfrwng yr iaith i drwch o blant a phobol ifanc ysgolion Diwan a dwyieithog yr ardal na fyddan nhw fel arall yn cael cyfle i ymarfer eu Llydaweg yn ystod y gwyliau.

Dydd Llun, Chwefror 25, traeth Kremioù / *Dilun pemp warn ugent a viz C'hwevrer, Aod Kremioù*

Diwrnod tu hwnt o braf a thwym o ystyried taw mis Chwefror yw hi! Ond teimlai'n hollol addas i fynd yn ein shorts i lan y môr. Fe dreulion ni'r diwrnod ar y traeth yn dod i nabod Nadia a Fabien, rhieni sy'n rhan o gymuned ysgol Diwan Lesneven. Tybiem ein bod *ni* yn amlieithog, ond mae'n dŵr Babel yn eu cartref nhw yn ddyddiol hefyd! Daw Fabien o Lesneven, ond fe astudiodd ym Mangor a gweithio yn Llangefni, felly gall gynnig 'Panad' a daw Nadia o Rufain, gan felly siarad Eidaleg Rhufain gyda'i phlant, Quetsalli sy'n 4 mlwydd oed ac yn nosbarth Erwan a Teqal sy'n 10 mis oed. Mae gan y plant enwau Mayaidd gan fod Nadia a Fabien wedi rhedeg ysgol ieithoedd ym Mecsico. Mae Sbaeneg Nadia'n hynod o rugl hefyd. Felly rhyngof fi, Laura, Nadia, Fabien a'n pedwar o blant, roedd cymysgedd o Gymraeg, Llydaweg, Sbaeneg, Ffrangeg, Eidaleg a Saesneg i'w glywed ar draeth Kremioù!

Roedd y gybolfa hyfryd yma o ieithoedd yn teimlo mor naturiol â bod ar draeth dan haul mawr mis Chwefror.

Dydd Mawrth, Chwefror 26 / *Dimeurzh c'hwec'h warn ugent a viz C'hwevrer*

Gadael y tir mawr

Taith i Enez Vaz heddi. Ynys hyfryd sydd heb fod fwy na chilometr neu ddau oddi ar arfordir Rosko. Er gwaetha'r agosrwydd at y tir mawr, mae'r tywydd yn gymaint mwynach ar yr ynys fel bod modd tyfu dau gnwd o datws yn ystod y flwyddyn. Mae'n ynys y gellir cerdded o'i chwmpas yn hamddenol, gan weld a dringo ei goleudy. Fe benderfynon ni gylchdroi yr ynys ar droed cyn gorffen y dydd yn y gerddi botaneg trawiadol sydd ar ddwyrain yr ynys. Mae'n debyg bod y to hŷn ac ambell deulu amaethyddol yn dal i fedru ac arddel y Llydaweg, ond nid oedd yna Lydaweg i'w glywed ar y strydoedd. Rhaid, yn hytrach, oedd ymhyfrydu ym mhresenoldeb y Llydaweg ym mhobman o'n cwmpas, o enw'r ysgol gynradd (Ffrangeg ei hiaith) leol, Skol ar Vugale, sy'n golygu 'ysgol y plant', i'r enw brawychus ar un o ardaloedd yr ynys; sef An Ifern (ie, uffern!). Wedi saib am bicnic aethom yn ein blaenau at erddi botaneg Georges Delaselle, gwerthwr yswiriant o Baris a greodd y gerddi ar ddechrau'r ugeinfed ganrif, wedi iddo symud i'r ynys yn dilyn diagnosis am gancr a nodai fod ganddo ddeufis ar ôl i fyw. Efallai mai mwynder ac awyr iach y môr a olygodd ei fod wedi byw am ugain mlynedd yn fwy, ond ni wastraffodd y blynyddoedd hynny gan fynd a phalu basin dwfn yn y twyni a'i lenwi â phlanhigion egsotig. Ffrwyth gwaith adfer yn sgil mynd i ddifancoll yng nghanol yr ugeinfed ganrif yw'r gerddi, a diolch i'r rhai a'u hadferodd gan eu bod yn binacl ysblennydd ar bob ymweliad â'r ynys.

Gwaetha'r modd, i ni, nid oedd y gerddi ar agor i'r cyhoedd tan fis Ebrill! Felly dim ond cipolwg o'r tu fas gethon ni. Ond fe gafodd y plant fwynhau hufen iâ yn dilyn y wâc galed o gwmpas Enez Vaz, ac fe glywson ni Lydaweg cyn mynd gartref, o enau Leo, un o gyd-ddisgyblion Sisial ac Erwan yn Skol Diwan Lesneven, a'i fam sy'n dod o Ganada!

Dydd Sadwrn, Chwefror 23, Gouennoù / *Disadorn tri warn ugent a viz C'hwevrer, Gouennoù*

Fe alwon ni mewn i archfarchnad Super U yn nhref Gouennoù (sydd wedi gefeillio ag Aberhonddu) ar ein ffordd nôl o fod yn crwydro siopau Brest heddi. Arweiniodd y dacteg arferol o forio

Llydaweg gyda'r plant a Laura at sylw gan y cigydd tu ôl i'w gownter cig (a ymdebygai i wledd ar fwrdd Harri'r Wythfed) yn holi a oedden ni'n dod o'r Almaen. Dyna'r ymateb arferol bellach o glywed pobol yn dweud ya, ya yng ngwlad y Llydaweg. Trist.

Ond tristach fyth oedd y ddynes a stopiodd i siarad gyda ni â fflam yn ei llygaid o'n clywed ni'n siarad ei mamiaith. Ymfalchïodd hi yn y ffaith fod ei hŵyr yn cael addysg Lydaweg ac yn medru'r iaith, ac aeth mlaen i sôn am y modd na siaradai hi ddim ond Llydaweg am ugain mlynedd cyntaf ei bywyd. Ond yna, wrth i'r sgwrs fynd rhagddi, daeth ei diffyg defnydd o'r iaith a'i rhwystredigaeth nad oedd ganddi neb ar wahân i'w hŵyr i siarad ag e, ac yna'r datgelu mai Ffrangeg oedd yr iaith rhyngddyn nhw hefyd, i achosi iddi beidio â gallu gorffen ei brawddegau, oherwydd diffyg geirfa a diffyg gobaith. Nid yw geiriau o gysur, a nodi nad yw hi byth yn rhy hwyr i adfer ei hiaith, yn llwyddo i lenwi nac ateb y tawelwch lletchwith rhwng pobol pan fo'r geiriau mewn brawddeg wedi dadfeilio. Sut mae rhoi gair o gysur i rywun sydd wedi profi geiriau ei mamiaith yn cael eu datgymalu a'u cymryd oddi wrthi o flwyddyn i flwyddyn ar hyd degawdau ei bywyd?

Dydd Gwener, Mawrth 1, Brasparzh / *Digwener ar c'hentañ a viz Meurzh, Brasparzh*

Bu'r blynyddoedd diwethaf tua'r adeg hyn o'r flwyddyn, neu rhwng Ionawr a Mawrth, yn gyfnod o ddigalonni fod ein byd natur yn drysu yn sgil y niwed a wneir gan ddyn. Yn gynyddol byddai'r cennin Pedr yn blodeuo ganol Ionawr gan bwyntio at anhwylder mawr, a'r cwbwl o'n herwydd ni fel pobol a'n diffyg parch at y ddaear. Heddi, fe fues i'n ffilmio gyda Druizh Meur (archdderwydd) Gorsedd Llydaw, ac mae mwy o bwyslais ar fod yn un â'r fam ddaear ac ar gadwraeth ecolegol ym meddylfryd a gweithgareddau gorsedd Llydaw, yn ogystal â diogelu'r iaith a'i diwylliant. Falle taw arwydd felly o fyd natur yn disgyn yn ôl i'w chynghanedd naturiol oedd gweld am y tro cyntaf, ar ddydd ein nawddsant, garped melyn hyfryd o gennin Pedr a hynny ar ben y lôn sy'n arwain o'r tŷ.

Dyma oedd y diwrnod olaf o ffilmio ar gyfer y rhaglen ddogfen y bûm yn gweithio arni gyda'r cynhyrchydd-gyfarwyddwr Ronan Hirrien. Bûm yn dannod i Ronan am y ffaith ei fod yn gwneud imi weithio ar Ddydd Gŵyl Dewi â nifer gynyddol o bobol yng Nghymru yn galw am ei wneud yn ddiwrnod swyddogol o wyliau cenedlaethol! Ond roedd hefyd yn braf ein bod ni'n gallu gorffen ffilmio rhaglen ddogfen sy'n dathlu'r traddodiad barddol ar y diwrnod hwn. Profiad ysbrydol hefyd oedd cael mynd at feini'r orsedd yn Brasparzh, pentre bach ym mynyddoedd Are, canolbarth Llydaw. Ers rhai degawdau bellach dyma leoliad parhaol defodau Goursez Vreizh ac mae yna deimlad paganaidd a gwyllt i'r lleoliad. Wrth inni orfod parcio ar y lôn fawr a mentro drwy'r prysgwydd ryw hanner canllath, gallwn weld olion baw llwynog, ac yna'n raddol, rhwng coed deri dyma'r cylch yn dod i'r amlwg. Cerrig sy'n cyrraedd y pengliniau yn hytrach na'r rhai talach a welir yng Nghymru, ond y maen llog cyfarwydd a'r garreg camu ato yng nghanol y cylch. Nodais wrth sgwrsio'n hwyliog yn Llydaweg gyda Per-Vari Kerloc'h, An Druizh Meur, fod y gwair ar y lleoliad yn hir ac y byddai'r gwair yn debycach i lawnt clwb bowls yng Nghymru pe bai'r safle'n perthyn i'r orsedd. Cytunodd fod y gwair wedi dechrau tyfu yn go wyllt ond y byddai'r defaid yn cael eu gadael mewn i bori er mwyn cael y safle'n barod ar gyfer defod yr Orsedd agored ym mis Gorffennaf! Mae'n arbed defnyddio petrol neu drydan i dorri'r gwair, o leia! Gŵr difyr ond hefyd dysgedig ac angerddol am iaith, hanes a diwylliant ei wlad yw Per-Vari. Fe ddywedodd wrtha i ei fod e'n teimlo bod Iolo Morganwg wedi cael cam a bod angen gwerthfawrogi a dyrchafu cyfraniad Iolo. Drwy gydol ein hamser yn Llydaw, rydw i a Laura yn cael pleser mawr o gwrdd â Llydawyr sy'n medru'r iaith. Rhyfeddod yw cwrdd â Llydawyr sy'n pledio achos Iolo Morganwg! Per-Vari Kerloc'h sydd hefyd yn gwneud yr anerchiad yn Llydaweg o lwyfan y Brifwyl yn Llanrwst eleni yn nefod y Coroni, lle ceir cynrychiolaeth bob blwyddyn gan y gwledydd Celtaidd.

Lle mae Gorsedd Cymru yn gwobrwyo'r Cymry hynny sy'n weithgar yn eu cymunedau o ddydd i ddydd, neu'n gwneud eu marc yn genedlaethol neu'n fyd eang ac yn cario eu hiaith gyda nhw yn falch, gan urddo enillwyr yr eisteddfod genedlaethol hefyd, wrth gwrs, mae Gorsedd Llydaw o dan arweiniad Per-Vari Kerloc'h yn ceisio cydnabod a dathlu cyfraniad 'ar stourmerien' (yr ymgyrchwyr), ac eleni ym mis Gorffennaf fe gydnabyddir yr ymdrech aberthol a wnaethpwyd gan fyfyrwyr chweched dosbarth Lise Diwan, Karaez (coleg chweched dosbarth ysgolion Diwan) i frwydro am yr hawl i sefyll arholiad cenedlaethol y baccalaureat mathemateg drwy gyfrwng y Llydaweg. Ro'n i a Laura'n trafod hyn ac yn cytuno na fyddai'r fath sefyllfa, sef peidio gallu ateb papur arholiad yn Gymraeg, yn bodoli heddi. Dyma fynd at wraidd y broblem, sef nad yw'r Llydaweg eto yn iaith swyddogol.

Os cewch chi byth gyfle i ymweld â chylch meini'r orsedd yn Brasparzh (ystyr digon eironig sydd i enw'r pentre, sef 'parth mawr', o ystyried taw pentre go fach ydyw) mae'n werth gwneud, boed yng nghanol Gorffennaf pan fydd aelodau o Orsedd Cymru a Chernyw yno hefyd gyda'r Llydawyr, neu mewn tawelwch gydol y flwyddyn. Ym mhen draw'r cae mae 'na ffynnon ger y man lle'r arferai capel bach fod ac ar y ffynnon fe welir triban yr Orsedd. Rhyfedd meddwl fod dylanwad a dychymyg Iolo Morganwg wedi cyrraedd cornel anghysbell o Lydaw. Byddai Iolo yn sicr yn cytuno â safiad myfyrwyr Lise Diwan Karaez.

Skol ar Vugale(Ysgol y Plant), Enez Vaz

Enez Vaz, golygfa o'r goleudy

Llwyfanu'r Llydaweg. Y criw ifanc yn actio gyda Ar Vro Bagan.

Gyda'r Druizh Meur

Triban yr Orsedd ar ffynnon ger Meini'r Orsedd, Brasparzh

An Druizh Meur ar ei Faen Llog

Dydd Sadwrn, Mawrth 2, Lesneven / *Disadorn, an eil a viz Meurzh, Lesneven*

Neuial. Nofio.

Mae na gylch o ffrindiau da yn nosbarth Sisial yn Skol Diwan Lesneven, dosbarth sy'n cynnwys dwy flwyddyn ysgol gan bod y niferoedd yn llai nag a gewch ar y cyfan mewn ysgolion Cymraeg. Ond tra bod Sisial wedi gorfodi newid yn iaith yr iard cyn y Nadolig, mae hi hefyd wedi dod yn aelod brwd o'r dosbarth ac yn ffrind da i nifer, a nifer yn ei chynnal hi hefyd, mewn blwyddyn nad yw'n hawdd i ferch ifanc a newidiodd ysgol a gwlad. Mae wedi llwyddo i gadw ei phen uwch ben y dŵr yn rhyfeddol, gyda'i Llydaweg yn llifo a'i Ffrangeg hi, er gwaetha peidio â chael yr un wers Ffrangeg, yn dechrau diferu mewn i'r sgwrs bod dydd.

Heddi yw diwrnod deizh ha bloaz, diwrnod pen-blwydd Sisial yn 7 mlwydd oed, a'i dymuniad oedd mynd i nofio, i'r poull neuial, pwll nofio Lesneven, gyda dau o'i ffrindiau gorau, sef Ninnog a Mael. Merch sy'n siarad Llydaweg adref gyda'i thad yw Ninnog ac mae Mael mewn sefyllfa gymharol i un Sisial o ran amlieithedd gan bod ei fam yn hanu o Ecwador a thad honno o Lydaw, felly mae na Sbaeneg a Ffrangeg i'w glywed ar aelwyd Mael, ond y *lingua franca* rhyngddo ef, Sisial a Ninnog yw'r Llydaweg (er bod Ninnog a Mael yn gallu troi yn ddigon sydyn, fel y disgwyliech, i siarad Ffrangeg, gan bod yr iaith honno'n hollbresennol).

Fi gafodd y fraint o fod yn oedolyn cyfrifol (ie, fi!) a gofalu am Sisial, Ninnog a Mael yn y dathliad pen-blwydd a chael mwynhau'r pnawn yn y dŵr, gan 'gozeal Brezhoneg penn-da-benn', siarad Llydaweg yn gyfangwbwl. Nodais eisoes fod gen i dacteg fwriadol o siarad Llydaweg yn go uchel ac amlwg mewn mannau cyhoeddus er mwyn pysgota am ymateb, ond y tro hwn, roedd siarad â thri phlentyn yn Llydaweg yn denu digon o sylw heb fod angen gwneud ymdrech i siarad mewn llais cryfach na'r arfer. Wrth fynd i osod ein dillad yn y locer yn saff dyma ferch ifanc yn ei hugeiniau yn dod ataf a gofyn yn Llydaweg a oedd gen i un ewro sbâr i'w roi yn y locer ar gyfer ei thrugareddau hi. Peth bach, meddech chi, falle, yn enwedig os ydych chi'n arfer mynd i nofio yn sir Gâr, Ceredigion neu Wynedd, lle gallech ddisgwyl clywed Cymraeg, ond peth mawr i'w brofi yn nhref Lesneven a'i fynd a dod dyddiol trwy gyfrwng y Ffrangeg. Wn i ddim a fyddai rhywun o'r genhedlaeth hŷn sydd wedi eu cyflyru i beidio siarad Llydaweg gan yr ysgol a'r wladwriaeth yn y 50au a'r 60au wedi mentro gofyn yr un cwestiwn yn Llydaweg. Anos, o bosib, yw troi'r don honno.

Ond, flwyddyn yn henach ac yn llawn mor hyderus yn y dŵr ag yw hi gyda'i Llydaweg, fe gafodd Sisial ben-blwydd i'w gofio. Gyda'r hwyr bu'n gyfle i ddala lan, drwy youtube, gyda darllediad France 3 o'r seremoni wobrwyo flynyddol sy'n dathlu'r Llydaweg mewn amrywiol feysydd. Dyma ddarn gan Ebel Elektrik, oedd yn perfformio ar y noson. Jimi Hendrix o gitarydd a chanwr carismataidd a dawnus a'i ganeuon blues-rock Llydaweg, o dan ei wallt hir a synau gitâr trwm yn llawn ebychiadau Llydaweg. Er taw dim ond rhyw awr a hanner yr wythnos a geir o Lydaweg ar deledu cyhoeddus, mae'r we yn cynnig cyfleon diderfyn i ddarlledu yn ehangach i'r Llydaweg. Mae'n galonogol gweld cymaint o weithgaredd a chreadigrwydd sydd yn rhan o fywyd y Llydaweg. Diwrnod o ddathlu i Sisial a'r Llydaweg.

Dathlu

Rhag inni i gyd, yn ddarllenwyr a charedigion y Llydaweg, feddwl mai bodolaeth flinedig yn sgil yr holl frwydro, ymgyrchu, protestio a byw o friwsionyn i friwsionyn yw byw yr iaith Lydaweg, mae dathlu hefyd yn rhan bwysig o ymwneud â'r iaith. Wedi'r cyfan, mae'r Brythoniaid, a'r Celtiaid yn ehangach, yn hoff o ddathlu. Onid treulio blwyddyn yn gwledda ac yfed medd a wnaeth milwyr llwyth y Gododdin, wedi'r cyfan? A hynny *cyn* mynd i'r frwydr!

Mae dathlu hefyd yn ffordd o ddenu pobol at yr iaith, lle gall protestio neu godi llais ennyn dicter gan rai, neu alluogi pobol i labelu ymgyrchwyr iaith fel cwynwyr tragwyddol, er mor hanfodol yw'r holl waith ymgyrchu. O flwyddyn i flwyddyn ledled Llydaw mae cyfleon yn codi o hyd i ddathlu'r Llydaweg, a dathlu trwy gyfrwng y Llydaweg. Yr enghraifft fwyaf *glitzy* a *showbiz* o hyn (nad yw at ddant pawb, mae'n rhaid nodi) yw'r noson a drefnir gan y darlledwr France 3 (sy'n cyfateb i sianeli'r BBC ym Mhrydain, gan taw'r Llywodraeth sy'n ei hariannu). Seremoni wobrwyo debyg i'r Baftas, Llyfr y Flwyddyn neu'r gwobrau newydd a sefydlwyd gan Lywodraeth Cymru, Gwobrau Dewi Sant, yw Ar Prizioù (Y Gwobrau) sy'n mynd i le gwahanol o flwyddyn i flwyddyn gan gadw'r ddisgil yn wastad rhwng amrywiol blwyfi Llydaw. Eleni mae'r gwobrau'n digwydd yn Bruz ar gyrion Roazhon, a dyma'r ail waith ar hugain i'r gwobrau gael eu cynnal. Mae Bruz yn rhan o'r tiroedd ffrwythlon newydd i'r Llydaweg gan taw gwlad yr iaith Gallo (ynganiad: Galo) yn draddodiadol yw hanner dwyreiniol Llydaw, Breizh Uhel (Llydaw Uchel), ond yn gam neu'n gymwys, cysylltir y Llydaweg gyda Llydaw fel endid ac mae'n haws hybu'r Llydaweg o'r herwydd ym mhrifddinas y wlad, er y dylsai'r Gallo gael lle teilwng hefyd, os ydyn ni'n bobol sy'n poeni am ieithoedd cynhenid lleiafrifol.

Ond gwobrau'r Llydaweg yw'r Prizioù, a'r math o bethau a wobrwyir yw cymdeithasau neu fudiadau, y llyfr a'r albwm cerddorol gorau, cynyrchiadau teledu, busnesau sy'n hybu'r Llydaweg a phrif wobr y seremoni, sef gwobr Siaradwr Llydaweg y Flwyddyn. Ni wahaniaethir rhwng dysgwyr a siaradwyr o'r crud, ond fe'i rhoddir i berson sy'n gwneud cyfraniad sylweddol i fywyd a diwylliant y Llydaweg. Rhwng Ebel Elektrik, y rociwr dihafal a dawnus â'i wallt hir dewin*esque* a'r ymdrechion a wneir i ymgorffori'r Llydaweg i bob elfen o fywyd trefol Karaez (Carhaix) gan gyngor y dref, i'r busnesau sy'n arddel y Llydaweg ar eu gwefannau ac fel rhan greiddiol, atyniadol o'u hapêl masnachol; mae'r gwobrau yn llwyddo i ddangos nad dim ond iaith sy'n sownd wrth y tir rhwng cloddiau mewn caeau yw'r Llydaweg. Wrth i ffordd o fyw a chynnydd technolegol yn fyd-eang newid bywyd yn Llydaw fel ag y gwna yng Nghymru, daw'r Llydaweg i ddangos ei bod hi'n iaith yr ysgol, y swyddfa, y llwyfan a'r aelwyd.

Cystadleuaeth fwy traddodiadol ei naws sydd yn rhoi llwyfan i'r Gallo fel y Llydaweg, neu'r Gallaoueg fel y gelwir Gallo yn Llydaweg, yw cystadleuaeth Kan ar Bobl (ie, Cân y Bobl). Cystadleuaeth debycach i'r hyn a geir yn yr Eisteddfod neu'r Ŵyl Gerdd Dant yw Kan ar Bobl, lle gwobrwyir cantorion unigol, grwpiau, cerddorion, corau ysgolion a chyfansoddiadau newydd mewn dull traddodiadol. Mae'n fodd o arddel y stôr o ganeuon traddodiadol sy'n rhan o dreftadaeth gerddorol gyfoethog Llydaw ac mae hefyd yn fodd i unigolion a grwpiau wneud enw i'w hunain. Trwy Kan ar Bobl y daeth y cantorion mwyaf i amlygrwydd, o Yann-Fanch Kemener i Denez Prigent (a aeth ymlaen i ganu cân o'i eiddo yn Llydaweg ar ddiwedd y ffilm o Hollywood, Black Hawk Down.) Yr unig reol, ar wahân i drio canu mewn tiwn a pheidio anghofio geiriau, yw fod yn rhaid i bob perfformiad ddigwydd yn Llydaweg neu yn Gallo. Cynhelir rowndiau rhanbarthol ym mhob bro ieithyddol gan arwain wedyn at rownd derfynol genedlaethol yng ngŵyl Ryng-geltaidd An Oriant (Lorient) ar ddechrau mis Awst. Dechreuodd Kan ar Bobl ym 1973 mewn ymateb i'r don o gerddorion gwerin a enillodd boblogrwydd aruthrol yn sgil y dadeni Celtaidd, pobol fel Alan Stivell a Dan Ar Braz, dan arweiniad bagbibydd enwog o Gemper, Polig Montjarret. Mae'n dal i fod yn gystadleuaeth o bwys lle rhoir lle urddasol i'r Llydaweg, fel y Gallo, ar lwyfan. Eleni yn rowndiau rhanbarthol Bro Leon yn Lesneven, rhwng brathiadau'r cythraul canu roedd yn lle y gellid clywed y Llydaweg yn cael ei siarad, yn ogystal â chynnig gwledd o ganu safonol gan gantorion o'r to hŷn ac o blith rhai o enwau mawr y dyfodol, o bosib.

Yn ystod y flwyddyn, hefyd ym Mro Leon, cynhaliwyd *première* ail gyfres ddrama i bobol ifanc yn eu harddegau, a hynny ym Mhlabenneg. Mae'r gyfres *C'hwi a Gano* (Chi a Genwch) yn portreadu bywyd arddegwyr chweched dosbarth mewn ysgol ddychmygol, bywydau lle gwelir y prif gymeriadau yn delio â phob math o bethau perthnasol i brofiad pobol ifanc, yn gariad, rhwydweithiau cymdeithasol, arholiadau a'r awydd i fwynhau bywyd. Ariannwyd y ddwy gyfres drwy ymgyrchoedd *crowdfunding*, ac ie, *crowdfunding* yw'r gair Llydaweg (a Ffrangeg) a arddelir am *crowdfunding*! Prin bum mil o bunnau a godwyd y ddau dro ac fe lwyddwyd i wneud y cyfan, yn sgriptio, ffilmio, actio a golygu gyda hynny ar leoliad yn nhref Plabenneg.

A dyna leoliad y *première*. Ni all y Llydawyr ddim ond rhyfeddu pan edrychan nhw draw dros y môr at demlau mawr y byd teledu yng Nghymru, yn S4C, BBC Cymru a'r myrdd o gwmnïau cynhyrchu annibynnol. Mae llwyddo felly i gynhyrchu cyfres o benodau deng munud sy'n profi'n boblogaidd ymysg ei chynulleidfa darged, a phob pennod yn cael ei chwarae hyd at 10,000 o weithiau, yn rhywbeth i ymfalchïo ynddo ac yn sicr yn achos dathlu. Daeth y syniad, neu yn wir, y freuddwyd o greu cyfres o'r fath, i Perynn Bleunven, yr un a greodd y gyfres, pan oedd hi yn ysgol gynradd Diwan Lesneven yn y 1990au. Roedd yr ysgol bryd hynny, fel ag y mae heddi o'r hyn y mae fy merch yn ei adrodd wrthym adre, yn hoff o ganu, gan ddysgu pob math o ganeuon traddodiadol yn ogystal â rhai mwy diweddar a phoblogaidd i'r disgyblion. Mae'r gyfres *C'hwi a Gano* yn adlewyrchu hyn yn ogystal â hoffter Perynn o gyfresi Americanaidd, ac felly, ar draws stori'r gyfres, ceir caneuon gwreiddiol a gyfansoddwyd yn bennaf ganddi hi. Gallwn ddod i gymryd cyfresi fel *Rownd a Rownd* neu'r hyn y mae *Hansh* yn ei gynnig i bobol ifanc yn ganiataol, ond mae 'na symiau mawr o arian a chwmnïau cynhyrchu sydd wedi dod yn brofiadol iawn yn eu maes yn cynnal y fath gynyrchiadau, yn darparu'r hyn a welir ar ein sgriniau teledu a ffôn.

Bu galwad gan Gymdeithas yr Iaith i gael 'popeth yn Gymraeg' am ddegawdau yn ail hanner yr ugeinfed ganrif ac mae'r awydd yn un rhyngwladol ei sentiment o safbwynt ieithoedd lleiafrifol. Yn aml fe welwn newydd-deb, yn wir *novelty*, pan fydd arddull neu gelfyddyd sy'n newydd i'r iaith leiafrifol yn cael mynegiant am y tro cyntaf, a'r cyfryw arddull neu gelfyddyd wedi hen ennill ei blwy yn niwylliant torfol iaith y cymydog aflafar, mwyafrifol.

Mae rap yn enghraifft dda o hyn. Mae eleni'n hanner can mlynedd ers i rap fel ag y'i hadnybyddir heddi ganfod mynegiant poblogaidd am y tro cyntaf gan The Sugarhill Gang, â'r gân 'Rapper's Delight'. Yn y byd canu pop mae hynny fel canrifoedd! Ond cofiaf wrthwynebiad o gylch y tân ym Maes B yn Eisteddfodau'r cof ar droiad y mileniwm lle cefais i ac Ed Holden (Mr Phormula) ein ceryddu gan griw a waeddodd atom 'canwch y ffernols!', er ein bod ni'n byrfyfyrio (*freestyle rapping*) yn Gymraeg. Mae gan ambell ddiwylliant lleiafrifol duedd tuag at geidwadaeth. Da o beth yw fod yna bobol sy'n mynnu popeth yn Gymraeg, neu bopeth yn Llydaweg, ac yn mynd ati i wneud hynny. Ac os mynnu *popeth* yn Gymraeg, rhaid croesawu popeth i'r Gymraeg, boed yn plesio'r glust ai peidio. Gwelwyd eleni yn Langoned, yn Gouel Broadel ar Brezhoneg (Gŵyl Genedlaethol y Llydaweg), rapiwr yn ennill brwydr y bandiau ar y noson agoriadol. Cyfle yw'r ŵyl i ddathlu'r Llydaweg, yn ei holl afiaith ifanc, gan estyn croeso i siaradwyr Llydaweg o bob oedran. Ond nid pawb sy'n gwirioni'r un fath, ac fel yn achos y diwydiant cyfryngau Cymraeg, edrycha'r Llydawyr draw ar ddinas symudol enfawr yr Eisteddfod a rhyfeddu at ei maint a'i phwysigrwydd i gymaint o bobol Cymru (a derbyniaf nad yw pawb sy'n siarad Cymraeg yn ffoli ar yr Eisteddfod, fel yn yr un modd nad yw pawb sy'n byw yng Nghymru yn mynnu gwisgo cenhinen Bedr am ei ben a cholli ei lais mewn gemau rygbi yng Nghaerdydd). Naturiol oedd clywed *vox pops* o'r ŵyl yn Langoned ar y radio yr wythnos ganlynol lle roedd un siaradwr Llydaweg ifanc yn dweud, 'Evel just eo normal e vefe rap e brezhoneg. Ni hon eus kresket o selaou ouzh ar rap neuze perag ne vefe ket graet e Brezhoneg ivez?' ('Wrth gwrs ei bod hi'n normal fod yna rapio yn Llydaweg. Rydyn ni wedi tyfu lan yn gwrando ar rap felly pam na fydde rapio yn digwydd yn Llydaweg hefyd?'). Nid dim ond iaith y caeau a'r cloddiau, ond iaith y stryd a'r clybiau tanddaearol hefyd.

Fe gynhelir Gouel Broadel ar Brezhoneg bob yn ail flwyddyn gan rannu calendr blynyddol gyda ras gyfnewid Ar Redadeg, sef Ras yr Iaith Lydaweg. Mae nifer o'r un bobol ynghlwm wrth y trefnu ac mae'n rhoi cyfle i'r ddau ddigwyddiad anadlu rhwng pob penllanw ac yn ffordd o gynnal diddordeb y cyhoedd gan eu denu yn eu holau, neu gobeithio, gynyddu'r niferoedd.

Mae Ar Redadeg yn cael ei chynnal ers 2008 gyda'r nesaf

felly yn digwydd yn 2020 a bydd yn mynd o amgylch Llydaw gyfan, gan gynnwys hen ddinas Naoned (Nantes), ac mae'n enghraifft o ddathlu lle gall cymaint mwy na siaradwyr Llydaweg yn unig fod yn rhan ohoni. Mae'n seiliedig ar y Korrika, o Wlad y Basg, lle penderfynwyd ar ddechrau'r wythdegau gynnal ras gyfnewid i gefnogi'r iaith. Trosglwyddir baton (sy'n aml yn cynnwys neges a ddarllenir ar y diwedd) o law i law fesul cilometr ac mae'r ras yn llythrennol yn hawlio'r strydoedd ym mha le bynnag y bydd ei llwybr yn mynd. Mae'n fodd o wneud y Llydaweg yn weledol ac atgoffa pobol fod yr iaith yn perthyn i bawb ac yn rhan o dreftadaeth pawb. Yn ogystal â bod yn sbardun i gynnal cyngherddau a digwyddiadau hwyliog ar hyd cymalau'r daith, mae Ar Redadeg yn ailddosbarthu'r holl arian a godir i fudiadau, prosiectau a chymunedau Llydaweg sydd angen y gefnogaeth ariannol. Mae'r ras yn llythrennol yn dangos fod modd uno Llydaw gyda'r Llydaweg. Ac fel gweddill y gwledydd Celtaidd, os oes yna esgus i ddathlu, bydd y Llydawyr yn siŵr o fod ar flaenau eu traed yn awchu i groesi'r llinell gychwyn tuag at gyrchfan derfynol y dathliadau.

Dydd Sadwrn, Mawrth 9, Traeth Meneham / *Disadorn, nav a viz Meurzh, Aod Meneham*

'Dadi, ur vorganez!' 'Dadi, môr-forwyn!'

Mae Llydaw hyd heddi yn para'n wlad o ryfeddodau. Ei golygfeydd, ei thraddodiadau, ei bwyd, diod a cherddoriaeth, oll yn aml yn cael eu consurio mewn i sioeau i ddifyrru twristiaid.

Ond heddi, fe welson ni fôr-forwyn! 'Morganez' yn Llydaweg. Yno, ar draeth Meneham gyda goleudy bychan Brignogan yn y cefndir, eisteddai ar graig yn y dŵr bas, yn cynffon-heulo ac yn ymlacio dan awyr las annisgwyl y gwanwyn. Wrth i'w chynffon symud i gyfeiliant esmwyth y dŵr fe newidiai ei chynffon arianlas liw yn sglein yr haul i ryw emrallt euraidd, yna yn ôl i'w harianlas gwreiddiol. Roedd ganddi wallt hir a mwclis o gregyn am ei gwddw.

Heb os, môr-forwyn oedd hi, ond roedd hi yma fel rhan o hysbyseb ar gyfer Stal.bzh, ap fydd yn caniatáu i siaradwyr Llydaweg ganfod siopau, llefydd bwyta a busnesau ledled Llydaw lle gallan nhw dderbyn gwasanaeth drwy gyfrwng y Llydaweg. Mewn gwlad lle nad yw mor hawdd ceisio annog pobol i ddechrau pob sgwrs yn Llydaweg, mae'r defnydd yma o dechnoleg yn syniad cyffrous a gobeithio yn rhywbeth a all fynd o nerth i nerth yn hytrach na dim ond sefyll fel syniad sy'n gyffrous ond nad arweiniodd at brynu a gwerthu 'e Brezhoneg'.

Roedd ein ffrindiau Mónica ac Arnaud wedi dod yno â'u plant Mael a Lua, am eu bod yn ddisgyblion ysgol Diwan Lesneven ac felly'n medru'r Llydaweg, er mwyn i'r ddau actio yn yr hysbyseb yr oedd Mignoned ar Brezhoneg (Cyfeillion y Llydaweg) yn ei ffilmio i hysbysebu'r fenter newydd.

Wrth gerdded at y car er mwyn mynd â Sisial i barti pen-blwydd arall, eto fyth, yn Gwiseni y tro hwn, dyma ni'n gweld un o'r bobol eraill fu wrthi'n ffilmio ar gyfer yr hysbyseb, hithau yn rhoi ei bwrdd syrffio yng nghefn ei fan. Dyma daro sgwrs gyda hi gan bod yna gyfle inni siarad Llydaweg a hithau'n siarad Llydaweg rhugl a hyfryd gyda ni ac yna yn ei synnu gyda nodyn ola'r sgwrs, sef ei bod hi'n dod o Montpellier, nad Llydawes yw hi felly ac nad oedd hi'n medru'r iaith hyd at y llynedd. Eto, roedd mwy o Lydaweg i'w glywed ganddi nag y gallwn ddisgwyl clywed Llydawyr cynhenid Kerlouan yn ei siarad. Tase'r wynebau arferol a welaf yn archfarchnad Casino Kerlouan yn digwydd pasio traeth Meneham y pnawn yma, golygfa fwy anghredadwy fyth na gweld môr-forwyn yn Llydaw, heddi, i nifer, fyddai gweld plantos bach yn siarad Llydaweg ar y traethau.

Dydd Mawrth, Mawrth 12, Ysbyty Morvan, Brest / *Dimeurzh, daouzek a viz Meurzh, Ospital Morvan, Brest*

Bu'n dridie pryderus inni gan bod Erwan newydd gael dod adre o'r ysbyty. Am hanner nos nos Sadwrn diwethaf fe ddechreuodd e chwydu, druan, ac ni ddaeth y bennod o dostrwydd i ben drwy gydol y dydd Sul. Chwydodd gymaint â deugain o weithiau fel bod dim modd hyd yn oed cadw dŵr i lawr. Dyma oedd y byg stumog go fileinig a gafodd Sisial bnawn Iau a berodd iddi fod yn dost yn ffreutur yr ysgol. Roedd Sisial, diolch byth, wedi gwella bellach. Ond yn amlwg, ni fu corff dyflwydd oed Erwan yn dygymod cystal â'r salwch. Gofynnodd hyd yn oed i gael gweld doctor bnawn Sul. Yn ein pryder dyma alw'r rhif 15, sef y gwasanaeth iechyd argyfyngol ar y ffôn, a chael cyngor i fynd ag e ar unwaith i ganolfan argyfwng ysbyty Morvan. Roedd Erwan eisoes wedi bod i'r fan hyn yn barod i gael pwytho uwch ei lygaid yn sgil cwymp. Felly o leia gwyddem ble i fynd a beth i'w ddisgwyl. Mae'n dderbynfa argyfwng sy'n arbenigo mewn gweld plant, felly mae gan y meddygon a'r nyrsys arbenigedd yn hynny o beth hefyd.

Bu'n rhaid i fi dreulio'r noson gydag e ac fe'i gosodwyd ar ddrip. Roedd yna blant eraill yn dioddef o'r un salwch. Roedd rhywbeth yn cylchdroi ysgolion gogledd-orllewin Llydaw. Tair litr o hylif ad-heidradol a thridie yn ddiweddarach roedd Erwan yn ôl yn ei hwyliau, er ei fod hefyd wedi colli cryn dipyn o bwysau, a'i goesau bach oedd wedi arfer cymaint â mynd fel pistons trên stêm yn edrych yn go frau ac egwan. Ond roedd Erwan yn holliach. Yn ystod ein horiau olaf yn yr ysbyty, roedd yna ferch arall, 8 mlwydd oed, yn rhannu ystafell â ni, y siaradwraig Lydaweg gyntaf inni ei gweld ers cyrraedd yr ysbyty. Roedd hithau hefyd bron yn holliach bellach ac yn edrych ymlaen i weld ei ffrindiau yn ysgol Diwan Montroulez. Roedd hi'n braf gallu siarad Llydaweg ag Erwan o'i blaen hi ac efallai dangos enghraifft brin o ddefnydd teuluol o'r iaith. Ond rwy'n tybio bellach, o weld ei ymateb a'i ymwneud gyda'r staff meddygol clên, a rhiant di-Lydaweg y ferch, fod Erwan hefyd yn deall pob gair o Ffrangeg a deflir ato, er nad yw wedi dweud mwy nag 'arrête' ac 'à l'attaque' (sef 'paid' ac 'i'r gad'!).

Dydd Mercher, Mawrth 13, Kelorn. / *Dimerc'her, trizek a viz Meurzh, Kelorn*

Gweld trwy'r clawdd

Wrth yrru am adre a chyrraedd y troiad olaf yn y lôn cyn cyrraedd y tŷ dyma fi'n gweld François Salou, y ffarmwr mwyn o gymydog y prynais *gourgettes* ganddo o'r blaen, yn torri a thwtio'r coed ar y clawdd. Weindiais fy ffenest a gweiddi yn fy Leoneg gore fy mod i'n gweld ei fod e'n fishi yn torri'r clawdd: 'O trouc'hañ ar c'hleuz e maout, 'ta!'

Mor rhwydd â thoriad llafn ei gryman drwy'r brigau dyma fe'n fy ateb yn Llydaweg. Fe gymerodd rai eiliadau i fi diwnio mewn i'r hyn roedd e'n ei ddweud gan nad o'n i erioed wedi ei glywed e'n siarad Llydaweg yn naturiol fel yna o'r blaen, ond buan y des i'w ddeall a gallu cynnal gweddill y sgwrs gydag e. Aeth ymlaen i drafod y ffaith fod y tymor hela ar ben a bod dim hawl ganddo ddefnyddio ei wn, ond ei fod yn mynd i balu a thyllu i chwilio am lwynogod. Alla i ddim dweud fy mod i'n cytuno gyda mynd i dyllu am lwynogod (er mwyn eu difa); ond fel y ci coch, creadur prin yn yr oes hon yw François gan iddo ddysgu ei Lydaweg ar fuarth y ffarm ac yn y caeau a'r cloddiau drwy ei rieni, ac nid mewn ystafelloedd dosbarth ysgolion Llydaweg.

Dydd Sul, Mawrth 17, Kerlouan / *Disul ar seitek a viz Meurzh, Kerlouan*

Plijadur o Kanañ, pleser wrth ganu

Ry'n ni'n galw Cymru'n wlad y gân, ac o bosib fod y gair cân fyn'na yn cynnwys barddoniaeth, ond teimlaf fod traddodiad barddol Llydaw a mynegiant creadigol unigolion sy'n chwarae gyda geiriau yn dod ar ei orau yn Llydaweg pan fo'r mynegiant hwnnw yn cael ei roi ar gân.

Cawson ni'r fraint o dystio i hyn y pnawn yma yn neuadd Plouzeniel (Ploudaniel, ni threiglir yn y fersiwn Ffrangeg ac mae'n enw sydd gyfystyr â Llanddaniel yng Nghymru) wrth fynd i wylio Nolwenn Korbell yn canu. Dim ond hi, ei gitâr drydan, a'i llais arbennig a gitarydd arall yn gwmni iddi, a'r grym creadigol hyn yn hawlio llwyfan Plouzeniel lle roedd rhai cannoedd wedi dod i wrando. Fel y pnawniau a nosweithiau llawen a drefnir yn gyson, mae'r digwyddiadau hyn yn uniaith

Lydaweg ac yn denu torfeydd mawr, sy'n braf iawn i'w weld, ond hefyd rhaid nodi fod y cyfartaledd oedran yn mynd tu hwnt i drigain, os nad yn hŷn. Wn i ddim felly faint o ddealltwriaeth neu werthfawrogiad a gafwyd o ganeuon roc avant garde Nolwenn y pnawn ma. Ond fe fwynheuon ni wrando arni'n fawr. Difyr hefyd oedd y ffaith fod Nolwenn, a'i Llydaweg Douarnenez (Bro Gerne) yn dod i ddyfnderoedd Bro Leon a bod yna fymryn falle o straffaglu i ddeall yr acen ymhlith rhai o'r gynulleidfa, nad ydyn nhw'n amlwg yn mentro y tu hwnt i ffiniau saff eu bro ieithyddol eu hunain. Un gair a'm tarodd wrth i Nolwenn gyflwyno a storïa'n egnïol rhwng caneuon oedd y gair 'straffouilhet', sy'n swnio'n hynod o debyg i 'straffaglu'. Nid yw'n air a arddelir ym Mro Leon, ond drwy fy Nghymraeg fe ddealles i fwy o'i hacen Douarnenez na rhai o'r bobol oedd yma sydd yn siaradwyr Llydaweg o'r crud. Braf wedyn oedd clywed Nolwenn yn ymhyfrydu yn y ffaith nad oedd hi wedi yngan yr un gair o Ffrangeg, a dyma hi'n holi'r gynulleidfa a oedden nhw'n deall ei hacen. Ychwanegodd yr un cwestiwn eto a hynny mewn acen Bro Leon (Le-wn, lle mae'r 'o' yn dueddol o droi yn 'w'): 'Ne m'eus ket laret ur ger e Galleg c'hoaz! Kompren a rit ma brezhoneg? Koumprenn a reoc'h.' (Dwi ddim wedi dweud yr un gair yn Ffrangeg eto! Dach chi yn dallt fy Llydaweg, yntydach? Rych chi'n deall on'd ych chi?)

Cyfieithais Lydaweg Nolwenn fyn'na i dafodiaith ogleddol yn Gymraeg gan bod gan Nolwenn Gymraeg gogleddol rhyfeddol o rugl, yn eirfa ac acen. Roedd hynny'n syrpreis braf i Laura, sy'n hanu o Ddyffryn Ogwen, wrth inni lwyddo i daro sgwrs gyda Nolwenn yn yr egwyl. Nodais wrthi hefyd fy mod i'n hoff iawn o'r hyn a ddywedodd hi o'r llwyfan, y neges bwysicaf i'w rhannu gyda Llydawyr sy'n medru'r iaith heddi yn Llydaw, gan fod cymaint ohonyn nhw wedi dewis ac yn dal i ddewis peidio â'i siarad â'u plant. Dywedodd, 'Dan ni i gyd yn blant i Lydaw ac i'r Llydaweg, boed yn ei siarad ai peidio. Ac os ydyn ni'n ddigon lwcus i'w siarad hi, siaradwch hi â'ch plant a gyda eich wyrion.'

Cyn inni orfod ei throi am adre fe glywson ni hefyd ganwr arall (gan bod yna restr hir o gantorion yn gwneud dwy gân yr un rhwng dwy set lawn o ganeuon Nolwenn), sef Gireg Konan a ganodd ei fersiwn Lydaweg o Yma o Hyd. Fe ganodd bennill a chytgan yn Gymraeg ac yna bwrw mlaen gyda'i gyfieithiad ei hun o'r geiriau, a hynny gyda llais nerthol. Yn naturiol, gyda Chymru newydd gyflawni'r gamp lawn y diwrnod blaenorol, fe deimlon ni ennyd o werthfawrogiad fod Cymru yn dal i gael lle ym meddyliau'r Llydawyr. Nid ydyn ni Gymry, o bosib, yn meddwl digon am ein brodyr a'n chwiorydd – nid cefndryd, maen nhw'n agosach na hynny – yn Llydaw, yn enwedig pan maen nhw angen gwybod nad oes dim o'i le ar ymfalchïo yn eu hiaith a'i throsglwyddo i'w plant.

Yna heno 'ma ces neges gan Ronan Hirrien yn dweud fod ei gyfaill a'r canwr enwog Yann-Fañch Kemener wedi ein gadael ni, wedi mynd i Annwn, fel y mae'r ymadrodd Llydaweg yn ei ddweud. Yn chwe deg a dwy flwydd oed mae Llydaw wedi colli un o'i chantorion amlycaf, un o gymwynaswyr mawr yr iaith, trysorfa o ŵr. Mi fydd gwaith a llais Yann-Fañch Kemener yn para am byth, a'i gymwynas fwyaf fydd y stôr o eiriau ac alawon gwerin yr aeth ati i'w casglu gan bobol ledled y wlad, a'u cofnodi a'u recordio, gan eu canu a'u hail-ddehongli wedyn. Un o'r caneuon hynny a wnaeth argraff ddofn arno oedd 'Gwerz Skolvan', hanes Ysgolan, yr un cymeriad chwedlonol ag a geir yn Llyfr Du Caerfyrddin, sy'n gorfod mynd i ofyn am faddeuant am losgi llawysgrifau pwysig. Rhwng y Llydaweg a'r Gymraeg mae camweddau Ysgolan/Skolvan yn rhychwantu popeth o losgi llawysgrifau, i losgi deunaw o wartheg ac eglwys. Un o amcanion Yann-Fañch fel canwr a chasglwr oedd cyflwyno barddoniaeth ei wlad i'w bobl, a dangos cymaint o drysorau barddol oedd i'w gael ar gân. Efallai ein bod ni yng Nghymru yn canu rhywfaint o'n cyfoeth barddol ar ffurf emynau. Ar ffurf caneuon gwerin maen nhw i'w canfod yn Llydaweg. Mae'n siwr bod yna ddeunydd llyfr cyfan yn aros i gael ei sgwennu sy'n adrodd hanes hynod ei fywyd. Yn y cyfamser gallwch fynd i chwilio ar Youtube am gampwaith o ffilm ddogfen Ronan Hirrien a ddarlledwyd yn Llydaweg ar France 3, gydag is-deitlau Ffrangeg: *Yann-Fañch Kemener, Tremen en Eur Ganañ.*

Canu'r daith

(Er cof am Yann-Fañch Kemener)

A weli di 'i geffyl, dwed,
a ddaw, a ddaw cyn ddued
â brain boreuau Annwfn?
A glywi di ei lais dwfn
yn dod dan ganu ei dân,
gwae'r cof, i losgi'r cyfan?
Llosga Ysgolan gynghanedd
ein byd a'i gollwng mewn bedd.
Ai llwch düwch yw'r diwedd?

Na! Yann-Fañch! Cana a ffo
o'i afael hyd nes safo
dy lais yn fflam hyd y wlad,
yn alawon o oleuad.
Nid mewn lludw mae'n Llydaw;
ti'r bardd, fe'i llusgaist o'r baw
a'i chanu yn iach unwaith
eto. *Kenavo*, gof iaith,
ceni di amcan dy daith.

Dydd Mercher, Mawrth 20, Prifysgol UBO, Brest / *Dimerc'her, ugent a viz Meurzh, Skol-veur UBO, Brest*

Degemer mat en toull-bach. Croeso i'r carchar.

Mae'r ail dymor yn y brifysgol yn mynd rhagddo, a chyn hir bydd y flwyddyn waith ar ben o ran y dysgu. Bu'n newid byd i fi yn bersonol o fod yn gweithio fel bardd llawrydd nôl yng Nghymru i ffitio mewn i drefn o weithio, ymsefydlu mewn sefydliad llawn o goridorau bach o ddryswch yn y ffyrdd beunyddiol o weithio. Ond ar hyd y coridorau hynny ces gyfle i ddod i nabod y tiwtoriaid a darlithwyr Llydaweg, yn ogystal a darganfod wedyn pwy yw'r siaradwyr Llydaweg yn ehangach yn y brifysgol. Bu'n fodd felly o allu siarad Llydaweg bron yn wythnosol ar gampws y Fac de Lettres reit yng nghanol dinas Brest, adeilad a godwyd ar ddechrau'r 1990au ac a gynlluniwyd i ymdebygu i long, gan adlewyrchu treftadaeth forwrol y ddinas.

Rywle yn ei chrombil des ar draws y stafell ddysgu a roir i un o'r tiwtoriaid Llydaweg (cynhelir darlithoedd Llydaweg mewn llefydd hyfrytach yn yr adeilad hefyd) ond y llysenw ar y stafell benodol hon yw'r *Toull-bac'h*! Ystyr hynny yw 'y carchar'! (yn llythrennol y twll cul, neu gyfyng). Ystafell fechan heb ffenestri. Bedyddiwyd y stafell felly gan y myfyrwyr ac mae'r darlithydd Llydaweg sy'n gweithio gan fwyaf yno yn gefnogol i'r bedyddiad ac i'r arwydd a osodwyd ar y drws. Bu hyd yn oed fymryn o gythrwfwl wrth i'r arwydd gael ei dynnu lawr ac i ambell nodyn Ffrangeg dilornus o'r Llydaweg ymddangos ar y drws, hyd nes y cymrodd Serge y cam o ailosod yr arwydd dychanol gwreiddiol gyda nodyn esboniadol yn Ffrangeg a ofynnai i bobol beidio ag ymyrryd â'r arwydd. Sylwais hefyd fod yna graffiti Llydaweg yn y tai bach, ambell linell yn datgan cefnogaeth i ailuno Llydaw (sef dod â Naoned yn ôl i diriogaeth Llydaw), eraill yn galw am annibyniaeth i Lydaw, rhai yn datgan

'Llydaw heb iaith, dim Llydaw o gwbwl', ac ambell un amgenach yn nodi yn Llydaweg nad oes croeso i'r Jacobiniaid. Tipyn o ddisgwrs gwleidyddol o'i gymharu â'r sloganau diddim ro'n i wedi arfer â nhw slawer dydd ym Mhontypridd fy arddegau, pethau fel 'Smiffy Woz Here' neu 'Ponty Rules!'.

Dydd Sadwrn, Ebrill 6, Roazhon / *Disadorn, c'hwec'h a viz Ebrell, Roazhon*

Cyrhaeddon ni Roazhon yn hwyr neithiwr, gan ymsefydlu am y penwythnos yn fflat Ronan Hirrien yng nghanol y ddinas. Difyr i'r rheiny ohonoch sy'n darllen ac sy'n medru iaith gyfrin y gynghanedd, imi sylwi ar arwydd asiant tai, ('Immobilier' yw'r Ffrangeg am *Estate Agent*) yn nhref Lamballe, ryw awr bant o Roazhon, a gweld dau air wedi eu cyfosod oedd yn creu cynghanedd groes o gyswllt, sef y math mwyaf cymhleth o gynghanedd gewch chi, a hynny yn Ffrangeg! Dyna lle'r oedd arwydd cynganeddol yn datgan: 'Lamballe *Immobilier.*'

Wrth gamu mas i ganol Roazhon, cawsom ein profiad gwir ddinesig cyntaf yn Llydaw eleni y tu hwnt i fynd i Frest, sy'n ddinas, ydi, ond sy'n teimlo'n ddigon cartrefol a chyfarwydd inni allu ei thrin fel tref; ond profiad pur ddinesig, yn enwedig i Erwan Teifi, 2 oed sydd ond wedi byw ym Mhontyberem a Kerlouan, a gawsom y bore hwnnw. Aethom tua phrysurdeb enwog marchnad awyr agored hynaf Ffrainc yn Les Lices (sy'n dyddio nôl i 1622), dinas, i bob pwrpas, o stondinau wedi eu codi y bore hwnnw o fewn dinas Roazhon gyda cheyrydd o lysiau a ffrwythau, faniau yn lledu arogleuon bwydydd parod a holl gyfoeth y moroedd Llydewig yn dal yn fyw ar iâ, yn grancod, langoustines, corgimychiaid, cimychiaid, misgil a wystrys. Ac yna'r bara. Heb sôn hyd yn oed am y cawsiau! Os oes chi byth i Brifddinas Llydaw, gwnewch yn siŵr eich bod yno ar fore Sadwrn i dystio i ryfeddod y ddinas undydd o stondinau yma.

Ac wrth grwydro'r strydoedd dyma sylwi ar symbolau o Lydaw fel gwlad yn dod i'r amlwg o gornel i gornel, nid dim ond hunaniaeth fel 'région de la France' oedd i'w deimlo yn fan hyn. Er nad yw'r Llydaweg wedi bod yn rhan o wead naturiol Roazhon ers tua'r unfed ganrif ar ddeg pan daeth yr iaith Gallo i deyrnasu, yn rhinwedd ei statws fel prif ddinas Llydaw, mae yna bresenoldeb gan y Llydaweg yma bellach, ar arwyddion strydoedd, stondinau llysiau yn Les Lices, ar stadiwm tîm pêl-droed go lwyddiannus Roazhon Park, sef Roazhon Parc. Gwelir wedyn adeiladau fel y 'Théatre National' a hen senedd-dy Roazhon a ddioddefodd danau ganrifoedd yn ôl ac mor ddiweddar â noson y 4ydd o Chwefror, 1994. Chawson ni ddim cyfle i weld y tu fewn i'r senedd-dy ond braf gweld ei fod wedi ei adfer i'w hen ysblander o'r tu allan. Gorffen ein diwrnod wedyn yng ngerddi Thabor, lle hyfryd iawn i blant a chymysgedd o fferm fach (a ieir sydd â digon i'w ddweud!), parc siglen a llithren a gardd fotaneg.

Bore Sul, Ebrill 7, Roazhon / *Disul, seizh a viz Ebrell, Roazhon*

Peidied neb â dweud wrtha i byth eto na chlywir Llydaweg ar y stryd yn Llydaw! Fel yr adeg y gwelais garw gilometr o'r tŷ yn croesi fy llwybr a'm gadael yn gegrwth, dyma weld carw ieithyddol! Wrth inni groesi'r lôn o sgwâr Esplanade Charles de Gaulle ar draws Rue d'Isly roedd yna dad ar ei feic a'i fab ifanc mewn sedd ar y cefn yn aros o flaen golau coch. Fe droiodd at ei fab gan ddweud, 'Me zo o c'hortoz e trofe ar goulou da vezañ gwer' (Rydw i'n aros i'r golau droi'n wyrdd). Digwyddodd. Darfu. Roedd gweddill ein diwrnod yn hyfryd iawn yn ymlwybro o gwmpas y ddinas.

Dydd Llun, Ebrill 8, Stiwdio France 3 / *Dilun, eizh a viz Ebrell, Studio France 3, Roazhon*

Diwrnod o recordio troslais, y glud sy'n cynnal naratif rhaglen ddogfen rhwng darnau i gamera a chyfweliadau, y cam olaf yng ngwneuthuriad y rhaglen ddogfen dan arweiniad y cynhyrchydd-gyfarwyddwr Ronan Hirrien. Braf oedd cael nodiadau ganddo ar ynganiad Llydaweg wrth inni fynd yn ein blaenau, ond hefyd sylweddoli fy mod i wedi datblygu fy ffordd fy hun o siarad, nad yw efallai'n hollol driw i dafodiaith fy mam ac nad yw chwaith yn driw i ynganiad Llydawyr. Ond mae'n anodd cael bardd sy'n heneiddio i newid ei feiro. Felly mi fu'n gyfaddawd rhyngof a Ronan rhwng fy ffordd naturiol i o siarad a'i ffordd ddelfrydol e.

Roedd ein peiriannydd, gŵr tawel a hynaws o'r enw Tudy, yn deall Llydaweg, wedi bod i ysgol gynradd Diwan, ond ddim bellach yn meddu ar ddigon o hyder i fentro siarad. Ond braf gallu cynnal y sesiwn recordio yn Llydaweg. Roedd y sefyllfa'n fy atgoffa i o'r cyfweliadau swreal y byddai Grav yn arfer eu gwneud ar ôl gemau rygbi gyda phobol fel yr hyfforddwr Gareth Jenkins. Grav yn ei holi yn Gymraeg. Gareth yn nodio ei ben mewn dealltwriaeth lwyr ac yna'n ateb yn Saesneg. Rwy am ymdrechu, pan fyddaf nôl yng Nghymru, i siarad Cymraeg gyda'r rheiny yn ein plith sy'n deall ond sy'n gyndyn, am ba bynnag reswm personol, i ateb yn Gymraeg.

Yn y cyfamser roedd y plant a Laura yn ôl pob tebyg yn cael addysg mewn sut i regi ar gyflwynwyr teledu wrth iddyn nhw gael eistedd mewn yn y galeri cynhyrchu a gwylio'r gyfarwyddwraig teledu yn rhegi ei ffordd drwy An Taol Lagad a gweddill penawdau newyddion France 3. Fe glywodd Laura yn gair 'bordel' yn amal. Gadawaf i chi fynd i balu mewn geiriaduron neu ar Gwgl…

Gyda Ronan Hirrien yn stiwdio 'Bali Breizh'

*Y wers Gymraeg yn
Sant Brieg*

AN EMEU

Ma anv : An Emeu (lies. Emeued).

Eus pelec'h emaon o tont? Eus Broioù Afrika emaon o
tont.

Bevañ a ran : Er broioù sec'h ha tomm met kavet e
vezan muioc'h mui e broioù all. Bremañ ez eus zoken
tiez feurm e Breizh a sav emeued evit gwerzhañ ar
c'hig !

Debriñ a ran : bara, geot, delioù, greun hag
amprevaned, un tammig evel ar yer.

Mon nom : L'Emeu.

Je viens : Des pays d'Afrique.

Je vis : Dans des régions chaudes (Afrique et Australie) mais
on m'élève aussi dans des fermes pour sa viande même en Bretagne !

Je mange : Du pain, du grain, de l'herbe et des vers, un peu comme les
poules.

*Arwydd Llydaweg ym mharc
Lambaol-Gwitalmeze yn addysgu
pobol am yr Emiw*

Stondin fwyd môr ym marchnad enfawr Roazhon

Mefus enwog Plougastel, Marchnad Roazhon

Senedd-dy Hanesyddol Llydaw, Roazhon

Gwrando a Gwylio yn y Gwyll

Tiwnio'r radio fel gwrando am ana'l.
Ceisio pwls ar wddwg dierth.
Pwyllo. Clustfeinio. Gwenu
o glywed curiad *kalon*.

Mae'n gynnar. Un o'r boreau hynny lle bu'n hawdd codi o'r gwely. Mae 'na lawer i'w wneud a chyn mynd â'r plant i'r ysgol rhaid mynd â'r ci am dro. Sŵn tecil yn dihuno'n araf. Troi at fy ffôn. Goleuo'r sgrin drwy bwyso bys a mynd i'r man cyfarwydd hwnnw fel creadur yn mynd i gael llymaid o ddŵr cynta'r dydd. Gwasgu *play* ar yr ap Radio Breizh. Dewis Arvorig FM gan mai dyna radio'r fro ieithyddol hon, Bro Leon. Bydd yn haws deall y Llydaweg. Mae'n dywyll fel stribed ddu ar faner Llydaw tu fas. Mae'r dŵr bellach wedi berwi a gweddill y tŷ yn dal i chwyrnu. Erbyn hyn mae'r ci wedi codi o'i gwtsh yn y gornel ger y tân ac yn synhwyro falle bod yna obaith cael mynd mas i arogli'r byd o'r newydd. Diffodd y radio ac estyn tennyn y ci.

Wrth gamu drwy'r drws mae 'na awgrym bod y shifft hwyr yn dod i ben a bod gwaith y lleuad drosodd am noson arall. O'r rhiniog gallaf glywed siffrwd fan hyn, fan draw. Anelaf ar draws y cae nad yw eto wedi ei hau, gyda'r ci yn effro i bob anadliad o'n cwmpas. Wrth groesi'r cae mae rhywun yn dechrau amau bod y cysgodion yn sgathru i mewn i'w gilydd yn y pen draw, bod creaduriaid eraill yn tiwnio mewn i radio'r dydd. Wrth ddringo'r Stread Zoun (y stryd ddofn) rhwng y cae a'r chwarel amethyst, mae'r cloddiau fel pe baent yn trio peidio â symud, ac yna mae 'na wich yn bradychu'r tawelwch. Ymlaen â ni. Erbyn hyn mae'r DJ wedi dechrau troelli record cynta'r dydd, yr haul yn gwisgo'i glustffonau a'r tonfeddi'n dechrau prysuro gyda chaneuon adar sy'n plethu mewn i'w gilydd, yn alaw deryn du, yn alto rhythmig hwi-hwian colomennod, ambell wdihŵ yn dal i fynnu nad yw'r nos ar ben, a'r boda fel cath ar gangen yn rhybuddio'r llygod fod amser brecwast ar ddyfod.

Cyrhaeddwn ben y Stread Zoun a wynebu'r caeau agored. Mae'n edrych fel 'se gwenith neu haidd, neu ryw fath o rawn, yn cael ei dyfu y gwanwyn hwn. Croesi'r lôn a dilyn y cloddiau ar hyd y llwybrau cyhoeddus. Erbyn hyn mae'r haul wedi dechrau tanio'r tiwns ac mae'n argoeli'n fore bywiog arall. Lawr â ni heibio'r cwningod sy'n sboncio ym mhyllau heulog cynta'r dydd a lawr at goedwig Kersavater (Caer ein Iachawdwr), lle mae'r goedwig yn dal i hepian cysgu gan nad yw'r haul wedi dod trwy lenni'r dail eto. Ond mae traciau cynta'r dydd yn eu hanterth nawr a'r adar bellach yn gytgan hyd eu pigau. Gadael y ci oddi ar ei dennyn a bant â fe yn gynffonnog mewn i'r gwyll. Mae e wedi gwynto rhywbeth ac ar helfa wyllt i borthi ei chwilfrydedd, neu ei fola. Wrth i fi barhau i gerdded mae fy ffôn yn pingio. Ar fy nde, efallai o achos y pingiad, mae'r dail a'r gwair yn rhuthr sydyn. Rhywbeth yn ffoi. Twrch? Carw? Cadno? Ro'n i wyneb yn wyneb â rhywbeth a'm gwelodd yn glir. Camu yn fy mlaen. Troi at y ffôn. Trydariad Llydaweg. Diweddariad ar stori Fañch. Y babi blwydd oed bellach nad oedd hyd yma yn cael arddel enw â sillafiad Llydaweg am nad oes 'ñ' yn bodoli yn Ffrangeg. Cael ar ddeall bod yr achos a setlwyd yn yr uchel lys nawr yn cael ei apelio gan ryw oruwch-awdurdod uchel ei glochdar. Tybed a ydy Fañch yn effro erbyn hyn.

Cyrraedd pen draw'r goedwig ac mae'r ci wedi ailymuno â fi. Mae'n haul braf nawr. Dim cwmwl yn yr awyr chwaith. Dilyn y lôn fawr drwy Kleuz Meur (Clawdd Mawr) yn ôl tua'r bwthyn yn Kelorn. Bydd y plant wedi dihuno bellach a bydd y ci yn falch o'i frecwast a chyfle i gael llymaid o ddŵr cyn ymlacio'i bawennau yn ei gwtsh. Ac ydyn, mae'r plant yn effro. Hwylio brecwast iddyn nhw. Mae 'na grempogau dros ben o fore ddoe pan fues i'n ddiwyd yn crempoga fel Llydawr go iawn. Gweini'r brecwastau crwn gyda diod o Lydaweg i'r plant gael llymeitian yn frwd. I'r car a bant â ni. Mae Sisial yn hoff o CD Cyw, dal i fod. Ond y bore 'ma, Yann-Fañch Kemener a'r gân gyfareddol 'Melani Vihan' (Melani fechan) o'i albym ddiweddaraf ac olaf, *Rodennoù* (Olion) sy'n llenwi'r clustiau. Mae Yann-Fañch Kemener yn cael effaith ryfedd ar Erwan. Ac yntau'n ddwy, mae prysurdeb ac awydd i ddefnyddio'r coesau newydd hyn sydd ganddo ers iddo ddysgu cerdded yn golygu taw mynd, mynd a mwy o fynd sydd raid; ond pan ddaw i wrando ar lais oesol Yann-Fañch mae Erwan yn tiwnio mewn i donfedd wahanol, tonfedd o ymdawelu.

Ry'n ni'n agosáu at yr ysgol. Mae rhieni'n mynd a dod fel gwenyn yn gadael eu plant yng nghwch yr ysgol; bydd digon o fêl melys y Llydaweg i'w cynnal drwy'r dydd. Yn anochel, daw paill y Ffrangeg mewn i'r iard gyda nhw hefyd. Fel Ewros mewn poced, Ffrangeg yw'r *currency*. Mae angen lla'th llysie a physgod i swper arnom felly galwad gyflym i archfarchnad E.Leclerc. Dychmygwch Tesco. Trowch yr arwyddion yn uniaith Ffrangeg, ychwanegwch gownter pysgod rhyfeddol a stondinau llysiau ffres i'w pwyso yn y glorian ac fe gewch syniad go dda o'r olygfa. Does dim bathodynnau oren fel sydd mewn siopau yng Nghymru ar weithwyr y tiliau. Ffrangeg sy'n cael ei estyn o'r silffoedd, i'r troli, i'r til. Yn Ffrangeg mae ffarwelio ac anelu nôl ar draws y maes parcio. Rhaid codi'r clustiau a bod yn wyliadwrus rhag i geir dorri'r llwybyr yn sydyn wrth groesi'r cae tarmaclyd.

Ond wedyn gallaf fynd nôl i wrando'r penawdau yn Llydaweg ar y radio. Os ydw i'n amseru pethau'n iawn fe gaf y penawdau newyddion o radio France Bleu Breizh Izel, Radio Ffrengig sy'n gwasanaethu pob rhanbarth o Ffrainc gyda blas ranbarthol gwahanol i bob gorsaf. Mae radio France Bleu Breizh

Izel yn rhoi'r newyddion yn Ffrangeg ac yn Llydaweg gyda'r bore ac amser cinio ac yn darparu dwyawr o Lydaweg rhwng 7 a 9 bob nos. Ond dim ond adar Ffrangeg sy'n trydar o ganghennau Bleu Breizh-Izel felly draw â fi at Arvorig FM ar fy nhaith am adre. Er nad oes yna orsaf genedlaethol, mae na groesbeillio a chroesi ffiniau fel ceirw yn symud ar draws y tir rhwng gwahanol orsafoedd rhanbarthol. O diwnio mewn i Arvorig FM felly fe fydd yna arlwy unigryw i'r orsaf, yn rhaglen am Jazz, yn Llydaweg, wrth gwrs, yn eitemau amrywiol am gwrw, gwin neu goctels gyda Gwenole Olivier, perchennog ifanc bragdy 'D'istribilh', sy'n mynd o nerth i nerth, neu orig yn trafod ymadroddion a diarhebion Llydaweg yng nghwmni Herve Lossec a'i gyd-gyflwynydd ifancach Karolina Rufflé. Yntau'n llawn o berlau, yn Dwm Elias o ffynhonnell a hithau'n Heleddcynwalaidd o gynnes. Ond yna, bydd Radio Kerne neu Radio Gwened yn darparu'r penawdau newyddion, neu raglen o radio Kreizh-Breizh, yn gyfweliad arbennig gydag Alan Stivell am ei albym diweddaraf neu gip ar fywyd peilot awyrennau sy'n siaradwr rhugl ac yn adrodd hanesion am deithiau i bellafion byd. Ac yna bydd yna gerddoriaeth. Mae cerddoriaeth werin ac esblygiad byw cerddoriaeth werin, o gydblethu alawon gydag offerynnau modern neu ailddehongli hen glasuron yn llifo mor naturiol â chorws cynta'r dydd ar orsafoedd Llydaweg y radio. Na, does dim un orsaf genedlaethol, ond mae sawl menter fechan, debyg i radio Ceredigion neu Champion FM, gynt, yn cydweithio i ddarparu tonfedd o Lydaweg sy'n eich cario i bobman yr ewch yn Breizh-Izel. Ond unwaith yr ewch i Breizh Uhel, y tu hwnt i Sant-Brieg (Saint Brieuc), tiriogaeth yr iaith Gallo, bydd y tonfeddi Llydaweg yn pallu. Ond helfa arall yw honna.

Mae newydd droi hanner dydd ac rwy eisoes wedi colli'r funud a hanner cyntaf, wrth gynnau'r teledu, o'r 'Taol Lagad', sef y pum munud dyddiol o eitemau newyddion a gynigir gan

France 3. Mae'r cyffro o synhwyro fy mod wyneb yn wyneb â baedd, neu garw neu gadno, yn dal i'm cyffroi, hyd yn oed yng ngolau bwrw mlaen â'r dydd. Ystyr 'taol lagad' yw 'chwinciad'. Megis y profiad o geisio ymhyfrydu mewn gweld bywyd gwyllt ein cynefin Llydaweg, mae'n rhaid bod ar flaenau traed ac yn effro i ddal hyd yn oed y penawdau newyddion yn Llydaweg. Mae 'na ap newydd yn cael ei ddatblygu i alluogi pobol i wybod ble y gallan nhw gael gwasanaeth Llydaweg mewn siopau. A dyna'r penawdau ar ben a'r wyneb ar y sgrin yn dychwelyd i siarad Ffrangeg. Gellir mynd ati i drafod materion pwysig y dydd unwaith eto, yn Gilets Jaunes a phris disel.

Ar fwrdd y gegin mae copi o *Al Liamm*, cylchgrawn llenyddol chwarterol. Des ar draws bardd ifanc sy'n cynganeddu yn Llydaweg yn y rhifyn diweddaraf. Alan Kersaudy, gŵr ifanc o Douarnenez sy'n mynd i ddysgu Cymraeg yn Aber yn yr hydref. Erthyglau difyr hefyd am ddadl ry'n ni'n hen gyfarwydd â hi yng Nghymru fel 'Creu neu gyfieithu' – beth sydd orau i'r Llydaweg, cael llyfrau poblogaidd o'r Ffrangeg a'r Saesneg ar gael yn Llydaweg neu annog awduron i greu o'r newydd yn Llydaweg gan obeithio torri cwys gyffrous newydd o lenyddiaeth i blant ac oedolion a hyd yn oed magu awduron a all wneud bywoliaeth yn Llydaweg. Clywodd Laura fod yna bum person sy'n llwyddo i wneud bywoliaeth o ysgrifennu yn Llydaweg a bod tri ohonyn nhw yn byw ym Mharis.

Ces bingiad arall fy ffôn. Ronan Hirrien, y cynhyrchydd a chyfarwyddwr teledu a ddaeth yn gyfaill mawr i mi ers cwrdd ag e drwy twitter a dechrau trafod gwneud rhaglen ddogfen Lydaweg am y gynghanedd a'r byd barddol bob ochr i'r môr. Y neges destun yn dangos copi o *Al Liamm* a adawyd ar fwrdd yn y trên o Frest i Roazhon. I wneud ei fywoliaeth mae e'n gorfod mynd yn wythnosol ar draws Llydaw i'r brifddinas a'i drên yn gadael cloddiau'n crynu dan chwa'r TGV i weithio yn swyddfeydd teledu France 3. Cofio wedyn am Ronan yn adrodd hanes Charles ar Gall i fi. Yn ddarlledwr ac athro ysgol, bu am flynyddoedd yn darlledu ei raglen radio ei hunan o ddiwedd y pumdegau ac o 1964 am ddegawd fe elai erbyn pob nos Wener o'i gartref ym Mrest i ben arall Llydaw yn Roazhon i ddarlledu yn Llydaweg am funud a hanner yn crynhoi newyddion yr wythnos. Hynny cyn dod nôl i ddysgu yn yr ysgol ar fore Sadwrn, fel oedd yn arferol bryd hynny. Yr wyneb cyntaf i siarad Llydaweg fel cyflwynydd ar deledu. Dywed llawer mai iddo fe mae'r diolch fod yna gynyrchiadau teledu yn Llydaweg o gwbwl heddi.

France 3, sydd hefyd yn gweithio o swyddfa fach yn Brest a stiwdio fwy yn Roazhon, sy'n darparu pum munud dyddiol o newyddion 'An Taol Lagad' yn ogystal â'r awr a hanner o Lydaweg a geir yn wythnosol ar deledu cyhoeddus. Gallwn gwyno faint fynnwn am S4C. Dyna ein braint. Rhaid i siaradwyr Llydaweg dderbyn eu briwsion wythnosol yn raslon ac ar ben hynny, rhaid gwylio'r cyfan gydag is-deitlau Ffrangeg fel sy'n digwydd ar BBC Alba a'u his-deitlau Saesneg. Pwy sy'n cofio'r 'arbrawf' o osod is-deitlau Saesneg ar bob rhaglen ar S4C nad oedd yn fyw. Bu'r ymateb yn ffyrnig. Fel haid o fodaod bygythiol yng nghoed y Stread Zoun. Da o beth bod S4C wedi gwrando. Mae angen i ieithoedd lleiafrifol allu anadlu heb bresenoldeb na chysgod yr iaith fawr arall yn gwylio drosti neu'n gwthio ei hun i'r sgrin. Ond ar France 3, sylwyd fod nifer y gwylwyr yn dyblu os nad treblu o gael is-deitlau Ffrangeg. Rhaid derbyn taw o dorth fara sych y daw'r briwsion hefyd. Ac er bod yna friwsion beunyddiol am bum munud bob dydd, mae pum diwrnod arall cyn gallu derbyn y dafell wythnosol gan France 3.

Mae'r plant adre o'r ysgol a'r ci wedi bod am ail wâc y dydd, heb arlliw o garw, cadno na thwrch trwyth ar ein trywydd y tro hyn. Mae'r plant yn gwylio Cyw gan nad oes arlwy Llydaweg ar gael. Pan soniais wrth Ronan am faint o oriau roedd Cyw yn eu darlledu ar y teledu bob dydd, a pha mor dda y daw rhieni i wybod pob math o ganeuon o glasuron Dona Direidi i siants Ben Dant, ymateb Ronan oedd 'O la la, nag a chañs ho peus c'hwi!' (O la, la, am lwcus ydych chi!). Dylsen i fod yn fwy diolchgar fy mod i'n gwybod dau ddwsin o glasuron Cyw ar y cof. Roedd Laura a finnau, wedi i'r plant gael eu swper a setlo i freuddwydio, yn ffansi gwylio *Serr-Noz*, cyfres dditectif o Gymru, heno ar wefan Breizhoweb, gwefan sy'n cynhyrchu rhaglenni teledu Llydaweg, ac yn dybio cyfresi fel Y Gwyll/Hinterland i'r Llydaweg. Rhyfedd yw gwylio Richard Harrington yn siarad Llydaweg. Ond mae 'na bethau rhyfeddol ddigon i'w canfod wrth fentro i'r gwyll yn Llydaw...

Llydawr go iawn

Ga' i fod yn Llydawr go iawn
nad yw'n drysu rhwng ei *Le* na'i *La*
wrth dalu am droli llawn o Ffrangeg
yn yr archfarchnad leol?

Ga' i fod yn Llydawr go iawn
sy'n enwi ei gi yn *gwenn ha du*
ac a garia garlwm ar ei galon
i bobman, yn ŵr balch?

Ga' i fod yn Llydawr go iawn
sy'n lico halen yn ei fenyn
a menyn ar bob dim? Ga' i?

Ga' i fod yn Llydawr go iawn
sydd mor gartrefol ar dractor
mewn cae shalots ag yw e â gwymon
at ei geseiliau wrth hela abelonis?

Ga' i fod yn Llydawr go iawn
os oes gen i winwns ar y wal
a gŵn nos *breton streips*?
(ail-ddychmygiad Jean Paul Gaultier, wrth gwrs.)

Ond os dechreua i siarad yr iaith ryfedd yna
sydd wedi ffosileiddio yn ein cyfenwau
yn Queginer, Dantec, Tanguy a Caradec;
os dechreua i siarad yr hen eiriau yna
y dywedodd *tad-kozh* nad oedd
mwy o werth iddyn nhw na'r tatws yn y pridd
ac arddel yr iaith a aeth ac a ddaeth o ddyddiau'r Gododdin
ac sy'n dal i guddio mewn ambell gilfach,
ga' i fod yn Llydawr go iawn?

Dydd Gwener, Ebrill 12, Kerlouan / *Digwener, daouzek a viz Ebrell, Kerlouan*

Gouzout a ran ober kung-fu! (Rwy'n gwybod sut i wneud kung-fu!)

Ers inni gyrraedd nôl o Roazhon nos Lun mae wedi bod yn wythnos fawr i Laura gan ei bod hi wedi bod ar gwrs Llydaweg lle mae gweithgareddau dyddiol ynghyd â gwersi Llydaweg yn cael eu cynnig gan Ti Ar Vro i loywi iaith a rhoi hyder i ddysgwyr Llydaweg sydd wedi cyrraedd safon go dda eisoes. Bu hefyd yn wythnos fawr i'r plantos, druan, gan eu bod nhw'n sdyc gyda'u tad drwy'r wythnos! Yn hynny o beth fe ges i fodd i fyw yn cael cwmni'r plant i fi fy hunan a chael peidio â phoeni am waith, am unwaith. Un o'r uchafbwyntiau oedd cael mynd i barc Lambaol Gwitalmeze, y pentref lle bu mam yn gweithio yn un o ysgolion cyntaf y mudiad Diwan, lle mae yna siglenni a'r pethau arferol y disgwylir eu gweld mewn parc ond hefyd sawl cwt lle mae anifeiliaid fel yr estrys, alpaca, defaid a pheunod yn byw. Rhoiodd un o'r estrysod rywfaint o ofn i'r plant gan ei fod yn gwneud sŵn tebyg iawn i feic modur o ddyfnderoedd ei lwnc! Acen Lydaweg fymryn yn wahanol, mae'n rhaid.

Cafodd Laura fodd i fyw yn cael dysgu pob math o grefftau a thraddodiadau a hynny trwy gyfrwng y Llydaweg, o greu basgedi gwiail i ddysgu dawnsfeydd gwerin Bro Bagan a Bro Leon. Roedd gweddill y dysgwyr yn cael aros y nos gyda theulu Llydaweg ei iaith, ffordd ddifyr o drochi a chael ymarfer yr iaith wedi'r diwrnodau o wersi a gweithgareddau. Gan fod Laura yn byw gyda gŵr Llydaweg ei iaith a mam-yng-nghyfraith sy'n Llydawes, fe benderfynodd na fyddai'n preswylio gyda theulu Llydaweg, ond braf felly oedd y ffaith fod fy rhieni wedi cytuno i dderbyn un o'r dysgwyr i aros gyda nhw. Felly bob nos elem i gael swper gyda fy rhieni, drws nesaf yn eu tŷ nhw a chwarae cardiau, yn Llydaweg, gyda menyw o'r enw Anne-Marie Dantec ('Danteg' yn Llydaweg yn golygu 'danheddog', efallai bod ei hynafiaid yn ddeintyddion neu yn gofalu'n dda am eu dannedd). Mae Anne-Marie yn ei chwedegau ac yn ceisio adfer ei Llydaweg. Yr anhawster iddi hi, meddai, yw nad oes ganddi bobol i siarad Llydaweg â nhw ar wahân i'w mam. Wedi cael magwraeth Lydaweg, ac yna ei chyflyru fel cymaint o'i chenhedlaeth i roi heibio'r hen arfer cul hwn o siarad iaith nad yw'n Ffrangeg, mater o hyder ac ymrymuso, cymaint ag unrhyw faterion gramadegol, geirfa neu gystrawen, sy'n dal Anne-Marie yn ei hôl. Rydw i a Laura yn sicr yn ei hystyried yn siaradwraig Lydaweg, synhwyro ydyn ni ei bod hi'n gyndyn i ddatgan hynny, a bod label dysgwr yn cynnig elfen o sicrwydd a diogelwch iddi.

Erbyn heno, roedd effaith y cwrs ar Laura yn drawsnewidiol. Roedd hi wedi dod adre o'i diwrnod llawn o weithgareddau ac yn sydyn mae hi'n medru'r Llydaweg. O fod wedi bod yn dysgu o dipyn i beth ar hyd y flwyddyn, a hynny ar ben sail o ddealltwriaeth elfennol o'r Llydaweg rydw i wedi bod yn ei siarad â'r plant, yn sydyn reit, roedd Laura yn siarad! Yr unig ffordd y gallaf wneud cymhariaeth yw gyda chymeriad Keanu Reeves, Neo, yn ffilmiau *The Matrix*, lle mae e'n plygio ei ymennydd mewn i gyfrifiadur ac yna'n dihuno yn sydyn gan ddatgan: 'I know kung-fu!'.

Dydd Sadwrn, Ebrill 13, Sant Brieg / *Disadorn trizek a viz Ebrell, Sant Brieg*

Heddiw bues i a Sisial yn 'kenweturiñ' (rhannu car) yr holl ffordd i efeilldref Aberystwyth, sef Sant Brieg (St Brieuc). Mae yna ethos gwyrdd iawn yn perthyn i nifer o'r digwyddiadau Llydaweg a Llydewig (nid dim ond digwyddiadau Llydaweg eu hiaith, o reidrwydd) rydyn ni wedi bod yn rhan ohonyn nhw, gyda bwyd organig, osgoi gwastraff plastig a rhannu ceir gymaint â phosib yn bethau sy'n dod yn amlycach ymysg ein cylchoedd cymdeithasol ni. Ond nid cymaint cymdeithasu oedd y bwriad heddi, ond dysgu Cymraeg i siaradwyr Llydaweg!

Felly yn y car aeth Sisial a fi i gwrdd â'r tri fyddai'n rhannu lifft o Landivizio hyd Sant Brieg. Dau eisoes yn medru cryn dipyn o Gymraeg, Mikel ac Anne-Marie, ac yna'r trydydd gŵr, Berez, yn dechrau ar ei antur mewn i fyd y Gymraeg. Roedd Laura, yn y cyfamser, wedi mynd gyda'i hAnne-Marie ei hun, Erwan a fy rhieni i wledda yng nghinio dathlu diwedd ei chwrs Llydaweg. Gwych iawn oedd gweld fod Laura erbyn y bore 'ma cyn inni adael yn deffro'r bore â Llydaweg yn llifo mor naturiol o'i cheg ag yr oedd yr haul yn dod trwy'r ffenest. Roedd Sisial eisoes wedi magu adnoddau iaith hyderus a rhugl yn Llydaweg a nawr dyma Laura yn dechrau dangos yr un rhwyddineb a hyder.

Ond ein tro ni i droi'n athrawon oedd hi heddi, ar wahoddiad un o frodyr y teulu Ar Men, sef Brieg (enwyd y dref ar ôl Sant Brieg, nid ar ôl y Brieg hwn, ond o'i allu i siarad Cymraeg a'i ewyllys a'i ymdrechion i ddysgu Llydaweg drwy ganolfan iaith Stumdi, efallai y dylsai Brieg gael ei ganoneiddio yn sant ryw ddydd). Wedi orig ddifyr yn sgwrsio â'n cyd-deithwyr fe gyrhaeddon ni'n cyrchfan ac aethom ati, drwy gyfrwng dawn Sisial i actio gwahanol rhannau a chwarae sawl rôl, i ddysgu Cymraeg defnyddiol i'r Llydawyr. Cymraeg y gallech ei ddefnyddio wrth brynu tocyn trên, ordro bwyd neu ddiod neu hyd yn oed drafod Brexit. Yn amlwg cyflwynwyd geiriau fel 'ffolineb', 'celwyddau', 'bogailsyllu' a 'pleidlais' – geirfa ddefnyddiol pan fyddwch chi'n dewis pa fwyd i'w ordro...

Bore Llun, Ebrill 15, Ysbyty Keraudren, Brest / *Dilun vintin,*
pemzek a viz Ebrell, Ospital Keraudren, Brest

Codi'n gynnar ac wedi ymprydio am o leiaf 12 awr (nad yw'n
fawr o ympryd o ystyried dioddefaint rhai pobol yn y byd) yn
barod ar gyfer cael llawdriniaeth am dorllengig. Gair rwy'n
ddiolchgar i'r bardd a'm cyd-dalyrnwr yn nhîm Tir Iarll, Emyr
Davies, am ei dysgu imi. *Hernia.* Fy nhasg nesaf yw mynd i
ganfod beth yw Torllengig yn Llydaweg....

Ond wedi ymprydio, cyrraedd yr ysbyty yng Nghwmni Sisial
a Laura (Erwan adre gyda fy rhieni), eillio blewiach fy mol
gydag eli eillio (sy'n gwynto'n go ryfedd ac yn mynd yn go sydyn
i roi teimlad o losgi i rywun, yr eli hynny yw, nid blewiach fy
mol) a gwisgo trôns o bapur o dan fy ngŵn ysbyty, llyncais
dabledi lladd poen a rhyw bethau y dylswn fod wedi holi mwy
yn eu cylch ac yna camu i fy ngwely. A bant a fi.

Profiad tebyg i'r olygfa gyfarwydd bellach a welir ar gyfresi
teledu neu mewn ffilmiau lle gosodir y camera i edrych a
dychmygu'r olygfa trwy lygaid y claf. Coridorau hirion a
goleuadau llachar a gweithiwyr yr ysbyty yn pasio, yn cyfarch
fy mhorthor, rhai yn fy nghydnabod i, eraill ddim, a'r gwely'n
dal i rowlio ei ffordd lawr i'r stafell lawdriniaeth.

Cael fy mharcio yno, a'm lapio'n dwym gan ei bod yn lle go
oer, wrth ddisgwyl yr anaesthetegydd. Pigiad. Pibau a drip yn
rhwym wrth fy mraich ac yna mewn i'r theatr. Dechrau trafod
llwyddiant ein tîm cenedlaethol a ffoliaeth Brexit wrth aros y
llawfeddyg ac yna'r sylw gan un o'r nyrsys wedi imi nodi fod fy
mam yn hanu o Gerlouan, gogledd Bro Leon: 'Ah, ça c'est du
pure breton là eh! Du pur!' (Dyna ichi Lydawr pur fyn'na. Pur!)
Ymddengys felly nad yw Kerlouan mor fetropolitanaidd ag y
tybiwn!

Ac yna llithro i gwsg sydyn iawn dan lif yr anesthetig. Diolch
byth, fe ddihunais a chael mynd gatre yn ddigon buan cyn

diwedd y dydd. Ond wrth aros i'r llawfeddyg ddod i arwyddo fy ffurflen a chaniatáu imi fynd gatre fe gyrhaeddodd hen gwpwl ffeind i rannu fy stafell wrth i'r gŵr aros ei lawdriniaeth e. Rhwng ein Cymraeg, Llydaweg ac Erwaneg mae'n siwr iddyn nhw feddwl mai Llydawyr o ardal ieithyddol go ryfedd yn Llydaw oedden ni. Ond dim ond wrth ffarwelio y llwyddais i ddenu ambell frawddeg o Lydaweg o'u genau. Roedden nhw'n amlwg yn arfer medru. Gobeithiaf i'r gŵr ddod drwy ei driniaeth yn ddidrafferth.

Mae fy mrawd, Hefin, hefyd yn cyrraedd am wythnos o wyliau heno; efallai y bydd yn gofalu am ei frawd mawr o glaf. Neu falle bydd e'n cael mwy o hwyl yn chwarae yn Gymraeg a Llydaweg gyda'i neiaint, Sisial ac Erwan.

Dydd Mawrth, Ebrill 16, Kerlouan / *Dimeurzh, c'hwezek a viz Ebrell, Kerlouan*

Aeth Laura i'w gwers Lydaweg wythnosol a sylwi nad oes angen iddi baratoi nodiadau i allu adrodd i weddill y dosbarth am hynt yr wythnos a fu, fel sy'n arferol ar ddechrau pob gwers. Mae hi bellach, yn sgil y cwrs wnaeth hi yr wythnos diwethaf, yn gallu creu brawddegau a chyfathrebu yn Llydaweg! Arbennig o beth i'w weld yn digwydd o flaen fy llygaid. Daeth Laura hefyd yn ôl o'i gwers wedi dysgu taw 'tarzh koff' (yn llythrennol, ffrwydrad bol) yw torllengig, neu *hernia* yn Llydaweg.

Eglwys Nôtre Dame sy'n hawlio'r penawdau heddi. Mae Macron wedi ymateb yn syth gan nodi fod dynion busnes eisoes wedi casglu biliwn o ewros i atgyweirio'r Gadeirlan. Does neb yn ei iawn bwyll yn dathlu'r fath ddinistr. Ond gwelaf o'n cylchoedd cymdeithasol rhithwir a Llydaweg eu hiaith ar y we fod rhai yn nodi'n llafar iawn y gallai ein cadeirlannau ninnau, ieithoedd cynhenid Ffrainc, yn Llydaweg a Basgeg, Corseg ac

Alsasieg, er nad ydyn nhw wedi eu gwneud o garreg a ffenestri lliw, wneud gyda help gwerth biliwn o ewros yr un hefyd. Maen ganddyn nhw bwynt, ond fydd Macron ddim yn gwrando, *pas ce soir, en moins*.

Dydd Iau, Ebrill 18, Kerlouan / *Diriaou, triwe'ch a viz Ebrell, Kerlouan*

Trwy'r ffenest o fy ngwely fe glywais y gwcw am y tro cyntaf eleni. Gallaf gadarnhau mai'r un nodau cyfarwydd sydd i'w chân yn Llydaw ag yng Nghymru.

Dydd Llun, Ebrill 22, Kerlouan / *Dilun daou warn ugent a viz Ebrell, Kerlouan*

Ymddengys taw dim ond wythnos y mae amynedd Laura gyda gŵr sy'n hawlio fod angen iddo aros yn y gwely yn para. Mae angen i fi bellach ddechrau codi o'r gwely ac ymdrechu i wneud mwy o gerdded i nôl fy mhaneidiau fy hun.

Dydd Llun, Ebrill 29, Lesneven / *Dilun nav warn ugent a viz Ebrell, Lesneven*

Brân i frân yn rhywle...

Arhosiff heddi yn hir yn y cof am resymau digon randym, ys dywed Cymry Cymraeg y Gymru sydd ohoni. Daeth proflenni ar ebost gan wasg Barddas ar gyfer clawr fy nhrydedd gyfrol o gerddi, *Llafargan*, ac ar un fersiwn o'r clawr, mae 'na frân. Cynigiais fod yr aderyn clyfar hwn yn mynd ar y clawr fel un syniad i'r dylunydd gan bod sawl cyfeiriad at frain yng ngherddi'r gyfrol, ond hefyd am fod y brain yn gynulleidfa nosweithiol imi wrth i fi fynd â'r ci am dro a barddoni ym Mharc Pontyberem. Ar adeg eu cymanfa feunosol mae'r brain yn llafar iawn, felly fe deimlai fel trywydd posib ar gyfer clawr a thema i'r gyfrol. Ond heddi ces gadarnhad mai dyna'r trywydd y dylwn ei ddilyn gan bod Mael, ffrind Sisial o'r ysgol a mab ein ffrindiau agos Monica ac Arnaud, rywsut wedi llwyddo i ddal brân yn ei ddwylo! Wn i ddim a ydy Mael yn medru iaith brain, yn oruwchnaturiol o gyflym, neu'n dderwydd neu fynach yn llinach Sant Ffransis, ond dyna a fu. Brân amdani felly ar y clawr.

Ond cyn i hynny ddigwydd, fe fu Lua, chwaer Mael, yn arddangos un o'i doniau hi, sef medru taro sgwrs gyda phawb, boed yn berson swil, o genhedlaeth arall neu o gefndir ieithyddol arall. Fe aeth Lua i sgwrs ddofn gyda hen ddynes glên a oedd yn pasio'r lle chwarae lle roedd Mael ar fin dal brân. Dyma fi'n agosáu at Lua a'r sgwrswraig arall i weld bod popeth yn iawn ac yna yn cael fy nhynnu i mewn i'r sgwrs hefyd. Dyma ddeall mai o Baris oedd y ddynes a'i bod hi wedi dychwelyd i Lesneven. Roedd ei hacen Ffrangeg yn awgrymu Paris yn nhoriad pob brawddeg. Aeth yn ei blaen i'n rhybuddio ni fod y colomennod yn Lesneven mor ddigywilydd â rhai Paris a bod angen gochel gan iddi ddiodde un yn gwneud ei fusnes ar ei phen!

Dyna wedyn ddod i ddeall taw o Lesneven y deuai hi'n wreiddiol, a thaw camarweiniol oedd y datganiad agoriadol. Daeth i ddeall mai plant bach Diwan Lesneven oedd y rhai a chwaraeai o'i blaen a dyna hi wedyn yn estyn ei Llydaweg o'i handbag a'i wisgo fel minlliw coch. Roedd sbel ers iddi siarad, medde hi, er na fyddwn yn gallu dweud ei bod hi byth wedi gadael Lesneven. Ond pan adawodd hi'r dref yn y chwedegau, fe nododd ei bod hi'n cofio gymaint o Lydaweg oedd i'w glywed. Roedd y dref a ddisgrifiai yn ymdebygu i Gaernarfon heddi o ran yr iaith frodorol Frythonaidd y gellid ei chlywed ar bob cornel o bob stryd. Ac yna fe ddenwyd ein sylw a'n rhyfeddod gan Mael yn gafael mewn brân.

(Ni niweidiwyd unrhyw frain na cholomennod wrth gofnodi'r pwt dyddiadurol hwn.)

Dydd Mawrth, Ebrill 30, Brest / *Dimeurzh, tregont a viz Ebrell, Brest*

Wedi dros flwyddyn o drafod, ymchwilio, paratoi, cyflwyno, ffilmio a golygu (a'r cynhyrchydd gyfarwyddwr Ronan Hirrien wedi gwneud rhan helaethaf y dyletswyddau uchod), daeth hi'n noson bremière ar gyfer fy ffilm ddogfen *Barzh e Douar ar Varzhed* (Bardd yn Ngwlad y Beirdd). Roedd Ronan wedi trefnu ein bod ni'n cael dangosiad o'r ffilm mewn sinema go iawn. Ond cyn hynny roedd yna ddyletswyddau cyfryngol eraill. Cyfweliad ar radio Bleu Breizh-Izel yn Llydaweg a chyfle i ledu efengyl y gynghanedd i wrandawyr nosweithiol y gwasanaeth, gan ddathlu'r ffaith fod y ffilm ond wedi bod yn bosib drwy gyfraniadau ariannol S4C ar ffurf archif a mynediad i ffilmio yn yr Eisteddfod. Rhan o egin berthynas ryng-geltaidd newydd rhwng darlledwyr, datblygiad cyffrous os y gall arwain at fwy o gydweithio a chyd-gynhyrchu rhaglenni ym mhob iaith Geltaidd. Roedd gwrando ar Mael Gwenneg, golygydd a phennaeth y gwasanaeth darlledu yn Llydaweg gyda France 3, yn gwneud i rywun sylweddoli cymaint o barch sydd at S4C, cymaint o eiddigedd hefyd na ellir ehangu a chynnal y fath wasanaeth yn Llydaweg. Gan bod y ffilm yn rhoi cyflwyniad i wylwyr Llydaw i fyd yr Eisteddfod a byd y beirdd, roedd maint y brifwyl yn syndod i gyflwynydd y rhaglen radio yn ystod y cyfweliad, a mater digon heriol oedd mynd ati i esbonio rhai o hanfodion technegol y gynghanedd trwy gyfrwng y Llydaweg!

Wedi ambell gyfweliad arall ar gyfer eitem ddyddiol y newyddion yn Llydaweg, An Taol Lagad, ac ar gyfer papur newydd *Ouest France* (sydd fel y *Western Mail*) fe ddaeth hi'n bryd camu i'r awditoriwm gyda Laura a'r plant er mwyn gwylio 'ffilm Ronan a Dadi'. Profiad arbennig oedd cael gweld y cyfanwaith gorffenedig am y tro cyntaf a hynny ar sgrin fawr gyda sain yn ein hamgylchynu, yn glec cynghanedd a defodau eisteddfodol, a hynny ynghanol dinas Brest. Braf hefyd oedd bod rhai o fy myfyrwyr astudiaethau Celtaidd, cydweithwyr a charedigion y Llydaweg gan gynnwys ambell fardd cynganeddol Llydaweg sydd yn y ffilm, wedi dod i'w gwylio ac i weld wedi mwynhau. Mae'n amlwg fod yr Eisteddfod yn rhywbeth sy'n rhyfeddu pawb na ŵyr amdani wrth ddod i ddeall ei maint, ei diben a'i hanes. Mae deall wedyn fod gweledigaeth Iolo Morganwg a'r hen draddodiad o Eisteddfota wedi dylanwadu ar ddiwylliant Llydaw hefyd yn destun sgwrs ddi-ben-draw ac yn rhywbeth inni gyd-ymfalchïo ynddo. Caiff y rhaglen ei darlledu ganol y bore ar ddydd Sadwrn ar France 3 gydag isdeitlau Ffrangeg. Un peth yw plesio pobl sy'n troi eu golygon academaidd a diwylliannol at hanes, ieithoedd a diwylliannau Cymru a Llydaw, mater arall yw cyflwyno'r gynghanedd sain drwy isdeitlau Ffrangeg i wylwyr ledled Llydaw. Cawn weld sut dderbyniad a gaiff.

Dydd Mercher, Mai 1, Brest / *Dimerc'her, ar c'hentañ a viz Mae, Brest*

Mae heddi'n ŵyl y banc yn Ffrainc, diwrnod y gweithwyr, ond fel ar ddydd gŵyl Dewi, mae Ronan Hirrien yn mynnu fy mod yn gweithio! Ond braint yw cael cyfle i gynnal gwers gynghanedd trwy gyfrwng y Llydaweg ynghyd â chyfle arall i ddangos y ffilm ddogfen a ddangoswyd am y tro cyntaf neithiwr. Cafwyd derbyniad gwresog arall gan y dwsin a ddaeth i ganolfan Sked ym Mrest. Mae'n ganolfan sy'n cynnal gweithgareddau yn Llydaweg ar gyfer dinasyddion Brest ac mae Sked hefyd yn darparu gwersi Llydaweg wythnosol. Mae yna hefyd far! Ond da o beth nad oedd y bar ar agor gan y profodd y wers gynghanedd yn un go anodd, i mi o leiaf. Ro'n i'n awyddus i sicrhau fod y darpar gynganeddwyr yn dod i ddeall hanfodion y gynghanedd yn gyntaf, yn hytrach na'u llethu gyda'r gwahanol fathau o gynganeddion a'r canrifoedd o reolau sy'n bodoli o'u cwmpas. Yn ei hanfod, mae cynganeddu yn beth syml iawn. Wrth fynd ati i'w meistroli wedyn y daw yn rhywbeth mwy cymhleth. Teimlaf mai'r anhawster mwyaf a ges i heddi oedd fy niffygion ieithyddol fy hunan wrth geisio mynegi fy hun mewn Llydaweg technegol, ac wrth geisio sillafu geiriau a deall rhai o'r acenion oedd ym mhair cynganeddol Sked.

Mae'n debyg fod pobol wedi mwynhau ar y cyfan, unwaith inni fynd heibio'r ennyd o ben tost a brofir gan bawb sy'n mynd trwy eu gwers gynganeddu gyntaf a meddwl 'beth ddiawl yw hyn?!'. Rhaid cofio hefyd nad oedd pawb a ddaeth i'r wers yn feirdd na chwaith yn dymuno parhau i gynganeddu, ond fe ddaeth rhai a'u henghreifftiau o gerddi a beirdd caeth eraill a ysgrifennai yn Llydaweg na wydden i ddim amdanyn nhw ac fe ryfeddodd sawl un at gywreinrwydd a phosibiliadau'r gynghanedd, a'r rhyfeddod pennaf ei bod yn benthyg ei hun i'r Llydaweg yn yr un modd ag y mae'r gynghanedd yn perthyn yn naturiol i'r Gymraeg. Daeth moment hyfrytaf y pnawn pan lwyddon ni wedi cryn strach i greu llinell o gynghanedd draws hyfryd iawn a gariai ystyr go swreal i'w ychwanegu at ganon y byd barddol yn Llydaweg, sef y llinell: 'Brein eo e loufañ met brav eo an oliffant!' (Mae ei gnec yn bydredig, ond mae'r eliffant yn hardd!)

Dydd Sul Mai 5, Kerlouan / *Disul, pemp a viz Mae, Kerlouan*

The only Welsh girl in the village

Aethon ni draw i dŷ Ffran May am ddisgled, sydd wastad yn brofiad braf, gyda'r plant yn cael chwarae a ninne'n cael bwydo Cymreictod Ffran a hithau'n ein bwydo ni gyda chacennau melys o bob math. Roedd gan Ffran gŵyn hefyd, sef ei bod hi wedi bod ar y ffôn gydag o leiaf bymtheg o bobol ers amser cinio ddoe pan ddarlledwyd y ffilm *Barzh e Douar ar Varzhed*! Dywedodd fod y ffilm wedi cael effaith ar sawl gwyliwr, yn siaradwyr Llydaweg a di-Lydaweg, a'u bod nhw wedi teimlo pob math o emosiynau, yn falchder yn eu gwlad, eu treftadaeth a'u hiaith ac yn hiraeth am wlad na wydden nhw ddim y gallen nhw deimlo hiraeth amdani, sef Cymru. A'r ffaith fod Ffran yn Gymraes sy'n gwisgo ei Chymreictod i bobman yr â yn Llydaw a'i trodd hithau yn linell therapi Frythonaidd i bobol na wyddent sut i brosesu rhai o'r teimladau hyn. Efallai bod Ffran yn gorliwio, ond mae'n braf meddwl fod modd cyfrannu at agor llygaid pobol yn Llydaw ac yng Nghymru fel ei gilydd i sylweddoli fod gyda ni gymaint yn gyffredin. Meddai Ffran: 'Ces i bobol yn ffonio oedd ddim yn gwybod pwy arall i siarad â nhw felly dyma nhw i gyd yn fy ffonio fi! A sa'i hyd yn oed wedi cael cyfle i weld y ffilm eto!' Un canlyniad o hyn oll yw ein bod ni yn mynd i drefnu noson Gymraeg yng nghrempogdy Goulc'hen (Goulven) ym mis Mehefin cyn inni ei throi hi yn ôl am Gymru.

Aethom am dro braf wedyn, gan fod Ffran yn byw ar lan y môr ger Enez Aman Ar Rouz, penrhyn sy'n cael ei droi'n ynys dan lanw uchel. Ac wrth fynd ar ein taith a'r haul yn taflu golau arbennig dros arfordir hardd Bro Bagan fe welson ni fwy o bobol a welodd y ffilm!

Dydd Llun, Mai 6, Kerlouan / *Dilun c'hwec'h a viz Mae, Kerlouan*

Gyda'r tymor dysgu ar ben yn y Brifysgol a minnau'n gallu bod gatre mwy gyda'r plant mae Laura wedi cofrestru i ddilyn gwersi Llydaweg dwys. Tair awr bob nos Lun. Roedd hi'n falch, felly, fy mod i wedi llwyddo i gael y plant i gysgu ac wedi gwneud swper ar ei chyfer erbyn iddi gyrraedd nôl â'i phen yn troelli, braidd, wedi'r profiad cyntaf gyda'r athrawes a'r dosbarth newydd. 'Wannw'l! Mae'r treigladau'n anoddach yn Llydaweg!' oedd ei sylw cyntaf wrth ddod trwy'r drws. 'Setu da voued, ha kea Goude-se da ziskuizhañ. Ar vugale 'zo o kousket,' (Dyma dy fwyd, a cer wedi hynny i ymlacio, mae'r plant yn cysgu) medde fi wrthi, gan dreiglo y gorau medrwn i. Mae'n siwr y bydd ganddi wybodaeth ramadegol na ches i erioed maes o law, a bydd hi'n fy nghywiro ac yn fy nysgu fi!

Y ffatrïoedd iaith

Lucie o Montpellier. Benoit o Bordeaux. Emmanuelle o Lesneven. Bertrand o Rouen a Lionel o Baris. Dim ond ambell enw a groesodd ein llwybrau eleni. Newidiodd rhai eu henwau i arddel fersiynau Llydaweg ac fe'n synnwyd o ddeall gan rai ymhen hir a hwyr nad Llydawyr mohonyn nhw o gwbwl. Nid trefi na dinasoedd eu mebyd, na'u bywydau blaenorol yn byw o ddydd i ddydd trwy'r Ffrangeg sy'n eu ddiffinio nhw pan fyddan nhw'n taro sgwrs gyda rhywun dierth yn Llydaweg. Fel Llydaw hithau, ailddiffiniwyd hunaniaeth y rhain trwy eu hiaith. Rydyn ni'n bobol wahanol pan fyddwn ni'n newid cyfrwng iaith. Cyflwynwyd ni i'n gilydd fel siaradwyr Llydaweg a dyna fu dechreubwynt ein perthynas, boed yn gyfeillion y cawsom ymwneud â nhw yn gyson neu'n ddieithriaid clên a welsom ar gyffordd rhyw sgwrs heb fyth eu gweld wedi hynny. Yr hyn a gysylltai cymaint ohonyn nhw oedd eu bod nhw wedi bod ar gwrs dwys i ddysgu'r iaith. Roedd ganddyn nhw ddillad newydd i'w gwisgo'n ddyddiol a ffenestr lydan â golygfa wych i weld y byd o ongl newydd. Rhai ohonyn nhw wedyn yn mynd ymlaen i fagu eu plant yn uniaith Lydaweg.

A phan fydd yna Gymry fel ni sy'n medru'r Llydaweg yn dod i Lydaw, a'r Llydaweg yn hytrach na'r Ffrangeg yn *lingua franca* am ennyd, nid yw acenion Ffrengig na'r hen ddillad yn amlwg, eu hiaith newydd sy'n eu gwneud nhw bellach yn Llydawyr. Cymaint, weithiau, i'r graddau fel nad ydyn nhw'n hoff o glywed eraill yn cyfeirio at eu hen fywyd fel Ffrancwyr o bant; wedi'r cyfan maen nhw'n gystal Llydawyr â'r rheiny nad ydyn nhw'n gweld colli iaith frodorol y wlad. Y Llydawyr newydd hyn hefyd sy'n ymdrechu'n galetach, yn aml, na phlant yr ysgolion Llydaweg i wisgo cyfwisgoedd a gemwaith yr iaith, yr addurniadau bach hynny sy'n gorffen edrychiad, os ydyn ni'n poeni am olwg ffasiynol, neu 'le look', ys dywed y Ffrancwr. Y clustdlysau, mwclis neu'r freichled sy'n eiriau tafodieithol a nodweddion acen. Y synau a'r geiriau sydd ond yn perthyn i ran benodol o dir yn Llydaw. Tir y mae'r Llydawyr newydd yma'n ei alw'n gartref.

Wrth geisio gweld dyfodol llewyrchus i'r iaith, mae cyfraniad canolfannau dysgu iaith, cyrsiau carlam a gwersi wythnosol yn hanfodol i'w pharhad a'i datblygiad. Maen nhw o bosib yn cael mwy o effaith yn yr hirdymor nag yw addysg Lydaweg, er mor hanfodol yw hynny hefyd. Yn aml, y rhesymau dros fynd ati i ddysgu'r iaith i nifer sydd yn eu hugeiniau, tridegau a phedwardegau yw er mwyn newid trywydd gyrfa broffesiynol. Cael cyfle i wisgo dillad gwaith gwahanol yn sgil yr iaith. Lle'r arferai rhai canolfannau iaith weld bod y rhan fwyaf o bobol a ddeuai trwy eu drysau yn gwneud hynny er mwyn dod yn athrawon cyfrwng Llydaweg neu'n athrawon Llydaweg eu pwnc, mae'r gorwelion gyrfaol bellach yn ehangu a'r iaith yn cynnig mantais mewn ambell weithle.

Gall rhywun sy'n ddigon penderfynol fynd ati i ddysgu iaith ar ei ben ei hun trwy gyfrwng llyfrau neu dapiau, neu yn yr oes hon, apiau, ond y ffyrdd mwyaf poblogaidd yn Llydaw heddi yw trwy un o'r pum prif ganolfan iaith: Stumdi, Roudour, Skol an Emsav, Sked a Mervent. Y tair gyntaf, heb os, yw'r mwyaf o ran presenoldeb mewn gwahanol drefi ac o ran niferoedd athrawon a dysgwyr sy'n dod trwyddyn nhw bob blwyddyn. Mae Stumdi a Roudour yn canolbwyntio ar weithredu yn Breizh-Izel tra bod Skol an Emsav wedi ei lleoli yn Roazhon ac yn lledu ei hadenydd trwy Vreizh-Uhel a hyd Naoned hefyd. Canolfannau yn Mrest a Kemper yw Sked a Mervent, sy'n chwarae rhan allweddol fel canolfannau diwylliannol i gynnal digwyddiadau hefyd.

Mae'r busnes o ddysgu Llydaweg wedi dechrau ymffurfioli'n ddiwydiant yn ei hunan. Gellir mynd ati i ddysgu Llydaweg mewn dros 150 o leoliadau yn Llydaw gyfan ac mae gwefan Ofis ar Brezhoneg (Swyddfa'r Iaith Lydaweg) yn crynhoi'r cyfan i bobol sydd ag awydd dysgu. O fewn y diwydiant dysgu Llydaweg mae'r hyn a gynigir yn ymdebygu i becynnau tanysgrifio teledu, ffôn a wifi. Gall pobol ddewis ymgysylltu â'r iaith mewn gwersi nos wythnosol neu, drwy ysgoloriaethau a chynlluniau ariannol sy'n caniatáu i unigolion gymryd cyfnod sabathol o'r gwaith, gellir mynd ar gyrsiau dysgu Llydaweg llai nag 840 awr, cyrsiau tri mis, chwe mis neu 9 mis, gyda modd o rannu'r cyrsiau carlam hyn (9 tan 5, pum diwrnod yr wythnos) yn gyfnodau o dri mis ar wahân. Y cyrsiau carlam, dwys hyn sydd fwyaf llwyddiannus yn stadau diwydiannol ffatrïoedd yr iaith Lydaweg, lle daw siaradwr rhugl arall mas trwy'r drysau yn barod i ddefnyddio ei alluoedd newydd. Ie, proses fecanyddol, ar brydiau, yw dysgu iaith. Ailweithio drwy elfennau y bu'n rhaid eu gwneud yn ddisgybl ysgol, ymddisgyblu ac ail-weirio'r meddwl i weithio mewn ffordd wahanol.

Trwy brism y Ffrangeg y dysgir Llydaweg hefyd, yn anorfod, felly gall fod yn brofiad anodd os ydych yn cyrraedd Llydaw o wlad ddi-Ffrangeg ac yn awyddus i ddysgu Llydaweg. Teimlodd Laura rywfaint o'r anhawster hwn wrth fynd ati i ddilyn gwersi mwy dwys yn ddiweddar, lle byddai hi'n cael gwers deirawr a ganolbwyntiai ar ramadeg a chystrawen gan ddefnyddio'r Ffrangeg fel man cychwyn a drych wrth i'r wers fynd yn ei blaen. Lle bu fy ngwraig ers mis Medi yn dilyn gwers wythnosol awr a hanner fyddai'n troi o gwmpas geiriau emynau a chaneuon traddodiadol, eu dehongli o ran geirfa a rhannu sgwrs ysgafn gyda'r pytiau o Lydaweg oedd gan aelodau'r dosbarth i'w gynnig, roedd presenoldeb y Ffrangeg i'w deimlo gymaint mwy wrth gael y cyfle i fynd i wersi dwys gydag athrawes wahanol tua diwedd ein cyfnod yn Llydaw. Fe ddaeth Laura i gytuno gyda sylwadau Rhisiart Hincks (sydd bellach wedi ymddeol o adran Astudiaethau Celtaidd Aberystwyth) a nododd fod y Ffrangeg yn angenrheidiol yn y Llydaw fodern wrth fynd ati i ddysgu'r iaith. Nid yn unig oherwydd bod y dulliau dysgu yn defnyddio'r Ffrangeg i esbonio gramadeg ac elfennau tebyg, ond am fod y Llydaweg bellach gymaint o dan gysgod y Ffrangeg. Arferai'r hen Lydawyr rolio'r llythyren 'r' fel a wneir yn Gymraeg, mor ddiweddar â chenhedlaeth fy nhad-cu, neu yn achos rhai pobol, hyd heddi yng nghenhedlaeth fy rhieni. Ond yr 'r' Ffrengig sy'n nodweddiadol o Lydaweg siaradwyr o dan oed yr addewid. Mae'r Ffrangeg, fel y mae'r Saesneg o safbwynt y Gymraeg, yn araf siapio cwrs y Llydaweg. Dyma sy'n gwneud cyfleon fel treulio wythnos mewn Eisteddfod sy'n arddel rheol iaith yn hollbwysig; rhywle y gall y Gymraeg anadlu yn ei gofod a'i hawl ei hun heb gysgod yr iaith fawr arall yn sefyll uwch ei phen. Mae'r cyfleon i'r Llydaweg gael gwneud hynny yn brinnach fyth, o bresenoldeb parhaus y Ffrangeg ar iard chwarae ysgolion Diwan i'r is-deitlau Ffrangeg a roddir ar ddarllediadau teledu yn Llydaweg er mwyn i *bawb* gael deall.

Tra bod rhai, yn anochel, yn mynd trwy gyrsiau i ddysgu Llydaweg, gan obeithio cael swydd lle byddan nhw'n ei defnyddio am 35 awr bob wythnos (dyna hyd yr wythnos waith, *i fod*, yn Ffrainc) a'i hongian hi ar wal y swyddfa ar ddiwedd y dydd hyd y bore wedyn gan fyw eu bywydau yn Ffrangeg, mae sawl un yn dysgu Llydaweg am fod yna rywbeth dwfn, anesboniadwy yn eu galw i wneud. O bosib taw disgyrchiant neu fagneteg naturiol yn y tir, neu'r ffaith fod enwau pobman o'u cwmpas yn sibrwd yr iaith yn ddyddiol i'w hisymwybod, neu o bosib am na chawson nhw'r dewis gan eu rhieni i'w siarad ai peidio. Neu efallai, yn syml, oherwydd yr awydd i berthyn. Rwy wedi teimlo'r elfen anesboniadwy hon yn aml wrth sgwrsio gyda Sisial o ddydd i ddydd. Yng Nghymru, ers ei geni, mae wedi bod yn ymdrech fwriadol gen i i siarad Llydaweg â hi, a'r un peth gydag Erwan. Ond mewn cyd-destun lle mae'r Gymraeg yn fy nghysylltu gyda fy ngwraig a phresenoldeb y Gymraeg i'w gweld yn enwau'r strydoedd a'r cymdogion ac yn llifo o'r setiau radio a theledu, rwyf wedi canfod fy hunan ar sawl achlysur yn llithro i siarad Cymraeg gyda'r plant. Yn enwedig pan fyddaf yn colli fy nhymer, sy'n digwydd yn llawer rhy aml. Ond wrth fyw yn Llydaw mewn cyd-destun Llydaweg, roedd bod ynghanol hynny yn cynnal muriau ein sgyrsiau i aros yn Llydaweg yn llawer, llawer amlach.

Wrth i fi weithio'n ddyddiol i fod yn well tad, un nad yw'n colli ei limpyn mor rhwydd, mae'n rhaid i'r holl rieni ieithyddol hyn, yr holl ffatrïoedd iaith, yn Stumdi, Roudour, Skol an Emsav, Sked, Mervent (a'r rhai na ches ofod nac amser i'w henwi yn iawn), ymdrechu i gyd-dynnu hefyd wrth iddyn nhw ofalu am y siaradwyr Llydaweg newydd sy'n mynd mas i'r byd, a pheidio â gwylltio gyda'i gilydd. Nid yw Ffrainc yn poeni am yr ymdrech i ddysgu Llydaweg i bobol, ac yn sgil diffyg grym gwleidyddol gwirioneddol i Lydaw fel gwlad, nid oes strategaeth ganolog glir yn bodoli i gydlynu'r ymdrech. Mae o fudd i'r grymoedd canolog ym Mharis fod y canolfannau iaith yn canfod eu hunain o dro i dro mewn gwrthdrawiad. Ambell waith, felly, wrth i un fenter weld angen neu awydd i ehangu, rhaid gochel rhag damsgin ar draed canolfan arall. A pha hawl sydd gan un ganolfan iaith ar ardal benodol, ta beth? Sawl Ewro sy'n dod drwy'r drws, yn y pen draw, sy'n cyfri er mwyn iddyn nhw barhau i fodoli. Ond dychmyger y potensial sydd gan bob un o'r sefydliadau hyn i greu lles i'r niferoedd o siaradwyr Llydaweg, o ystyried fod Stumdi, er enghraifft, eisoes yn creu 100 o siaradwyr rhugl newydd sy'n mynd mas i'r byd gwaith bob blwyddyn.

Gyda'r we, mae'r cyfleon yn tyfu hefyd. Bydd Laura yn parhau i dderbyn gwersi wythnosol gyda Skol an Emsav a hynny drwy sgeip. I'r Cymry sy'n awyddus i ddysgu, mae yna wefannau fel www.loecsen.com/fr sy'n cynnig brawddegau a geirfa ddefnyddiol, neu becynnau dysgu gartref fel Assimil, ond eto, mae angen rhywfaint o Ffrangeg eisoes er mwyn gallu canfod eich ffordd ar hyd eu trywyddion dwyieithog.

Does dim dwywaith, yn achos y Llydaweg, fod dysgwyr eisoes yn achub yr iaith.

Dydd Iau, Mai 9, Kerlouan / *Diriaou, nav a viz Mae, Kerlouan*

Cyrhaeddodd criw ffilmio o gwmni Tinopolis ar gyfer y diwrnodau olaf o ffilmio ar raglen sy'n dangos hynt ein blwyddyn ar S4C, O *Bontyberem i Lydaw*. Mae croesawu pobol i Lydaw yn sydyn yn gwneud inni deimlo fel brodorion yn Llydaw, taw ar ein telerau ni y maen nhw nawr. Cyn dechrau ffilmio bu'n rhaid i fi fynd i apwyntiad digon diniwed i weld y meddyg teulu, menyw ddigon croesawgar ond mae'n barod iawn ei barn am arferion bwyta ac yfed ac mae'n gofyn o hyd inni sut mae bywyd nôl yn Iwerddon. Ac fel bob tro, rhaid nodi taw o Gymru y dewn ni. A dyna ni yn sydyn wedi colli ein statws brodorol ac yn teimlo fel rêl ymwelwyr o bant!

Ond cyn gweld y meddyg, ro'n i a Laura'n cymryd y cyfle i ymarfer ein Llydaweg yn y stafell aros a dyma ddwy ddynes ddigon oedrannus yn cyrraedd ar gyfer eu hapwyntiad nhw. Fe welais gyfle inni geisio denu Llydaweg o'u genau gan eu bod nhw yn yr oedran, os o'n i wedi deall eu hacen Lydewig yn iawn, i fod yn siaradwyr Llydaweg ers eu geni. Mae bron bawb dros eu pedwar ugain o Vro Leon yn siwr o fedru'r Llydaweg, boed wedi peidio â'i harddel neu'n dal i'w sibrwd rhwng ffrindiau. Dod i ddeall wedyn fod un ohonyn nhw wedi symud i dde Ffrainc i fyw yn wraig i filwr ac felly heb ddefnyddio'i mamiaith er sbel a'r llall wedi dod am apwyntiad i Gerlouan o Lesneven gan ei bod wedi clywed pethau da am y meddyg yma. Ffrangeg oedd rhyngddyn nhw, yn gorlifo o'u handbags, ond yna, ym mhlygiadau eu cotiau crand roedd yna eiriau Llydaweg di-ri, ac weithiau ambell frawddeg yn codi fel edau ac yna'n breuo eto mewn i Ffrangeg cadarn. Fe ddwedon nhw fod gyda ni Lydaweg pert ac fe gawson ni hanes eu teulu, cyn i'r meddyg ein galw i'n holi ni am Iwerddon.

Dydd Gwener, Mai 10, Plouider a Konk Leon / *Digwener dek a viz Mae, Plouider ha Konk Leon*

Distyllu

Tra bod y plant a Laura yn yr ysgol, Laura'n cynnal ei gwersi yoga trwy'r Llydaweg, yn ymestyn ei geirfa yn ogystal â'r corff a'r meddwl, dechreuais i'r diwrnod yn ymestyn fy ngwybodaeth a'm geirfa dechnegol Lydaweg am fragu cwrw. Roedd hi'n gynnar braidd i fod yn nghanol arogleuon hopys ond fel rhan o fore o ffilmio gyda'r criw o Gymru ar gyfer S4C fe aethon ni ar ymweliad â Bragdy Llydaweg ei iaith, D'istribilh. Fis Medi diwethaf bu D'istribilh yn dathlu pum mlwyddiant y cwmni ac mae wedi cymryd camau mawr yn ei flaen ers dechrau ar y fenter. Bu Gwenole yn teithio'r byd ac yn bwrw ei brentisiaeth mewn gwinllannau, ond gydag awydd i ddod nôl i'w fro enedigol a thywydd na fyddai'n caniatáu tyfu grawnwin yn hawdd aeth ati i droi ei law, a'i wefusau, at gwrw. Rwy'n cofio ambell un yn sôn nad oedden nhw'n or-hoff o'r blas yn y dechrau, ond bellach mae'r amheuwyr hynny wedi newid eu meddyliau ac yn canmol y gwahanol fathau o gwrw sydd ganddo.

Mae Gwenole yn siaradwr Llydaweg ac felly mae enwau Llydaweg sy'n chwarae ar eiriau ac ymadroddion odledig Llydaweg i'w gweld ar labeli'r poteli. Un ymadrodd, er enghraifft, a welir yw: 'Yec'het mat d'an holl / hemañ 'zo o vont da goll'. Gellir cadw'r odl wrth gyfieithu'r cwpled hwn sy'n adnabyddus ar lawr gwlad: 'Iechyd da ichi oll, mae hon yn mynd ar goll' ('hon' yn cyfeirio at y ddiod). Mae'r broses a'r ymdrech sy'n mynd mewn i wneud cwrw yn gryn dipyn o waith, ond ymddengys taw'r elfen bwysicaf, yn D'istribilh o leiaf, yw'r gwaith glanhau. Dyna dri chwarter y gwaith, yn ôl Gwenole, sef sicrhau bod yr offer yn lân er mwyn gallu cynhyrchu'r blas a'r ansawdd gorau posib ar y cwrw. Gallaf hefyd dystio taw gwaith llawer haws oedd blasu'r cwrw ar ddiwedd y sesiwn ffilmio.

Wedi i Laura gasglu'r plant o'r ysgol a finne o'r bragdy (onest, nid mewn bragdai y byddaf yn treulio fy moreau Gwener!), aethom yn ein blaenau tua'r gwesty yn Konk Leon (Le Conquet), gefeilldref Llandeilo, er mwyn bod yn barod i ddal y llong i Ynys Eusa (Ouessant yn Ffrangeg a Ushant yn Saesneg) lle byddwn ni'n treulio diwrnod fy mhen-blwydd yn 37 mlwydd oed yfory. Cyn swpera mewn tŷ crempog, roedd cyfle i wneud i fy mhlant yr hyn a wnaeth fy rhieni i fi yn blentyn, sef eu llusgo o gwmpas mynwent. Rhyw gilometr o Konk Leon, ym mhentref Lochrist, mae bedd cawraidd o drawiadol Yann Frañsez Vari Ar Gonideg. Mae dau beth yn nodweddu Ar Gonideg a'i garreg fedd, tu hwnt i'r ffaith fod y beddfaen yn sawl metr o uchder ac yn edrych lawr dros bawb arall yn y fynwent. Y cyntaf yw mai fe oedd y cyntaf i greu orgraff sefydlog i'r Llydaweg, gan alluogi siaradwyr Llydaweg i fynd ati fwyfwy i drin eu hiaith yn ysgrifenedig. Cyhoeddodd lyfr gramadeg ym 1807 a ymdrechai i leihau benthyciadau Ffrangeg yn yr iaith a chynnig dysgeidiaeth gyffredinol ar deithi'r iaith y gallai'r Llydawyr ei harddel. Fe hefyd a wnaeth gyfieithiad i'r Llydaweg o'r Testament Newydd am y tro cyntaf. Yr ail beth sy'n nodedig amdano yw fod ei weledigaeth a'i hoffter o'r gyfeillach Geltaidd rhwng gwledydd sy'n rhannu'r un ieithoedd yn golygu taw cymdeithas lenyddol y Gomeriaid o'r 19eg Ganrif a dalodd am ei garreg fedd gan ysgrifennu teyrnged iddo yn Gymraeg. Er bod Erwan braidd yn ifanc i allu cofio gweld bedd Ar Gonideg, roedd dangos i Sisial fod yna Gymraeg wedi ei osod yn Llydaw ymhell cyn geni hyd yn oed ei rhieni hen, yn creu rhyw falchder ynddi y daw hi, gobeithio, i'w ddeall yn well wrth agosáu at fy oedran i.

Braf, wedi i'r plant glwydo, oedd cael mwynhau potel fach o gwrw D'istribilh gyda Laura a datgan: 'Yec'het mat d'an holl/ emañ zo o vont da goll!'

D'istribilh

Galw ein henwau wna'r galwyni
du ha gwenn sydd yn y casgenni,
anadl rebel wedi'i gostrelu
yn stŵr rheibus yw *D'istribilh*!

Heno cawn nofio yn ei afiaith
Yn nhrochion swynion nos a'i heniaith
Neu hwylio'i fôr, darganfod mordaith
drwy ehangder aber *D'istribilh*.

Dim ond Llydaweg sy'n gemegion
yn waedd oferedd drwy'i ddiferion.
Dŵr a waedda ei hymadroddion,
dŵr â'i wybod yw *D'istribilh*.

Os bydd syched y bore wedyn
cei di forio ar frig diferyn
Llydaweg adre gyda gwydryn,
dŵr a'i obaith yw *D'istribilh*.

Dydd Sadwrn, Mai 11, Ynys Eusa / *Disadorn unnek a viz Mae, Enez Eusa*

Roedd un mlynedd ar hugain wedi mynd heibio ers i fi fod ar Ynys Eusa ddiwethaf. Bryd hynny, yn haf 1998 fe dreulies i a fy mrawd wythnos ar un o gyrsiau An Oaled ('Yr Aelwyd', mudiad sy'n gwneud gwaith tebyg i'r Urdd). Roeddwn i a fy mrawd wedi bod yn mynd ar gyrsiau An Oaled bob blwyddyn ers 1992, lle byddai fy rhieni yn ein cludo ni at y llong yn Plymouth ac yn ein gadael yn nwylo'r staff, gan roi bathodynnau arnom (achos, os wyt ti'n crwydro llong fawr heb dy rieni, ac yn mynd i drafferthion fel syrthio i'r môr, bydd bathodyn yn ddefnyddiol iawn!) i nodi ein bod ni'n croesi'n ddi-riant. Prin y byddai'r fath drefniant yn bodoli bellach. Prin hefyd yw'r Llydaweg ar Eusa bellach, yn ôl ambell un y sonion ni wrthyn nhw am ein trip i Eusa. 'Echu eo' (Mae wedi gorffen). Ond tybed a fyddem yn dod ar draws criw o Lydawyr ifanc yn llawn sŵn a Brezhoneg? Byddaf yn aml yn meddwl nôl i'r cyrsiau y bydden i a Hefin yn eu gwneud. Roedden nhw'n brofiadau ffurfiannol a chofiadwy, o ran yr iaith ac o ran gweithgareddau. Un o'r cyrsiau mwyaf heriol oedd seiclo a chaiacio o le i le ar hyd bro brydferth yr Aberoedd, sef ardal Plougerne a'r cyffiniau. Bu ambell her i'n Llydaweg ni hefyd: 'Paouezit gant ho Brezhoneg Bro Gembre!' (Rhowch y gorau i siarad eich Llydaweg Cymru!). I ni, ac i'r bobol ifanc eraill, mae'n siwr ei fod yn rhyfedd cwrdd â siaradwyr Llydaweg ifanc nad oedden nhw mewn addysg Lydaweg ac oedd yn dibynnu ar Lydaweg un person a'i porthai yn yr iaith mewn gwlad arall. Yr adeg honno, roedd gyda fi a Hefin Lydaweg oedd yn fwy triw i acen dafodieithol fy mam. Yn anorfod, wrth ymwneud ag eraill neu wrando fwyfwy ar gyfryngau Llydaweg mae rhywun yn magu geirfa wahanol ac arferion siarad gwahanol. Ond i'r plant ar gyrsiau An Oaled nad oedden nhw wedi clywed acen Bro Bagan (sef cynefin fy mam), roedd yn swnio fel Llydaweg gwneud o Gymru.

Wrth gofio nôl a chofio enwau cyntaf nifer o'r bobol ifanc oedd ar ein cyrsiau, yn siaradwyr Llydaweg rhugl a hyderus, y cwestiwn mwyaf sydd gen i yw tybed faint ohonyn nhw sy'n dal i fyw eu hieithoedd nhw. Clywais am ambell un yn mynd i'r byd cerddorol a'r cyfryngau yn Llydaweg, ond wn i ddim am y gweddill. Tybed ai i'r un cyfeiriad honedig â'r Llydaweg yn Eusa roedden nhw wedi mynd?

Ond yn ôl at y diwrnod dan sylw, bant â ni ar drip i Eusa. Yn y llong roedd gŵr ifanc yn ein tywys yn Ffrangeg drwy'r golygfeydd roedden ni'n eu pasio ar y daith dri chwarter awr o hyd. Mae archipelago Molenez, lle mae rhyw 300 o dai, oll yn wynion, yn edrych ar un wedd fel paradwys bychan ond hefyd fel lle digyfaddawd dan fympwyon y môr. Mae rhai o'r ynysoedd eraill tu hwnt i brif Ynys Molenez yn warchodfeydd natur sy'n gartrefi i adar prin a hefyd yn ganolfannau i arbenigwyr astudio a thrin gwymon. Ond dim ond gyda chaniatâd arbennig y cewch chi ymweld. Byddai bywyd yn yr hen Lydaw Lydaweg yn wahanol iawn i heddi ac yn fywyd caled iawn.

Rhywbeth a wynebai'r morwyr ar hyd y canrifoedd wrth groesi at Eusa neu wrth ddefnyddio'r sianel rhwng Eusa a Konk Leon am ei fod yn ennill amser iddyn nhw wrth deithio'r Iwerydd oedd cerrynt enwog y Fromveur. Tarddiad yr enw yw 'Ffroud' (Ffrwd) a Meur (Mawr) ond mae'r gair 'from' hefyd yn golygu ofn neu fraw yn Llydaweg. Mae na gwpled Ffrangeg sy'n nodi 'Nul n'a passé Fromveur sans connaître la peur' (Nid oes neb wedi pasio Fromveur heb deimlo'r ofn). Felly rhybuddiais Laura a'r plant fod croesi'r Fromveur yn gallu bod yn gryn brofiad a doedd heddi ddim yn eithriad. Fe deimlon ni bresenoldeb y cerrynt cryfaf yn Ewrop (sydd nawr yn pweru tyrbin dŵr sy'n darparu trydan ar gyfer Eusa) i'r graddau fod Erwan, oedd yn edrych yn go welw, druan, yn dweud 'Paid, môr, dyna ddigon!'

Wrth gyrraedd dyfroedd yr ynys roedd y lloches rhag y

cerrynt yn amlwg a'r daith yn fwy llyfn. O gyrraedd yno a gwrthod y tacsis parod (ro'n wedi clywed am yrrwraig tacsis ar yr ynys oedd wedi mynd ati i ddysgu Llydaweg oherwydd teimlad o golled a balchder, ond ni welais na chlywed Llydaweg ymhlith y gyrwyr), dyma benderfynu llogi beiciau am y diwrnod. Roedd tatŵ ar fraich y gŵr ifanc a ofalai am y beiciau yn nodi 'Mar kouez en em sav' ('Os syrthia fe gwyd o'r newydd', arwyddair Eusa, sy'n dweud llawer am feddylfryd di-ildio'r ynyswyr), ac mae'n bosib ei fod yn medru'r iaith, ond er inni siarad Llydaweg â Sisial ac Erwan ni fentrodd ymateb yn Llydaweg. Efallai nad oedd yn medru o gwbwl. Fel Lladin ar wal eglwys, felly, roedd ganddo datŵ Llydaweg am ynys Eusa oedd yn datgan ei hunaniaeth. Un o bobol falch yr ynys, yn amlwg.

A bant â ni ar ein beiciau, Sisial ar ei beic ei hunan ac Erwan mewn sedd ar gefn beic Laura. Yn anffodus i Mukti, y ci, doedd dim beic ar ei gyfer e, felly yn 11 mlwydd oed, o bosib yn 76 mlwydd oed mewn blynyddoedd ci, fe gafodd e'r fraint o redeg o gwmpas yr Ynys. Gyda digon o seibiannau a digon o ddŵr fe fu iddo ddygymod yn wych. Ac wrth ymlwybro ar draws yr ynys, cofio a gwenu wrth weld nad oedd fawr ddim wedi newid ers y cwrs Llydaweg 21 mlynedd yn ôl, dyma weld olion o'r Llydaweg ym mhobman, fel tatŵ powld ar fraich ynyswr, fel Lladin ar wal eglwys.

Cawsom ginio ym mwyty Ar Piliget (o be wy'n ei ddeall, mae'n rhyw gyfieithu i olygu 'y ffrimpan'). Ro'n i wedi archebu bwrdd yno cyn dod gan eu bod yn derbyn cŵn. Roedd popeth a welem ar ein platiau yn dod o'r ynys ac wedi ei goginio'n berffaith. Mwynhaodd Mukti y saib i gysgodi rhag yr haul â'i fowlen o ddŵr. Ymlaen â ni wedyn gydag enwau Llydaweg yr amrywiol ardaloedd yn amlwg ar ein taith a hyd yn oed gwên gan un o'r trigolion wrth i fi ofyn yn Llydaweg i Sisial os oedd hi'n iawn ar gefn ei beic. Dan yr wyneb, falle bod yna fwy o iaith ar ôl yma nag a welir ar yr olwg gyntaf. Aethom i ogledd yr Ynys lle mae ynys fechan arall, craig o ynys o'r enw Keller, i'w gweld a chartref unig, rhyw led blasty, yn sefyll yn yr elfennau. Mae'n debyg fod yna deulu'n berchen yr ynys ac yn dod yno bob gwyliau haf, ond meddyliais, os dianc i gael llonydd, yna dyma'r fan. Doedd dim o'n blaenau ond gorwel o wylanod a thonnau'n sgyrsio â'i gilydd, a rhywle yn y pen draw Ganada neu'r Arctig. Ac wrth weld y glustog Fair yn ei hyfrydwch porffor yn tyfu yno, a ieir rhai trigolion yn cael rhwydd hynt ar diriogaeth di-gadno i ymffrostio'n rhydd ar hyd lonydd, yr hyn a'm trawodd oedd y tawelwch. Oedd, roedd ambell dractor yn mynd o gwmpas ei waith, ond doedd na ddim rhuthr ceir, ffonau'n canu, na dylanwad na phresenoldeb pobol. Mae'r ynys wedi ysbrydoli sawl cân, a'i thawelwch ysbrydol i'w theimlo yn y caneuon, o 'Plac'hig Eusa' a genir gan y diweddar Yann-Fañch Kemener i albwm o ddarnau persain ar biano o'r enw Eusa, gan y cerddor Yann Tiersen, sydd wedi dysgu Llydaweg ac sydd fel rhan o'i dröedigaeth ieithyddol yn dysgu Llydaweg i bobol ar yr ynys, mae'n debyg. Mae yma swyddfa'r heddlu a thref sy'n cynnwys banciau a phum gwesty, ond cofiaf ddysgu am hanes bywyd ar yr ynys ddegawdau, ganrifoedd yn ôl ac nid yw'n lle y bu'n hawdd i ddyn ei reoli na'i siapio yn ôl ei ofynion. Yn wir, ar gilcyn mor hardd a gwyllt yng nghanol y môr pa hawl sydd gan ddyn i hawlio hynny? Ai dyna reswm arall fod y Llydaweg yn honedig wedi mynd o'r ynys, am nad yw hi yn lle y gall dyn osod ei ysgolion Diwan a sicrhau drwy addysg fod yr iaith yn dal i dyfu yno, fel y glustog Fair ar ymyl y graig?

An Oaled

(Clywais yn y newyddion, ar ôl dod yn ôl i Gymru, fod mudiad An Oaled yn dirwyn i ben ac na fydd mwy o gyrsiau Llydaweg yn digwydd yn y ganolfan yn Treglonnoù. Bu'r blynyddoedd hirfelyn tesog hynny yn ffurfiannol iawn i fi a Hefin, fy mrawd, wrth inni gymdeithasu a phrifio yn Llydaweg. Mae clywed fod An Oaled yn dod i ben yn newydd sy'n fy nhristáu. Pan fyddwn ar eu cyrsiau yn byw yn Llydaweg gyda phobol fy oed, teimlai fel tasai hyn am bara am byth. Mae hefyd yn arwydd na ddylen ni yng Nghymru gymryd pethau fel canolfannau'r Urdd yn ganiataol.)

Deuai'r haf a'i iaith ei hun
inni ei chwysu o ddysgu'n ddi-ofn,
deuai'r haf a'i adar hy
i'n swyno â'r alawon eneidlawn,
a gyda'r haf ar grwydr aem
ar hyd llwybrau'r tafodieithoedd
o blaned arall, o fydoedd tu hwnt
i *balenn Mamm*, a ffarm *Ta-kozh*.

Yn erbyn y llif fe rwyfem
ar ein hynt trwy aberoedd
geiriau'r genhedlaeth fyw,
i yngan gyda phob strôc
yr eirfa a ddringodd furiau
brwydrau Diwan;
y Llydaweg llyfr a lamodd
o'r ddalen i ddwylo'r
crefftwyr iaith i'w cherfio
yn gelfyddyd lachar.

Y geiriau a raffai ddawnsiau
drwy ein breuddwydion,
wrth inni gampio.

Deuai'r haf â'i hiraeth hallt
dros ddau frawd a ddaeth
dros fôr perthyn, dros fôr dieithrwch.
Drwy hiraeth hallt yr haf
daeth dau ddyn o'r gawod ddagreuol
i ddeall llif y dyfroedd
a bod modd rhwyfo
drwyddynt yn drech.

A phan ddeuai'r haf a'i her,
fe dyfem, frawddeg ar frawddeg
yn fwy, o raddio, yn fur o weiddi,
yn fôr o heddwch, yn frau o weddi.
Pob gair yn gyhyr newydd
i rwyfo'n gynt ar ein hynt o hyd.

Pan ddeuai'r haf yn wên o hyd
roedd iaith i'w chlywed drwy'r caeau ŷd
a ninnau'n barod i goncro'r byd
yn Llydawyr go iawn, yn gân i gyd,
yn Llydawyr go iawn, wedi'r haf a'i hud.

Dydd Mawrth, Mai 14, Lesneven / *Dimeurzh pevarzek a viz Mae, Lesneven*

Yn y gwaed

Mae 'na bwyslais mawr yn y system gofal iechyd yn Ffrainc mewn atal cyflyrau a chlefydau gymaint ag sydd ar eu trin nhw. Mae profion gwaed a phethau tebyg felly yn cael eu cynnig yn gyson. Sy'n beth da. Y tro diwethaf y bues i yn y ganolfan tynnu gwaed er mwyn gwybod fy ngrŵp gwaed cyn cael y llawdriniaeth ar dorllengig, fe aeth hi'n sgwrs bach braf rhyngof a'r nyrs ynglŷn â hanes a gwreiddiau fy nheulu yn Llydaw a Chymru. 'C'est une belle histoire' (mae'n stori hardd) meddai hi. Mae'n bosib ei bod hi sbo, ond dyw rhywun ddim yn ystyried ei fod yn wahanol i neb arall, wedi'r cyfan mae gan bawb hanes teuluol diddorol. Nid dim ond daearyddiaeth sy'n ein diffinio. Yna fe nododd fod gen i wythiennau hardd! Rhywbeth nad oeddwn i wedi sylwi arno o'r blaen, ac alla i ddim dweud o'u hastudio fod yna rinweddau sy'n eu gwneud yn gymwys i gystadlu mewn rhyw fiwti pajent, ond dyna ni. Wna i ddim gwrthod ei sylw caredig hi.

Y tro hwn, dyma fi a Laura'n mynd, finne yn gwmni i Laura rhag ofn bod yna Ffrangeg technegol yn codi oedd angen ei gyfieithu ar y pryd. Er, mae Ffrangeg Laura yn go rhugl erbyn hyn. Mae gan y Llydawyr duedd i siarad yn go gyflym a llyncu cytseiniaid a weithiau sillafau cyfan felly mae Laura wedi tiwnio ei chlust bellach i'r arferion bach difyr hynny.

Nyrs gwrywaidd oedd yn ein gweld ni'r tro hwn, a soniodd fod ganddo deulu yn yr Eidal, ar ôl inni ddechrau trafod y gair yna'n dechrau â B – ni allai yn ei fyw ddeall y ffolineb oedd yn digwydd yn ynysoedd Prydain ar y foment. Ac yna fe ddaethon ni i grybwyll y ffaith fod y clinig tynnu gwaed yn gyson brysur, yn enwedig gyda'r to hŷn. Nododd yn gryno fod pobol bellach yn fan hyn 'wedi anghofio sut i farw!'.

Dydd Mercher, Mai 15, Kelorn / *Dimerc'her, pemzek a viz Mae, Kelorn*

Cyn inni symud i Lydaw, â Sisial yn pryderu a thristáu am weld eisiau ei ffrindiau da yn Ysgol Pontyberem, ceisiais ei darbwyllo y byddai siawns dda y byddai hi'n gwneud ffrindiau a fyddai'n ei charu a'i gwerthfawrogi gymaint a'i chyd-ddisgyblion yng Nghwm Gwendraeth, ac y byddai hi yn ei thro yn gweld eisiau y ffrindiau newydd hyn pan fyddai'n rhaid inni droi nôl i fyw yng Nghymru. Mae'n gryn newid i ferch seithmlwydd ac mae Sisial wedi profi fod ganddi adnoddau dygymod a goroesi rhyfeddol er mwyn gallu gwneud yr hyn a wnaeth wrth newid ysgol, newid gwlad a setlo i fywyd yn Llydaw. Bydd angen i ni, fel rhieni, ymdrechu i gadw mewn cyswllt â rhieni ei ffrindiau yn Skol Diwan Lesneven gan bod Sisial yn dangos arwyddion o gyfeillgarwch mawr rhyngddi a sawl un yn ei dosbarth.

Un o'r ffrindiau hynny wy'n sicr y byddwn yn gweld mwy ohoni ar dripiau i Lydaw yn y dyfodol yw Nannig, y ferch a siarsiwyd gyda chroesawu a gofalu am Sisial pan aethon ni am bythefnos ym mis Mai 2018 i brofi bywyd yn yr ysgol a chyflwyno Sisial i'w chyd-ddisgyblion a'r drefn feunyddiol am bythefnos. Efallai fod y ffaith fod Nannig wedi cael ei magu ar aelwyd gyfan gwbwl Lydaweg hefyd yn rhywbeth a greodd gyswllt cryf rhyngddi a Sisial.

Daeth Nannig draw i chwarae heddi, wedi misoedd o drafod gyda'i mam y byddai'n braf fod y ddwy yn cael cyd-chwarae tu hwnt i oriau'r ysgol. Pleser pur oedd clywed y ddwy yn chwarae drwy'r prynhawn yn Llydaweg. Pan fynegais i hyn i'r merched, gan nodi mor lwcus oedden nhw i fedru mwy nag un iaith, ebychodd Nannig 'Ya, ha Galleg zo nul!' (ie, ac mae Ffrangeg yn *pants!*').

Difyr oedd sgwrsio gyda Helle, mam Nannig wrth baneidio wedi iddi ddod i nôl ei merch. Mae Helle yn athrawes Lydaweg mewn ysgol ddwyieithog, tipyn o dalcen caled yn ôl ei chyfaddefiad ei hun, o ran annog disgyblion i arddel eu Llydaweg. Mae gŵr Helle, Bertrand, hefyd yn Ffrancwr a ddysgodd Lydaweg, ac o wrando arno yntau'n siarad fydden i ddim yn dweud taw wedi dysgu mae e, wrth iddo siarad yr iaith mor hawdd gyda'i blant wrth eu casglu o'r ysgol. Soniodd Helle wedyn am ei chyfnod yn Aberystwyth ac fel y daeth hi i ddeall stad yr iaith Lydaweg o weld fod y Gymraeg yn hynod o bresennol o'i chwmpas yn y siopau a'r tafarndai ac yn ei bywyd bob dydd. Wrth i Nannig adael gyda'i mam ar ddiwedd y dydd, dywedodd Sisial ei bod hi'n edrych ymlaen i gael dod nôl i Lydaw er mwyn chwarae gyda hi eto.

Dydd Gwener, Mai 17, Brest / *Digwener seitek a viz Mae, Brest*

Es i recordio troslais ar gyfer rhaglen ddogfen S4C, *O Bontyberem i Lydaw*, heddi. Nid yw eistedd mewn stiwdio yn darllen sgript, weithiau drosodd a thro, yn beth hynod ddifyr i'w nodi, er rhyfeddodd y dechnoleg sy'n caniatáu imi siarad â ffrind da o beiriannydd sain yn Llanelli drwy gyfrwng y cyfrwng, ond roedd yr ynys o Lydaweg ro'n i newydd lanio arni yn syndod. Yn swyddfa France 3, Brest, mae bygythiad i'r swyddfa leihau nifer staff ar y foment, y rhai sy'n darparu'r eitemau newyddion Llydaweg ar gyfer *An Taol Lagad*, tra bod y cyflwynydd y newyddion wedyn yn eu cyflwyno o Roazhon, bob ochr i'r chwinciad o newyddion drwy gyfrwng y Ffrangeg. Ond fan hyn, ces recordio fy nhroslais gan siarad Cymraeg â'm ffrind Huw, yn Llanelli, a Llydaweg gyda'r dyn sain ym Mrest. Roedd tri chwarter y staff yn siaradwyr Llydaweg, yn arddelwyr Llydaweg ac yn gweithio o ddydd i ddydd yn yr iaith a gyda'r iaith. Yn aml, straeon am ddatblygiadau ieithyddol, neu ymgyrchu sy'n mynd â'u sylw. Gallech ddweud mai cymuned artiffisial Lydaweg yw'r ynys fechan hon, ond mae'n bodoli ac nid trafod tatws a phridd a chyrhaeddiad yr arad a'r tractor maen nhw, ond meysydd yr honnir na all y Llydaweg eu trin. Am orig felly, rhwng siarad Ffrangeg â'r dderbynfa, ni ddefnyddiais na Ffrangeg na Saesneg i wneud fy ngwaith.

Dydd Sadwrn, Mai 18, Lesneven / *Disadorn triwec'h a viz Mae, Lesneven*

Cynhaliwyd diwrnod agored arall yn ysgol y plant bore 'ma. Teimlai fel petai mwy o bobol wedi dod drwy byrth Skol Diwan Lesneven y tro hwn. Efallai taw'r prif reswm am hynny yw fod y canwr poblogaidd Jean-Luc Roudaut yn canu ar iard yr ysgol. Cyngerdd awyr agored am ddim tebyg i'r Beatles ar do swyddfeydd Apple yn '69, yn Llydaweg. Y caneuon o leia. Dyna beth sy'n rhyfedd am Jean-Luc Roudaut. Dychmygwch Martin Geraint gyda bandana a *dreadlocks* ac mae gennych syniad go dda o'i bryd a'i wedd (neu gellir gŵglo, hefyd, wrth gwrs). Cawsom fwynhau ein cyfaill Ffran May yn canu gyda Jean-Luc wedyn, y caneuon oll yn Llydaweg a'r cyflwyniadau rhwng caneuon yn ddwyieithog, gyda Jean-Luc yn siarad Ffrangeg (oedd yn handi i'r trwch o rieni na ddeallent Lydaweg) a Ffran yn cyflwyno popeth yn Llydaweg. Tro mab Jean-Luc oedd hi wedyn, Noah. Mae e'n gyn-ddisgybl yn ysgol gynradd *Diwan* Lesneven a bellach yn ddisgybl yn yr ysgol uwchradd Lydaweg lle mae Ffran yn dysgu Saesneg, sef '*Skolaj Diwan Gwiseni*'. A dyna lle'r oeddem, yn dawnsio a churo'n traed i gyfeiliant caneuon roc Llydaweg ar iard yr ysgol – un gân yn ddehongliad roc trwm amheuthun o eiriau un o feirdd mawr y Llydaweg yn yr ugeinfed ganrif, Anjela Duval.

Dydd Sul, Mai 19, Plañvour / *Disul, naontek a viz Mae, Plañvour*

Y Carlwm a'r Ddraig

Yn ystod mis Mai eleni, fel sy'n digwydd bob blwyddyn nawr, mae Gouel Breizh / Fête de la Bretagne yn digwydd yn Llydaw, gŵyl sy'n cynnwys pob math o ddigwyddiadau hwyliog, yn ddiwylliant a chwaraeon, ar hyd Llydaw benbaladr. Mae'n golygu bod Llydaw'n fwrlwm o weithgaredd dros y cyfnod hwn a nifer o ddigwyddiadau Llydaweg yn cael eu cynnal yn Breizh Izel, yn enwedig. Un digwyddiad lle roedd galw am nid yn unig siaradwr Llydaweg, ond hefyd siaradwr Cymraeg, oedd 'Sonadeg an Erminig hag an Aerouant' – Cyngerdd y Carlwm a'r Ddraig, yn ne'r Morbihan, ger An Orient (Lorient). O'r lle rydyn ni'n byw, mae hynny yr ochr arall i Lydaw, lle mae Môr yr Iwerydd yn gynhesach ac yn wynebu bae Biscay o hwylio tua'r de. Mae'n ddwy awr o daith, ac mae'n teimlo ac yn edrych fel lle gwahanol iawn i ogledd Finistère a'i chaeau amaethyddol a'i arfordir creigiog-dywodlyd gwyllt. Rydyn ni yn rhanbarth ieithyddol Bro Gwened fan hyn, sydd mor wahanol o ran ei phobol a'i Llydaweg i ogledd Bro Leon ag yw Sir Fôn i Gwm Tawe.

Braf oedd cael gwahoddiad felly drwy Kanomp Breizh ('Canwn Lydaw') a chymdeithas Bro Gozh ma Zadoù, sef y gymdeithas sy'n ceisio hybu defnydd a balchder yn anthem Llydaw, sef Hen Wlad fy Nhadau wedi ei gyfieithu i'r Llydaweg (gan y bardd Taldir, ddechrau'r ugeinfed ganrif). Yn wir, dod i gyflwyno cyngerdd a oedd yn llawn o enghreifftiau o ganeuon gwerin ac emynau Cymraeg a gyfieithwyd i'r Llydaweg yr o'n i yn Plañvour. Ar ddechrau'r ugeinfed ganrif, pan sefydlwyd Gorsedd Llydaw yn sgil ymweliad ag Eisteddfod Caerdydd 1899 (alla i ddim dweud fy mod i'n cofio honna'n dda!) fe geisiwyd ennyn mwy o falchder a hybu'r diwylliant Llydaweg drwy fenthyg ac addasu, cyfieithu a throsi nifer o ganeuon traddodiadol ac adnabyddus Cymru. Gallwch ar noson hwyliog yng nghwmni pobol sy'n siarad Llydaweg ac sy'n ddiwylliedig (nid yw'r ddau beth, fel yng Nghymru, wastad yn mynd law yn llaw) glywed pobol yn canu 'C'hwi Gwir Vretoned' i gyfeiliant tôn Cân y Cadeirio ('Henffych ein prifardd, gweiniwyd llafn y cledd'), neu falle yr emyn 'Kalon C'hlan' (Calon Lân) neu 'A Hed an Noz' (ie, dyna chi, Ar Hyd y Nos!). Mae'n brofiad go ryfedd gwrando ar donau sydd mor gyfarwydd, ond eto yn anghyfarwydd-gyfarwydd. Hynny yw, deallaf y rhan fwyaf o'r geiriau a genir, ond nid yw'r geiriau Llydaweg ar y cof gen i. Nid yw cweit mor rhyfedd, serch hynny, â'r noson y clywais set o ganeuon y Beatles wedi eu trosi i'r Gernyweg yn yr Ŵyl Ban Geltaidd yn An Dengen (Dingle). Profiad unigryw o hyfryd oedd hwnnw.

Dydd Mawrth, Mai 21, Kelorn / *Dimeurzh, unan warn-ugent a viz Mae, Kelorn*

Tipiadau hiraeth

Ar ôl codi yn weddol gynnar toc wedi 7, dyma gael y plant yn barod i fynd i'r ysgol, gorffen sgwennu cerdd, gwneud bach o ymarfer corff ysgafn i ddechrau'r dydd a chael brecwast, yna sylwi nad oedd hi eto yn 9 o'r gloch yng Nghymru. Hyd yn oed naw mis mewn i'n hantur ni yma, er gwaetha byw bywyd fel Llydawyr, o'r garden iechyd i addysg y plant, o'r bwydydd i'r gweithgareddau diwylliannol, wy'n dal i wrando ar Radio Cymru a mynd yn ôl yr awr yng Nghymru. Tasen i yma yn barhaol, a fydde fy nghalon yn dal i dician ar GMT?

Dydd Gwener, Mai 24, Plouzeniel a Goulc'hen / *Digwener pevar warn-ugent a viz Mae, Plouzeniel ha Goulc'hen*

Bu fy rhieni'n sôn wrtha i ers tro byd eu bod nhw'n mynychu cylch cinio Llydaweg misol ac y byddai'n dda o beth i fi fynd gyda nhw. Hyd yn hyn ni fu hynny'n bosib oherwydd gofynion gwaith a theulu, ond heddi cawson ni fynd, yn Da-cu a Mammitch, Laura, finnau ac Erwan (Sisial druan yn yr ysgol ac yn colli mas ar y ciniawa). Mae'r cinio yn cylchdroi Bro Leon ac felly y mis hwn i Blouzeniel yr aethom i loddesta, enw sy'n cyfateb i Landdaniel yng Nghymru a phentre rwy'n ei nabod yn dda gan bod chwaer fy mam ac Wncwl François yn byw yno.

Bu'n bryd arferol o flasus (ar y cyfan, anodd yw canfod llefydd sy'n gwneud bwyd gwael), a phryd proletaraidd hefyd gan bod y gweithwyr, yn seiri, seiri maen, trydanwyr, towyr, gweithwyr cyngor a phob math o weithwyr eraill a gariai eu gweithgarwch dyddiol yn staeniau ar eu dillad gwaith, oll yn gorffen gweithio am hanner dydd bob Gwener, felly roedd y stafell yn orlawn â pharablu, bwyta ac yfed cryn dipyn o win coch. Bu'n gyfle i ni, wrth gwrs, sgwrsio yn Llydaweg yn grŵp o ryw bymtheg o bobol, er taw Ffrangeg oedd i'w glywed gan y to iau yn enwedig o'n cwmpas. Ar ddiwedd y pryd, daeth un gŵr hynod farfog o blith aelodau'r cylch cinio i ddweud helo wrtha i. Roedd e'n tybio mai Ronan Hirrien, fy nghyfaill o fyd y teledu Llydaweg, oeddwn i! Mae Ronan yn dipyn teneuach na fi felly cymeraf hynny fel compliment. Yna dywedodd wrtha i (roedd yntau'n gyn athro Hanes, Llydaweg a Lladin): 'Tont a ra brav ganeoc'h' ('Mae'n dod yn ei flaen yn dda gyda chi'), hynny yw, fy Llydaweg. Cymerodd mai wedi dysgu Llydaweg fel oedolyn o'n i a bod fy nodweddion tafodieithol yn dangos fy mod i'n ddysgwr da. Edrychodd arna i braidd yn syn pan esbonies i pwy oedd fy mam, a taw o'r crud drwyddi hi y dysges Lydaweg. Eto, cymeraf hynny hefyd fel compliment gan ymfalchïo fod olion acen fy mamm-gozh a'm tad-kozh yn para yn fy Llydaweg inne.

Gyda'r hwyr, wrth ymlacio o flaen rhaglen *Heno* ar S4C (mae hiraeth yn drech na rhywun weithie), dyma fi'n derbyn neges gan Ffran May yn holi os oedden ni ar ein ffordd. Dyma gofio yn sydyn ein bod wedi addo mynd i weld gitarydd gwych iawn o'r enw Soig Sibiril yn perfformio yng nghrempogdy Goulc'hen. Er mwyn peidio pechu a chan bod Sisial wedi ei chyffroi yn sydyn gyda'r syniad o gael mynd mas am 8 ar nos Wener, penderfynodd Laura fynd â hi, tra fy mod inne'n aros gartre i gael Erwan i'w wely. Wrth gyrraedd dyma Laura yn sylweddoli ei bod hi'n nabod tri chwarter y bobl sydd yna. Mae'n siŵr ei bod hi'n nabod mwy o bobol nag y bydden i wedi eu nabod tasen i wedi mynd – sy'n glod i Laura o ran ei hymdrechion i ddysgu Llydaweg ac i daflu ei hunan mewn i bob cyfle i geisio cymdeithasu. Ymhlith y gynulleidfa roedd siaradwyr Llydaweg, Saeson, Cymry a Ffrancod rhonc. Trawstoriad go dda o'n blwyddyn ddwetha ni yn Llydaw.

Dydd Sul, Mai 26, Lesneven / *Disul c'hwec'h warn-ugent a viz Mae, Lesneven*

Darganfyddiad pleserus fu deall fod Gouel Breizh / La Fête de la Bretagne (Gŵyl Llydaw) yn ddigwyddiad sy'n para bron i bythefnos a'i bod hi hefyd yn ŵyl sy'n digwydd ledled Llydaw, yn rhychwant eang o ddigwyddiadau a dathliadau, mewn pentrefi, trefi a dinasoedd. Syniad bendigedig ac esgus arall i fwynhau a dathlu y gorau o ddiwylliant Llydaw. Mae hefyd yn caniatáu i bob ardal roi lliw lleol, unigryw i'w dathliadau. Gellir ond disgrifio yr olygfa a welson ni wrth gyrraedd parc a chaeau'r Ti Ker/Mairie yn Lesneven fel gemau Olympaidd Llydewig! I gyfeiliant cerddoriaeth Lydewig ac arogleuon crempog, roedd pob stereoteip Llydewig y gallwch ei ddychmygu ar ddangos. Roedd na dynnu rhaff, ymryson benben gyda'r baz iod (y ffon uwd) lle mae dau berson yn dal ffon drwchus ac yn wynebu ei gilydd ar eu heistedd gyda'r naill yn ceisio ei orau i godi'r llall ar ei draed, tra bod eraill yn taflu marchysgall (artichokes) o bellter gan geisio eu cael mewn i fasged oedd ar gefnau pobol dros drideg llath i bant. Dim ond yn Llydaw!

Yr elfen unigryw Lydewig arall i'r gemau traddodiadol hyn oedd ymaflyd codwm o'r enw Gouren. Mae'n gamp gydnabyddedig. Gan fy mod yn parhau i ymadfer o'm llawdriniaeth ddiweddar, bu'n rhaid i fi sefyll ar yr ymylon a gwylio Laura a'r plant wedi eu gwisgo yn eu dillad gouren yn cael profi'r gamp am y tro cyntaf. Braf oedd gweld bod Sisial yn cael hwyl ar daflu ei gwrthwynebydd i'r llawr a chael ei thaflu yn ei thro ac roedd y wên ar wyneb Laura yn awgrymu ei bod hi wedi canfod trywydd gyrfa amgenach i yoga! Afraid dweud fod Erwan a'i natur gorfforol-egnïol hefyd yn ei elfen yn cael gwneud gouren am y tro cyntaf. Mae'n drueni na cheir dechrau mewn clybiau gouren hyd nes eich bod yn 4 mlwydd oed, neu byddai Erwan wedi cael mynd ar ei union i'r clwb agosaf. Diddorol hefyd oedd gweld cymaint o ddylanwad sydd gan y Llydaweg ar y gamp. Er na chlywais fawr o Lydaweg ymysg yr hyfforddwyr gouren na'r criw ifanc oedd yn arddangos eu doniau i'r cyhoedd, roedd y termau oll yn rhai Llydaweg, a'r rheiny yn eirfa rwydd ar dafodau pawb. O ymaflyd ar y 'palenn' (y cynfas) i 'dibenn' (diwedd) a gafael yn 'roched' (crys) eich gwrthwynebydd.

Braf wedyn oedd mynd o gwmpas y stondinau, gweld cymaint o ffrindiau ysgol ac athrawon Sisial a chyfeillion y daethom i'w nabod ar hyd y flwyddyn. Diweddodd ein prynhawn yn llwyr Lydaweg ei iaith, ar ôl y dechrau go stereoteipaidd a Ffrangeg a gawson ni wrth gyrraedd. Braf hefyd oedd cael llongyfarch Klervi, o Ti ar Vro Leon, am drefnu y cyfan oedd yn digwydd. Gan taw hi oedd yn trefnu cafodd y Llydaweg le blaenllaw ar arwyddion ac ar systemau sain. Cryn gamp a chryn glod haeddiannol gan bod y pethau hyn yn cynnig cyfleon naturiol i Lydawyr Llydaweg deimlo fod yna le i'w hiaith anadlu, hyd yn oed i gyfeiliant ac yng nghanol arogleuon symbolau Llydewig nad ydyn nhw'n dibynnu ar yr iaith bellach, fel bombards a chrempog.

Dydd Mercher, Mai 29, Kerlouan / *Dimerc'her nav warn-ugent a viz Mae, Kerlouan*

Cytunodd fy rhieni i gael y plant am y prynhawn fel fy mod i a Laura yn gallu mynd i'r digwyddiad misol a drefnir gan Ti ar Vro, sef 'Kafe Brezhoneg' (Caffi Llydaweg) – digwyddiad misol lle mae anerchiad ar bwnc gwahanol bob tro gan siaradwr gwahanol, cyfle i wrando, holi a wedyn cymdeithasu dros ddisgled yn Llydaweg. Dyma benderfynu gwisgo crys smart a Laura'n ddi-drafferth yn llwyddo i edrych yn osgeiddig. Ta beth, jyst cyn mynd dyma ni'n sylwi ein bod ni wedi camgymryd y dyddiad! Yr wythnos ganlynol mae e! Yn ein dillad capel gore dyma benderfynu mynd am ddisgled i Lesneven ac yna i siopa ac fe fu'n gyfle braf arall i fy rhieni gael hwyl gyda'r plant, gan nad oes ysgol ar ddydd Mercher. Ar y ffordd nôl, fe welson ni ein cymydog mwyn François Salou, yn gweithio ei gae o bwmpenni. Dyma weindio'r ffenest a taro'n naturiol mewn i sgwrs Lydaweg ag e eto a Laura, y tro hwn, yn hyderus daflu ei hun mewn i'r sgwrsio hefyd. Laura ofynnodd iddo ble roedd Bob ei gi, gan nad ydyn ni wedi ei weld ers rhai wythnosau ac mae Mukti yn ffrindie da ag e. Dyma ddeall fod Bob, yr hen gi hela, wedi mynd i Annwn. Dyma ddeall wedyn taw ci tad François oedd Bob, a bod rhan fach arall o'r hen Lydaw Lydaweg wedi cilio o'r byd yma. Mae ganddo gŵn eraill, wrth gwrs, ond fe synhwyrais fod rhywfaint o'i dad wedi ei adael a'i fod falle fymryn yn fwy unig yn y byd yma, er ei fod wedi hen arfer â bywyd ar ei ben ei hun yn gweithio'r tir o dymor i dymor. Mae rhywun hefyd ar adegau fel'na yn teimlo cysylltiad, hyd yn oed trwy hen gi, gyda ffordd o fyw a diwylliant a fu yn gyffredin i gymaint mwy o bobol yn Llydaw tan yn ddiweddar iawn. Bydd coffa da am Bob.

Dydd Iau, Mai 30, Skrigneg / *Diriaou, tregont a viz Mae, Skrigneg*

Tro Menez Are

Ar ddiwrnod digon llwydaidd fe fentron ni i ymylon gogledd-ddwyreiniol mynyddoedd Are i bentref Skrigneg (Scrignac) yng nghanolbarth Llydaw lle roedd digwyddiad blynyddol i godi arian ar gyfer Skol Diwan Komanna yn cael ei gynnal. Taith gerdded yw hi sy'n cynnig gwahanol lwybrau o wahanol hyd i'r teulu cyfan, o bum cilometr i 40 cilometr os ydych yn hoff o her. Mae'n debyg fod y diwrnod yn denu miloedd bob blwyddyn ac yn codi dros 30,000 o ewros bob tro ar gyfartaledd at goffrau'r ysgol. Y syndod wedyn yw gwybod nad yw hynny ar ei ben ei hun yn ddigon i gadw'r drysau'n agored a bod yn rhaid parhau i ymdrechu ar hyd y flwyddyn i gasglu ewros fan hyn a cents fan draw.

Roedd hyn oll yn anogaeth inni gerdded deg cilometr, tipyn o her i'r plant. Fe drefnon ni gwrdd â Monica ac Arnaud a'u plant, Mael a Lua. Ond y bobol gyntaf inni eu gweld yn y maes parcio oedd Mikel Beaudu, Llydawr sy'n gynhyrchydd-gyfarwyddwr yn y diwydiant teledu Llydaweg, a'i wraig o Gernyw, Morwenna Jenkin, sy'n medru pob iaith Frythonaidd, sef Cymraeg, Cernyweg a Llydaweg, yn rhugl. Mae Morwenna yn athrawes Saesneg yn ysgol uwchradd Diwan, Releg-Kerhuon ger Brest. Difyr deall eu bod nhw fel ysgol hefyd yn trefnu taith gerdded o gwmpas bae Brest, gyda'r nod o godi arian. Does dim pall ar wreiddioldeb a chreadigrwydd pobol sy'n gysylltiedig â Diwan o ran ffyrdd i godi arian ac mae'r cymdeithasu sy'n codi o hynny'n tynhau'r clymau o berthyn sydd ynghlwm wrth fywyd yr ysgol.

Wedi'r anffawd cychwynnol lle collodd Sisial ei hesgid mewn mwd trwchus, a gorfod ei gwisgo yn slwtsh mwdlyd am weddill y daith ar ôl ei physgota o'r pydew, fe fu'n daith bleserus gyda gorsafoedd i gael seibiant arnyn nhw yn cynnig lluniaeth o gacennau, te, coffi cwrw neu win a'r cyfle am seibiant i gyfeiliant grŵp gwerin byw. Roedd rhai cerddwyr hyd yn oed yn canfod yr egni i ddawnsio cyn mynd ymlaen ar eu taith!

Cyn cyrraedd pen y daith, bu'r mater bach o fynd ar goll yn bryder am ryw chwarter awr wrth inni fwynhau sgwrsio braidd gormod a cholli gafael ar yr arwyddion perthnasol. Cynigiais fod y criw yn aros yn eu hunfan ac fy mod i'n rhedeg yn fy mlaen (esgus da i geisio colli pwysau!) i weld a oedd y llwybr cywir i'r cyfeiriad arall. Dyma gyrraedd croesfan lle gwelais dri dyn mewn fan wen, a phenderfynu gofyn am eu cymorth i ganfod y llwybr. Yn syth pan ddiweddwyd y sgwrs gyda 'mat eo' (sef, 'da yw' o'i gyfieithu'n llythrennol), es i ddifaru fy mod i wedi dechrau'r sgwrs yn Ffrangeg. Dyma atgoffa fy hunan felly i wneud ymdrech o hynny ymlaen i ddechrau pob sgwrs yn Llydaweg, er bod y siawns yn gyffredinol o gael gwyneb syn yn lle ateb call yn go uchel os ystyriwn y canran is o siaradwyr Llydaweg sy'n bodoli yn Llydaw o'i gymharu â'r canran o siaradwyr Cymraeg yng Nghymru. Ond ro'n i'n ddiolchgar iddyn nhw gan inni ganfod y llwybyr cywir a ffeindio ein ffordd yn ôl i Skrigneg lle roedd yna dorf o bobol yn bwyta, yfed, ymladd gouren, sefyll o gwmpas y ddwy fuwch oedd yn brefu ar y sgwâr ac yn mwynhau'r fest-noz oedd wedi cychwyn. Roedd cryn dipyn o Lydaweg i'w glywed yn cael ei siarad a ninnau hefyd yn gweld wynebau cyfarwydd, o Mikel a Morwenna i Dewi Sibiril a fu gyda ni yn ddiweddar yn ffilmio eitem am Brexit ar gyfer rhaglenni Llydaweg ar wefan Brezhoweb. Roedd e yn chwilio am ei fab, Eflamm, sydd fel Erwan yn hoff o redeg nerth ei draed heb feddwl i ble mae'n cyrraedd, hyd yn oed ar ôl cerdded am 10 km.

Dydd Sadwrn, Mehefin 1, Penrhyn Kraoñ, Plogoneg a Gwiseni / *Disadorn ar c'hentañ a viz Even, Gourenez Kraoñ, Plogoneg ha Gwiseni*

Diwrnod twym ofnadw heddi. Cyfle da felly i fynd am wâc yn y car ac ar droed i benrhyn Kraoñ (Presqu'île de Crozon), un o'r llefydd ro'n i wedi crybwyll wrth Laura a'r plant yr hoffen i fynd iddyn nhw gan na fues i yno ers yn blentyn. Fel y gallwch ddychmygu, wrth yrru tuag at benrhyn, mae'n daith ddifyr yn y car lle mae rhywun yn teimlo fod y tirwedd yn newid yn gyson o'n cwmpas. Gadael gwastadeddau amaethyddol Bro Leon ac anelu lawr heibio bae Brest ac yna troi am Kastellin (Chateaulin), tref hyfryd ar lan afon Aon (l'Aulne) ac ymlaen mewn i'r penrhyn lle mae'r tir i'w weld yn fwy gwyllt a heb ei gyffwrdd gymaint gan ddyn. Profiad tebyg i gyrraedd Penrhyn Gŵyr. Cyrraedd tref Kraoñ ac yna mynd tuag at dref glan môr Morgat, lle mae'r bwytai yn adlewyrchu tywyn y tonnau a'r bobol sandalog yn awgrymu fod pob dydd yn wyliau yn fan hyn. O Morgat anelu lawr i Beg ar C'havr (Cap de la Chèvre, Pig yr Afr) lle mae modd parcio'r car ger gorsaf y Llynges Ffrengig a chofeb i'r eneidiau a gollwyd mewn rhyfeloedd yn enw Ffrainc. Wrth gyrraedd ymylon y penrhyn a thramwyo'r llwybrau cerdded, y peth cyntaf a'm poenai oedd hoffter Erwan o redeg yn rhydd. Byddai'n hawdd yn gallu cwympo i'r môr ar ei ben, ond o'i gario'n saff yn y sling roedd modd gwerthfawrogi'r profiad tebyg i'r un a gawsom o fod ar Ynys Eusa, lle na chlywir rhuthr y ddynoliaeth a lle mae'r tir o dan ein traed yn teimlo'n bitw ac yn ildio i ehangder y môr. Roedd y môr yn ei dro, o'i barchu, yn gwahodd golygfeydd breuddwydiol o ddibendrawdod.

Ond ro'n i ar frys, braidd, heddi. Ymlaen â ni wedyn felly i anrhydeddu addewid ro'n i wedi ei wneud i Laura a'r plant ac i Jaklin a Yann-Bêr, sef ein bod ni'n galw i weld trigolion croesawgar Plogoneg. Drwy gyd-ddigwyddiad roedd cyfeillion gefeilliol Yann-Bêr a Jaklin hefyd yn Plogoneg, sef Wena Bevan a'i mab Rhys. Rhaid i fi ddysgu fod yna ben draw i daflu addewidion ar hyd y lle, gan ein bod ni hefyd wedi addo y byddem yn brysio nôl i bentre Gwiseni (Guissény, sef y pentref nesaf i'n cartref yng Ngherlouan) sydd dros awr a hanner bant a hynny erbyn 4 ar gyfer parti pen-blwydd un o gyd-ddisgyblion Erwan, sef Quetsali. Golygai hynny mai dim ond amser am baned yng nghartref Llydewig Wena a Rhys a gawsom, er mor hyfryd oedd sgwrsio a chael gweld y lle hyfryd oedd ganddyn nhw ar gyrion Plogoneg. Cafodd Rhys brofiad tebyg i ni ac yntau yn ei ugeiniau pan fu'n byw yn y pentref am flwyddyn. Mae e hefyd yn gallu hawlio adnabyddiaeth ddofn o ran arall o'r byd a'i galw'n filltir sgwâr hefyd. Dyma ddeall fod Wena a Rhys yn croesawu eu cyd-efeillwyr draw i swper, ond gan bod yna bethau i'w gwneud yn ystod y pnawn, rhaid oedd inni alw draw i ganol pentref Plogoneg lle mae Yann-Bêr Rivalin a Jaklin Pennaneac'h yn byw. Cafodd y plant hefyd gwrdd â Glizh a Lutig, eu hasynnod, sy'n anifeiliaid annisgwyl i ddod ar eu traws ynghanol pentref, ond hefyd yn arwydd o gymaint yn fwy amaethyddol ac agosach at y tir mae pobol yn Llydaw hyd heddi. Fe glywir asyn yn brefu ar draws Cwm Gwendraeth yn go gyson ond prin y ceir y cyfryw asyn yn byw ger sgwâr y pentre! Doedd Mukti, ar y llaw arall, ddim yn gymaint o ffrindiau gyda'r asynnod, o'i gymharu â'r plant. Ac o fod wedi treulio'r dydd yn siarad dim ond Cymraeg a Llydaweg, wedi rhuthro nôl i'n cynefin ninnau yng ngogledd Bro Leon dyma dreulio gweddill y prynhawn yn dathlu'r pen-blwydd pedair mlwydd oed mewn lleoliad hyfryd, sef perllan fferm afalau ar gyrion Gwiseni a hynny yng nghwmni rhieni ysgol Diwan Lesneven, gan siarad dim ond Ffrangeg. Rhyfedd o fyd.

Bwyta cwningen wedi choginio yn y dull lleol

Un o ddwy eglwys yng nghanol Kerlouan

Yn y trelar yn mynd i gasglu coed tân

Dolmen dafliad carreg o'r tŷ, Parc an Daol

Kelorn, Hen Ffermdy'r teulu, ac ein cartref am y flwyddyn

Y tŷ yn y creigiau, un o olygfeydd enwocaf Kerlouan

Estyn dwylo dros y môr

Roedd yna adeg, na ŵyr neb i sicrwydd, hyd yn oed yr academyddion mwyaf blaenllaw sy'n rhannu sgwrs a chysyniad dwys dros goffi coeth, pryd y byddai pobol yr Hen Ogledd, yn Ne'r Alban a Gogledd Lloegr heddiw, wedi gallu sgwrsio'n braf gyda'r holl bobol a fyddai i'w canfod ar daith o'r Hen Ogledd, lawr hyd Gernyw a dros y môr i Armorica gynt, sef Llydaw bellach. Yr un iaith oedd rhyngddyn nhw, yr un diwylliant, un bobol oedden nhw. Brythoniaid.

Pan ddaeth hi'n adeg y Rhyfel Seithmlwydd rhwng Prydain a Ffrainc, â brwydr wedi cyrraedd Bae Sant-Kast ar arfordir gogleddol Llydaw ar Fedi 11, 1758, yn ôl chwedl sydd bellach wedi ei hanfarwoli mewn cân werin a gofnodwyd yn *Barzhaz Breiz* (beibl, i bob pwrpas, sy'n gasgliad o ganeuon gwerin Llydaw gan yr uchelwr o Kemperle, Kervarker) fe ymladdodd y Saeson a'r Ffrancod yn ffyrnig ac fe alwodd y Saeson ar y Cymry i'w cefnogi, a'r Ffrancwyr hwythau yn galw ar filwyr o Lydaw i ymuno yn yr ymdrech i drechu'r Saeson. Ond pan ddechreuodd ieithoedd Brythonaidd y ddwy garfan wthio eu ffyrdd drwy'r sgrechfeydd, cleciadau a synau rhyfela, pan fu i'r milwyr o Gymru ddechrau deall iaith y milwyr o Lydaw, a'r Llydawyr hwythau yn gwneud y sylweddoliad rhyfedd fod yna eiriau oedd yn perthyn iddyn nhw ar dafodau eu 'gelynion', fe benderfynodd y Brythoniaid dynnu nôl o'r frwydr a gadael y Ffrancwyr a'r Saeson iddi. Buan y trechwyd y Saeson dan niferoedd y Ffrancwyr, heb gefnogaeth y Cymry. Nid hanesydd mohonof, a fy ngreddf fel ieithydd o Frython yw peidio mynd i dwrio y tu hwnt i eiriau'r gân werin sy'n adrodd stori mor dda, er mwyn gwybod faint o wirionedd sydd yn hyn oll. Mater arall wrth gwrs yw gwastraff rhyfel a'i golledion dibwrpas.

Aeth Kervarker ei hun, neu Théodore Hersart de la Villemarqué, i roi ei enw uchelwrol iddo, o Gemperle yn ne Penn-ar-Bed i Eisteddfod y Fenni ym 1838, a hynny ar orchymyn Brenin y Ffrancwyr ar y pryd, Louis-Philippe y 1af. Efallai taw trwy laniad Kervarker yn y Fenni ac yng nghartref Sir Benjamin a Lady Hall, ac yng nghwmni Lady Charlotte Guest, y cafwyd y deialog diwylliannol cyntaf rhwng Cymru a Llydaw yn yr oes fodern ddiwydiannol. Ar yr achlysur mawreddog hwnnw, mewn cyfnod pan drefnai cymdeithas Cymreigyddion y Fenni eisteddfodau mawreddog lle byddai Gorsedd Beirdd Ynys Prydain yn rhan o'r defodau a'r gwobrau, fe ganodd Kervarker gân ddigon rhyfedd o'i gyfansoddiad ei hun. Cân sy'n rhyfedd am y rheswm nad yw hi yn Gymraeg na chwaith yn Llydaweg, ond yn rhyw fath o gymysgedd esperantoaidd lled-ddealladwy rhwng y ddwy iaith. Afraid dweud fod y dorf a glywodd gyfansoddiad Kervarker yn y Fenni wedi mynd yn wyllt bost gyda chynnwrf. Gallwch ddychmygu hetiau'n hedfan, diodydd yn dawnsio, bloeddiadau cynhyrfus a churo dwylo byddarol. Yn sgil y derbyniad rocstaraidd a gafodd Kervarker gan ei frodyr a'i chwiorydd o Gymry, fe dderbyniwyd Kervarker rai dyddiau wedyn i fod yn aelod llawn o'r Orsedd. Yn fy nhyb i, ef oedd y Llydawr, os nad y tramorwr, cyntaf i gael ei dderbyn i'r Orsedd.

Roedd y bennod ddifyr honno yn hanes cyfarfyddiadau rhyng-Frythonaidd yn ysbrydoliaeth rai degawdau yn ddiweddarach i sefydlu Gorsedd Llydaw, neu Goursez Breizh fel y'i gelwir heddiw. Ym 1899 fe ddaeth gosgordd o Lydawyr diwylliedig ac uchel eu parch, yn feirdd, awduron a cherddorion, i Gaerdydd er mwyn bod yn rhan o ddefodau'r Orsedd yn Eisteddfod Caerdydd. Archdderwydd enwocaf y bedwaredd ganrif ar bymtheg oedd yn arwain y seremoni ac yno fe dderbyniwyd a chroesawu'r Llydawyr i gylch yr Orsedd gan roi caniatâd fel y fam-orsedd iddyn nhw fynd â thriban gorseddol Iolo Morgannwg i Lydaw a sefydlu gorsedd eu hunain i hybu ac amddiffyn yr iaith Lydaweg a'i diwylliant. Yn yr Eisteddfod honno fe fu i Fransez Vale ddatgan y pennill canlynol:

> Ne deus bremañ met ur vro
> met ur yezh, ur galon,
> hag enni, vel ur mor
> a garantez wirion.

O'i addasu i'r Gymraeg, golyga:

> Nid oes yn awr ond un wlad,
> ond un iaith, un galon,
> ag ynddi, fel môr
> wir gariad ffyddlon.

Mae'n destun balchder i mi wastad fod un o gyfarfodydd cynharaf Goursez Breizh wedi cael ei gynnal ar arfordir paganaidd harddwyllt Brignogan, y pentref nesaf ond un i Gerlouan. Hyd yn oed os ydy 'Brignogan-plages' fel y'i gelwir bellach yn faes chwarae i filiwnyddion o Baris yn eu tai breision, mae gwybod fod defod wedi digwydd yno y dylanwadwyd arni gan y Gymraeg a'i diwylliant ac a gynhaliwyd yn nhân angerdd y Llydaweg ar ddechrau'r ugeinfed ganrif yn gwneud pethau rhyfedd yn fy ngwaed. Trist iawn, feri sad, byddai sawl un yn ei ddweud am hynny! Pawb a'i ffetish yw hi.

Fe barhaodd y Llydawyr i edrych tua Chymru a'i chadernid ieithyddol, benthyg anthem fan hyn, mabwysiadu emyn fan draw, ac fe ddaeth nifer o feirdd nodedig i ymweld â Chymry, dysgu siarad y Gymraeg a hyd yn oed dod â'r gynghanedd Groes yn ôl fel addurn egsotig i'w rhoi yn eu cerddi. Nid yw pawb sy'n byw yng Nghymru, credwch neu beidio, yn gwybod beth yw 'cynghanedd' a'i holl draddodiad (wy'n gwybod, anodd credu... ffilistiaid... mae 'na waith cenhadu i'w wneud o hyd, mae'n amlwg!). Ond nid yw pob Cymro neu Gymraes oleuedig a ŵyr am y gynghanedd yn gwybod fod yna gynghanedd lusg yn bodoli yng ngweithiau barddol y canol oesoedd yn Llydaweg hefyd a bod yna feirdd hyd heddiw sy'n ysgrifennu barddoniaeth nid yn unig yn Llydaweg, ond mewn cynghanedd hefyd. Ond wna i ddim mo'ch diflasu â dwys faterion technegol y gynghanedd, ddim yn y llyfr hwn o leiaf.

Y pwynt pwysig yw fod gennym ni dir cyffredin i sefyll arno a chyd-ryfeddu, yn Gymry a Llydawyr. Iaith sy'n hanu o'r un crud. Traddodiadau sy'n ddrych i'w gilydd. Cynghanedd, a hynny bob ochr i'r sianel. Cynghanedd! (Rwy'n addo, dyna'r tro olaf y byddaf yn crybwyll y gair...yn yr ysgrif hwn o leiaf.)

Ond mae gennym gymaint sy'n wahanol erbyn heddiw a dyna ogoniant sgwrsio, deialogu, gwrando, dysgu, dangos, ymhyfrydu, rhannu, peidio â deall a derbyn na fyddwn yn deall. Gefeillio. O ailddarllen y rhestr, mae'n cynnwys sawl elfen a aeth ar goll wrth i wleidyddiaeth Prydain droi'n fart o frefiadau a phrynu a gwerthu delfrydau a breuddwydion gwrach yn sgil Brecsit. Pawb yn udo a neb yn gwrando.

Mewn oes ddiniweitiach, gan ddechrau yn y 1960au, fe aeth pobol o Gymru a Llydaw ati i geisio cyflawni'r rhestr uchod o ferfau a sefydlu cynlluniau gefeillio rhwng trefi, pentrefi a chymdeithasau. Y cyntaf i efeillio ym 1964, yn addas iawn o ran symbolaeth, oedd ein Prifddinas, Caerdydd, a hynny gyda phrifddinas hanesyddol Llydaw, Naoned. Dilynodd Penarth wedyn ym 1969 drwy efeillio ag un o drefi pwysig Bro Leon yn hanesyddol, Kastell-Paol. Difyr nodi fod dros hanner dwsin o bentrefi a threfi o gwmpas Kemper bron i gyd wedi'u gefeillio gyda threfi a phentrefi yng Ngorllewin Cymru. Erbyn heddi gellir cyfri 41 o lefydd yng Nghymru sydd wedi gefeillio gyda llefydd yn Llydaw, heb gyfri'r rhai yng Nghymru fel Llanelli, er enghraifft, sydd wedi estyn ac ysgwyd dwylo gydag Agen yn ne Ffrainc.

O fod wedi sgwrsio â rhai a fu'n rhan ganolog o'u cynlluniau gefeillio nhw, ar ochr Cymru ac ar ochr Llydaw, mae yna wastad hofffter, cynhesrwydd a pharch mawr yn bodoli rhwng y carfannau. Ac mae gan bobol o gwmpas y prif drefnwyr hyn straeon i'w rhannu, yn droeon trwstan neu'n atgofion bendigedig o fwydydd coeth, gwinoedd coethach a chanu rhwng Cymry a Llydawyr yn pontio'r pellter. Cwrddais ag un gŵr, Yves Ar Gouarc'h, sydd, yn sgil gefeillio ei dref e, Gouenoù, gydag Aberhonddu, yn ymdrechu i siarad Cymraeg ac yn medru dal sgwrs yn braf. Mae 'na Gymry brwdfrydig wedyn sydd hefyd wedi mynd ati i ddysgu rhywfaint o Lydaweg. Fel y gŵyr nifer ohonom o fod wedi cael y profiad, mae'n aml yn destun tristwch ein bod ni fel cefndryd a brodyr Celtaidd, yn Gymry, Gwyddelod neu Lydawyr, yn gorfod defnyddio iaith ein cymydog swnllyd fel *lingua franca* rhyngom. Braf fyddai meddwl fod modd i gynlluniau gefeillio gynnig cyfleon i ddysgu ieithoedd ein gilydd yn ogystal â darganfod mwy am fydoedd ein gilydd.

Ces wahoddiad ym mis Chwefror i annerch cymdeithas gefeillio Plogoneg-Llandysul, cael gwneud anerchiad drwy gyfrwng y Llydaweg fel rhan o ddathliadau blynyddol Gwyl Ddewi y pentref, sydd nid nepell o Gemper, a braint oedd cael annerch cymdeithas Llandysul-Plogoneg yn yr un modd ar gyfer eu dathliadau gŵyl Ddewi nhw yng Nghymru rai blynyddoedd yn ôl. Ond mae gen i drymder pwysau euogrwydd ar fy meddwl byth ers imi annerch cymdeithas Llandysul-Plogoneg, a hynny yn Nhafarn Ffostrasol (bwyd da, chwel'!) am i'r gymdeithas benderfynu na fyddai'n parhau i drefnu gweithgareddau wedi hynny. A ddywedais i rywbeth cyfeiliornus? Do, fe soniais mai pendilio rhwng gobaith ac anobaith yw gweld y byd trwy lygaid siaradwr Llydaweg, yn go debyg i'n profiad ni fel Cymry Cymraeg. Un dydd fe welwn drydariad sy'n ymhyfrydu yn y ffaith fod yna blant bach o bob cefndir ar strydoedd Grangetown, Caerdydd, yn chwarae yn Gymraeg. Droeon eraill mae 'na ffws yn Trago Mills neu Gymry sy'n medru'r iaith yn agosach at adre sy'n byw eu bywydau heb siarad yr un gair o Gymraeg â'i gilydd. Gwn imi hefyd ddarllen ambell gerdd wrth annerch cymdeithas Llandysul-Plogoneg, falle taw'r rheiny a arweiniodd at roi'r farwol i weithgaredd y gymdeithas.

Ond mae Wena Bevan, un o hoelion wyth y sgwrs fawr rhwng Llandysul a Phlogoneg, wedi fy sicrhau nad o'm hachos i y daethpwyd â phethau i ben, ond yn hytrach y ffaith fod yr un bobol wedi bod wrthi yn cynnig eu horiau prin, fesul blwyddyn, i adeiladu pontydd rhwng Llandysul a Phlogoneg. Mae'r un peth yn wir o safbwynt y gefeillwyr cyfatebol ym Mhlogoneg, Yann-Bêr a Jaklin Rivalin. Maen nhw wedi bod wrthi'n ddyfal o flwyddyn i flwyddyn ers y dechrau nôl ym 1988 yn cynnal digwyddiadau ac arddel y cysylltiad, yn teithio i Landysul ac yn croesawu pobol Llandysul i dde Penn-ar-bed, ym Mhlogoneg. Ond ein trafferth ni fel pobol yw ein bod ni'n heneiddio. Fel gyda'r gynghanedd, neu glocsio, neu glybiau rygbi anghysbell de Cymru, mae angen gwaed newydd a tho iau i gamu i'r adwy neu fe ddaw amser, doed a ddêl, boed yn GMT neu'n amser cyfandirol, yn drech na ni yn y pen draw. Mae ambell gynllun gefeillio eisoes wedi dod i ben ac eraill fel Cydweli a Sant Yagu an Enez (St Jacut de la Mer) newydd ddechrau ar eu hantur fawr mor ddiweddar â 2006.

Bu'r carlwm a'r ddraig yn cyd-ddawnsio yn fynych ar gyrion Plogoneg lle mae gan Wena Bevan ail gartref. Breuddwyd ei gŵr, Huw, oedd prynu lle y gallai'r teulu ei alw'n gartref yng ngwlad ein cyd-Frythoniaid, gan fod ganddo ddiddordeb yn y Ffrangeg a'r Llydaweg. Cawsom y pleser o ymweld â'r cartref ar wahoddiad Wena. Roed hi yno gyda'i mab Rhys Bevan Jones, sy'n artist dawnus a seiciatrydd, cryn gyfuniad o feysydd! Cyd-ddigwyddiad oedd fy mod i eisiau cyflwyno Yann-Bêr a Jaklin i Laura a'r plant a chael cyfle i ddweud helo wrth eu hasynnod, Glizh (sef Gwlith) a Lutig, ac wedi penderfynu mynd i Blogoneg ar y diwrnod y byddai Wena a Rhys yn digwydd bod yno hefyd. Cawsom weld y sgubor ddawns enfawr lle mae 'na ddraig ar un wal a charlwm yn ei hwynebu gyferbyn ac olion yr hyn oedd yn amlwg yn far prysur a weinai'r Gymraeg a'r Llydaweg, y Ffrangeg a'r Saesneg fesul gwydr, wrth i ddwylo Landysul a Phlogoneg nadreddu'n gadwyn drwy aml i Fest Noz. Roedd sefyll yn y gofod gyda'r olion gweledol hyn o'n cwmpas fel bod yng nghanol amffitheatr neu gastell lle galle rhywun synhwyro anterth yr hwyl a fu.

Ond bellach, ers rhai blynyddoedd mae gŵr Wena, Huw Bevan Jones, wedi ein gadael ni. Teimlais y golled o fod yng nghartref Wena a Rhys y diwrnod hwnnw, er na ches gyfle erioed i gwrdd â Huw. Ei freuddwyd ef oedd cael *pied-à-terre* yn Llydaw ac fe ges wybod gan Rhys ei fod wedi treulio tri mis yn byw yno yn ei ugeiniau. Ategodd Yann-Bêr a Jaklin gymaint roedd Rhys wedi dod i gael ei dderbyn gan y gymuned a'i fod e'n dychwelyd y croeso hwnnw yn ei ymwneud brwdfrydig â bywyd y pentref. Dyna brofiad bywyd gwerthfawr a chyfle gwych a ddaeth i'w ran yn sgil y gefeillio, a hynny yn sgil breuddwydion ei ddiweddar dad. Ond nawr mae'r gwair dan draed yn y cartref Llydewig yn tyfu, lle bu'r traed yn cynnal sgyrsiau oriau mân y bore i gyfeiliant bombard. Braf gwybod, serch hynny, fod y pentref yn gwneud defnydd o'r adeiladau i gynnal cyfarfodydd a bod Yann-Bêr a Jaklin wrth law i gadw golwg ar y tŷ. O gartref Wena aethom draw i'w gweld, y gefeillwyr Llydaweg, yng nghanol Plogoneg. Amseru a olygodd na lwyddon ni i weld y ddau deulu gyda'i gilydd. Roedd y Llydawyr a'r Cymry yn cyd-swpera y noson honno. Rhyfedd meddwl yw fod yna ddau asyn yn byw reit yng nghanol pentre Plogoneg, ac fe fwynhaodd y plant a ninnau gwrdd â Glizh a Lutig a chael sgwrsio yn y gwres gyda Jaklin a Yann-Bêr. Difyr oedd clywed am eu cynlluniau i fynd i Eisteddfod Tregaron a chael eu hargraffiadau nhw o Landysul a Chymru. Gall rhywun o wlad arall wneud i ni fel Cymru weld ein gwlad mewn ffordd na feddyliom amdani eto, sylweddoli bod iddi harddwch a rhinweddau nad ydyn ni wastad yn ymfalchïo ynddyn nhw. Roedd eu cariad at Gymru wedi ei fagu dros ddegawdau ac yn rhan ddofn a phwysig ohonyn nhw fel pobol. Ac eto, fel yn achos y gynghanedd, clocsio, clybiau rygbi neu ieithoedd bychain, mae rhywun yn gorfod gofyn: pwy ddaw ar ein holau?

Mae'n haws i drefi mwy fel Lesneven a Chaerfyrddin, Landerne a Chaernarfon gynnal gweithgareddau heb ddibynnu yn llwyr ar yr un bobol i gario baich y gefeillio ar eu cefnau. Mae ambell gynllun gefeillio wedi dod i ben, ac ar ddechrau'r mileniwm fe welwyd ambell le yn Lloegr fel Bishop's Stortford, Wallingford a Doncaster yn dad-efeillio o'r cynlluniau y buon nhw'n rhan ohonyn nhw. Ond wedyn gwelir dinasoedd fel Glasgow a Havana yn dangos fod modd dathlu eangfrydiaeth ac adeiladu pontydd i lefydd annisgwyl. Os rhywbeth, heb hyd yn oed grybwyll y gair hollbresennol syrffedus-fygythiol hwnnw, yn yr oes hon o fogailsyllu Eingl-Brydeinig, dylsen ni i gyd fel Cymry holi os oes gefeilldref gyda ein pentref, tref neu'n dinas ni, boed yn Llydaw, yr Almaen neu Capmandraw, a dylem ofyn sut allwn ni ymwneud â'r gefeillio? Sut allwn ni greu gefeilliad newydd rhwng ein milltir sgwâr ni a rhywle sydd mor debyg-anghyfarwydd, mor bell, bell yn y byd?

Dywedodd Victor Segalen, y bardd o Frest a deithiodd i lefydd na wyddom hyd yn oed sut i'w hynganu â meddwl agored gwrth-wladychol, mai ymhyfrydu yn ein gwahaniaethau yw dathlu amrywiaeth. Mae mynegi ein hunaniaeth yn bwysig. Mae estyn yr un croeso i berson hollol wahanol o fan arall yn y byd gael mynegi ei hunaniaeth i ni, wyneb yn wyneb, yr un mor bwysig.

Nad ymfalchïwn yn ein gallu i draflyncu traddodiadau, hiliau, cenhedloedd ac eraill sy'n wahanol i ni. I'r gwrthwyneb, ymhyfrydwn yn ein methiant i fyth allu gwneud hynny, cans felly y cawn ddal gafael ar y pleser bythol o synhwyro amrywiaeth.

Wedi inni ymhyfrydu mewn peidio â deall, awn ati wedyn i efeillio.

Dydd Sul, Mehefin 2, Plouider / *Disul daou a viz Even, Plouider*

Ciniawa heddi gyda theulu un o ffrindie bore oes fy mam, a chymwynaswraig fawr dros y Llydaweg, sef Maryvonne Berthou. Ei mab Gwenole sy'n rhedeg bragdy D'istribilh tra bod y mab hynaf, Saig, yr un oedran â fi ac yn rhannu'r embaras o fod mewn llun du a gwyn yn yr wythdegau cynnar yn borcyn mewn bath gyda'n gilydd! Doedd Gwenole na Saig ddim yno heddi ond fe gawson ni gwmni Jean-Mari a'i deulu ifanc a hyfryd o gryf eu Llydaweg. Maden yw ŵyr cyntaf Maryvonne a'i gŵr Dédé, ac roedd e a Sisial wrth eu boddau yn malu haidd a ffa coffi, tra bod Erwan wedi mwynhau dringo ar dractor y teulu gyda Maden ynghynt.

Er bod Jean-Mari, fel ei rieni a'i frodyr, yn hanu o ogledd Bro Leon ac felly'n siarad tafodiaith debyg i fi, roedd wedi gorfod addasu ei dafodiaith gan bod ei wraig yn dod o dde Llydaw ac yn siarad y dafodiaith honno, a difyr gweld bod Maden yn gwneud yr un peth, gan eu bod nhw bellach yn byw rhwng Gwened (Vannes) ac An Oriant (Lorient) lle mae'r dafodiaith yn go wahanol. Mae 'na ddigon o boeni am ddyfodol y Llydaweg, felly hyfrydwch pur yw gweld fod yna dafodieithoedd yn para'n gryf yn y bydysawd ieithyddol hwn. Un cadarn ei Lydaweg yw Dédé, a hynny er na chafodd addysg Lydaweg o gwbwl tra bod Maryvonne ar fin ymddeol o'i gwaith gyda TES, y sefydliad sy'n creu a darparu adnoddau dysgu trwy gyfrwng y Llydaweg ar gyfer ysgolion Diwan a dwyieithog y wlad. Prin y clywaf byth yr un ohonyn nhw yn siarad Ffrangeg. Braf oedd gweld fod y cadernid hwn wedi ei drosglwyddo'n saff i'r genhedlaeth nesaf, ac i'r olyniaeth wedi hynny.

Yr hyn a hoffais fwyaf wrth inni fynd i drafod rhyw bwynt cystrawennol-ramadegol am dreiglad oedd ond yn digwydd yn nhafodiaith Bro Leon, oedd fod Jean-Mari wedi dweud am ei dad Dédé: 'Dyw Dédé ddim yn gwybod y pethau ma, mae e jyst yn eu siarad nhw.'

Dydd Mercher, Mehefin 5, Brignogan a Lesneven / *Dimerc'her pemp a viz Even, Brignogan ha Lesneven*

Deiz-ha-bloaz laouen! Pen-blwydd hapus!

Byddai Laura yn dweud mai dim ond diwrnod arall yw pen-blwydd, ond ro'n i'n falch o gael dathlu'r ffaith ei bod hi flwyddyn yn ddoethach drwy yrru fy ngwraig i un o fwytai crandiaf Brignogan. Dydyn ni ddim yn mynd i'r Corniche yn aml, yn bennaf gan fod platiaid o fwyd y môr yn gallu costio tua 75 ewro! Ond mae Laura yn haeddu dathlu am iddi orfod aberthu sawl peth eleni, o ran cael gweithio yn llawrydd fel athrawes yoga, gorfod bob yn wraig tŷ tra fy mod i yn gweithio yn y brifysgol. Bu'r strach o geisio cael rhif *sécu sociale* yswiriant gwladol sy'n rhoi hawliau iechyd a phob math o hawliau eraill i Laura yn amhosib, rhwng gwladwriaeth fiwrocrataidd Ffrainc a biwrocratiaid dryslyd Prydain nad ydyn nhw i weld yn siwr bellach o ddydd i ddydd beth yw'r drefn yn sgil bygythiad Brecsit. Felly defnyddio'r garden iechyd Ewropeaidd a dweud wrth wladwriaeth Ffrainc ei bod hi yma yn bendant *ddim* yn gweithio oedd y strategaeth orau. Gyda fy rhieni felly yn gwarchod y plant, gan ei bod yn ddydd Mercher a'r drefn wych fod dim ysgol ar ddydd Mercher yn rhoi hoe haeddiannol i'r plant gael chwarae gyda Mammitch a Ta-cu, bant â ni i giniawa a dathlu'r pen-blwydd.

Roedd y bwyd yn hyfryd a'r olygfa dros fae Brignogan o'r bwyty yn un na fyddwn ni fyth yn diflasu arni. Aethon ni wedyn yn ein blaenau i'r Kafe Brezhoneg, y cyfarfod misol a drefnir gan Ti ar Vro lle ceir cyfle i wrando ar siaradwr gwadd yn trafod pwnc gwahanol bob tro. Roedden ni'n sicr ein bod ni wedi cael y dyddiad yn gywir y tro hyn ac felly dyma gyrraedd Lesneven a gweld bod 100 o bobol, os nad mwy, yno i wrando ar Mikel Konk a'i wraig yn trafod eu taith seiclo ar draws Ewrop. Roedd Mikel yn un o'r bobol a ddaeth i gael gwers Gymraeg gyda fi a Sisial ym mis Ebrill, ac roedd ganddo atgofion melys o fod yn Eisteddfod Môn, er gwaetha'r glaw mawr. Difyr iawn oedd clywed am ei argraffiadau o ddwyrain Ewrop, a sylwais fod Laura yn deall bron bopeth a ddywedai. Dyna'r anrheg pen-blwydd gorau, fe dybiaf, yw cyrraedd oedran newydd yn medru iaith newydd.

Dydd Sadwrn, Mehefin 8, Langoned / *Disadorn, eizh a viz Even, Langoned*

Eisteddfod y Llydawyr

Bydd eisteddfodwr brwd yn deall y teimlad mae rhywun yn ei gael wrth agosáu at faes yr Eisteddfod Genedlaethol am y tro cyntaf yr wythnos sanctaidd honno bob Awst. Cyrraedd ardal sydd gan fwyaf yn gymharol ddiarth, anadlu'r amgylchfyd newydd yn fap i'r ysgyfaint, ymbaratoi i alw rhan newydd o Gymru yn gartref, wrth i dyrau'r ddinas symudol hon ddod i'r golwg.

Roedd yr un math o deimlad yn bresennol heddi, ond llawer mwy o nerfusrwydd hefyd, gan nad ydw i na'r teulu erioed wedi bod i Gouel Broadel ar Brezhoneg (Gŵyl Genedlaethol y Llydaweg) o'r blaen. Mae 'na ŵyl eisteddfodol Lydaweg yn bodoli ers y 70au ar ryw ffurf, ond ni fu ganddi ddim yn agos at y beirianwaith sy'n gyrru'r Eisteddfod yn ei blaen o ddegawd i ddegawd. Dibynnu ar lond llaw o wirfoddolwyr a wna'r ŵyl hon bellach ac yn y 70au, pan gynhaliwyd yr ŵyl am y tro cyntaf ym

1974 yn Gwengamp, Skol an Emsav, sefydliad a gefnoga'r iaith, ond sydd â sawl peth arall ar ei blât ar wahân i drefnu gŵyl, oedd y trefnwyr. Rhwng 1974 a 1983, aeth yr ŵyl yn flynyddol o le i le, gan alw ar ôl Gwengamp mewn llefydd amrywiol yn ddaearyddol, o Kastell Paoll (St Paul de Leon) i Pont-'n-Abad (Pont l'Abbé), o Plabenneg i Pondivi (Pontivy). Roedd tyrau disglair ein heisteddfod ni yn tywynnu yng ngolygon y trefnwyr ar y pryd, gydag egwyddor y rheol iaith yn gyrru'r ŵyl a'r syniad o symud o le i le yn flynyddol. Mae'n debyg fod yna wrthdaro wedi bod hefyd yn Pondivi yn 1983 pan ddechreuodd rhywun ganu yn Ffrangeg o'r llwyfan, a'r gynulleidfa yn mynegi ei hanfodlonrwydd. Dyna hefyd fu'r tro olaf i'r ŵyl gael ei chynnal yn y ffurf honno. Yna daeth Emgann (Brwydr) a Stourm ar Brezhoneg (Ymgyrch y Llydaweg), dau fudiad protest dros yr iaith, i'r adwy, a rhwng 1986 a 1999 cynhaliwyd gŵyl debyg gan fwyaf yn Speied, neu Spezed (gan ddibynnu ar ba acen Lydaweg sydd gyda chi: Spézet yn Ffrangeg) sydd yng nghanol Llydaw. Aeth yr ŵyl hon i Louergad a Langoned hefyd ond eto, colli momentwm fu'r hanes.

Bu wastad ambell ddewis yn wynebu'r trefnwyr: yn gyntaf, a ddylid teithio'r ŵyl, gan ddilyn egwyddor deithiol yr Eisteddfod, a gallu denu rhai selogion i'w dilyn hi bob blwyddyn ac yna bobol o ardal yr ŵyl i ymfalchïo yn eu Llydaweg a'u diwylliant drwy ddod i'r ŵyl am ei bod yn eu hardal leol nhw. Hefyd, roedd rhai yn meddwl y dylid cymryd trywydd mwy poblogaidd a cherddorol gan beidio gosod rheol iaith a gwahodd cantorion a grwpiau Ffrangeg gan obeithio denu mwy o bobol a chyflwyno Llydaweg iddyn nhw. Eraill yn credu y dylid cynnal gŵyl uniaith Lydaweg nad yw'n cyfaddawdu ond sy'n croesawu pobol. Y broblem gyda hynny, yn wahanol i'r Eisteddfod, yw fod llai o bobol yn ddod.

Er i Gouel Broadel ar Brezhoneg ddigwydd yn Kawan, Bro Dreger yn 2010 a 2011, ers 2017 mae mudiad Mignoned ar

Brezhoneg wedi gafael yn y cyfrifoldeb am drefnu'r ŵyl, gan farnu fod cynnal gŵyl am yn ail gyda'r Redadeg (Ras yr Iaith) a'i chynnal yn yr un dref, Langoned, ar ffurf gŵyl uniaith, yn ffordd ymlaen ar ei chyfer. Rwy'n hoff o'r egwyddor o osod rheol iaith, neu egwyddor uniaith, ond byddai gŵyl deithiol yn fwy at fy nant i.

Ond nid Eisteddfod yw hon chwaith; â dweud y gwir, aeth y trefnwyr i Dafwyl yn 2018 gan led-efeillio gyda'r ŵyl honno, cymaint y mwynheuon nhw weld yr hyn oedd yn digwydd yn Nhafwyl: yr Eisteddfod ond heb y cystadlu. Dechreuodd GBB (Gouel Broadel Ar Brezhoneg) gyda brwydr y bandiau ar y noson agoriadol lle roedd yn rhaid i bob cân fod yn Llydaweg a hefyd yn gân wreiddiol. Doedd dim hawl canu cân werin draddodiadol. Pan siaradais â Divy, un o'r trefnwyr, fe nododd eu bod nhw'n ceisio creu gŵyl fwy modern a chyffrous fel Tafwyl ac nid rhywbeth mwy traddodiadol fel yr Eisteddfod. Es i ddim i ddadlau na nodi fod yna bethau hynod o wyllt a 'modern' yn mynd mlaen ym Maes B na fyddai'r gorseddogion yn eu cymeradwyo! Ond rhaid cymeradwyo hefyd weledigaeth sy'n ceisio normaleiddio'r Llydaweg mewn byd modern. Gwobrwywyd y cyfryw weledigaeth gyda'r ffaith fod yna rapiwr wedi ennill brwydr y bandiau. Efallai fod yr hen Lydaw amaethyddol draddodiadol wy'n ei charu, gyda'i hacenion cyfoethog a'i harferion oes, yn edwino, ond mae diwylliant rwy' hefyd yn ei fwynhau yn fawr, byd rap, barddoni'r stryd a cherddoriaeth amgen, yn torri cwys egnïol yn fy mamiaith ac os taw canu fel chi'n siarad yw rapio, mae'n awgrymu'n gryf fod yna rapwyr sy'n byw eu bywydau yn Llydaweg er mwyn teimlo angen i fynegi eu hunain dros guriad yn yr iaith hynafol hon. Ac mae hynny'n beth gwych.

Felly erbyn meddwl, os taw Eisteddfod heb y cystadlu yw Tafwyl, yna Tafwyl gyda chystadlu yw GBB.

Cyrhaeddon ni fel teulu amser cinio dydd Sadwrn gyda'r

bwriad o dreulio'r pnawn ac fe'n croesawyd i Langoned gyda golygfeydd hynod o Faes B-aidd o giwed o fois ifanc a oedd yn amlwg heb gael cawod wrthi yn cael brecwast kronenbwrgaidd ac yn ymlwybro tua maes yr ŵyl. Doedd dim llawer o bobol i weld wedi cyrraedd eto a rhaid nodi fod hynny'n siom, ond yna o dipyn i beth fe welson ni fwy a mwy yn cyrraedd yn ystod y pnawn gyda llu o wynebau cyfarwydd, rhai yn hen ffrindiau i'r teulu ac eraill yn ffrindiau Llydaweg newydd y daethom i'w nabod eleni. Cafodd Erwan fodd i fyw yn rhedeg a chwerthin am yn ail gydag Eflamm, mab Dewi a Gael, ac fe gafodd Sisial hwyl yn creu murlun gydag artistiaid Llydaweg o Frest, y ddau ohonyn nhw yn Ffrancwyr o du hwnt i Lydaw oedd wedi dysgu Llydaweg yn rhugl. Ac wedyn fe welson ni rai Cymry Cymraeg, wrth gwrs! Roedd Carl Morris a Bethan Ruth yno yn cynrychioli Cymdeithas yr Iaith a Bethan yn nodi fod ymateb cadarnhaol a llawer o ddiddordeb mewn dysgu pytiau o Gymraeg, ac fe welson ni hefyd, yn annisgwyl, Robin Crag Farrar, cyn gadeirydd Cymdeithas yr Iaith, sydd nawr yn byw yn ninas Lyon, yntau i weld yn gweld sawl budd o beidio â bod yn byw ar ynys Frecsitllyd.

Erbyn inni ddechrau meddwl am adael roedd yr ŵyl yn prysuro a'r band Cymraeg Chroma yn chwarae yn eu dull nodweddiadol egnïol ac egni'r ŵyl yn dechrau cyffroi hefyd, ond dydi'r bywyd Maes B-aidd ddim yn bosib i rieni i blant ifanc, ac felly gadael fu'n rhaid. Mae'n debyg fod Denez Prigent, un o gantorion mwyaf Llydaw, heb sôn am y Llydaweg, yn wych yn perfformio yn ei famiaith ar y nos Sadwrn a bod torf dda wedi ymgasglu ar ei gyfer. Yr unig isafbwynt i ni oedd pan aethon ni i'r babell bwyd fegan ac organig a deall taw Saeson oedd wedi cynnig creu pabell yn cynnig bwydydd fegan, heb ddeall dim am y ffaith taw gŵyl Lydaweg oedd hon. Syniad anrhydeddus rwy'n ei gymeradwyo, ond yr hyn nad oedd mor anrhydeddus oedd y modd y bloeddiodd y gŵr o Sais arnom, wrth i Laura sgwrsio a'i wraig. Er ei fod e o leia ddeg metr i ffwrdd, bob tro byddai Laura yn dweud wrth y wraig o Saesnes ein bod ni o Gymru, dyma fe'n bloeddio 'British!' megis rhyw hen gadfridog anacronistaidd, a hynny nid unwaith, ond deirgwaith. Fe gerddon ni o'r babell yn go glou heb eisiau sbwylio'r pnawn a throi'r ynys o Lydaweg hyfryd hon yn ynys frecsitllyd dystopaidd.

Roedden ni'n cwrdd ag Arnaud, Mael a Lua gyda'r hwyr mewn maes pebyll yn y mynyddoedd Are, (roedd Mónica yn yr Almaen yn ymweld â ffrindiau o Ecwador sy'n byw yno.) Gan bod Arnaud yn wenynwr ac yn ffrindiau bore oes gyda Divi Kerneis o Mignoned ar Brezhoneg, un o drefnwyr GBB, roedd yna ddelwedd addas barod ar gyfer cerdd a luniais i ddathlu'r ŵyl.

Creu mêl

(i ddathlu Gouel Broadel ar Brezhoneg, 2019,
sef Gŵyl Genedlaethol y Llydaweg
sydd eleni wedi gefeillio gyda Thafwyl.)

Bu rhai ar ras, fel gwenyn, mor brysur
yn hel paill da i helpu Llydawyr
i heidio yn siaradwyr a chreu si
ac yn ei sain hi cawn godi gwydyr.

Cawn barhau i'w siarad, cyn brysured,
fesul blodyn bob blwyddyn heb ludded
am mai gŵyl lle mae i'w gweled fan hyn,
yn fêl ein gwenyn, yw haf Langoned.

Gouel Broadel yn baradwys, ynys
     bellennig i orffwys
  rhag y dydd a'i Ffrang-reg dwys.

Gouel Broadel rhag i bryder fwyta
     ein haf eto'n ganser,
  yn don amheuon drwy'r mêr.

Gouel Broadel dros barhad neithdar hen
     iaith dra hardd yr henwlad
  a *Diwan* i'w blodeuad.

Nid yw *Gouel Broadel* yn gweld breuder,
nid lle di-hid, ond Llydaw o hyder
rhag trengi'r si, hi yw'r her, wenyn gwlad:
o greu mêl, wastad, fe geir melyster.

Dydd Sul, Mehefin 9, Maes Pebyll Llyn y Dreneg / *Disul, nav a viz Even, Kamping Lenn an Dreneg*

Dihunon ni bore 'ma yn ein palas bach o babell. Cysges i'n dda. Mae'n siwr fod y gwin y gorffennais i ac Arnaud wedi helpu hynny. Chysgodd Laura ddim cystal â'r disgwyl â ninnau ar lan Llyn y Dreneg, mewn coedwig, lleoliad delfrydol o dawelwch yng nghanol byd natur. Ond fe ddaeth ieuenctid ffôl y ddynoliaeth i darfu ar yr heddwch gyda chriw o arddegwyr yn cadw reiat tebyg i'r hyn y bydden i'n arfer ei wneud ym Maes B. Gyda hyn yn para rhwng 1 a 5 y bore yn ôl Laura, teg dweud na chafodd noson ymlaciol o gwsg ar noson gyntaf ei dathliad pen-blwydd. Wrth gyrraedd y pen-blwydd hwn mae'n ddifyr gweld fel mae anghenion a blaenoriaethau yn newid, lle tasai hi'n dathlu ei phedwar ar bymtheg byddai'r terfysg yn oriau man y bore wedi bod yn dderbyniol iawn. Ond gyda phlantos bach yn cael anhawster cysgu a gŵr yn rhochian, nid oedd yn ddechrau da i'n gwyliau bach o gampio. Greddf Laura oedd gadael y maes pebyll a'i throi am adre. Llwyddais i'w darbwyllo y bydd noson o lonyddwch a thawelwch yn ein hwynebu heno, unwaith imi siarad gyda'r perchnogion. Dyw Belinda ac Andy ddim yn byw ar y safle felly synhwyrwn fod mymryn o amheuaeth ynghylch ein stori ni, fel petaem yn ceisio cael disgownt ar ôl ein noson gyntaf. Ta beth, yn raddol ar hyd y dydd, daeth y terfysgwyr i wynebu golau dydd a llach Belinda ac fe'n sicrhawyd y caem noson dawel o gwsg heno. Soniais hefyd wrth Belinda ein bod ni wedi clywed am Gymro oedd wedi ymsefydlu yn yr ardal ac a redai fecws traddodiadol llwyddiannus yn y pentref nesaf, Sant Kadoù (Saint Cadou). Aethon ni i drafod pob math o bethau eraill, yn rygbi a Brexit. Ro'n i wedi cael cyfle i glywed Belinda yn siarad Ffrangeg; roedd rhywfaint o allu gramadegol ganddi, chwarae teg, ond teg dweud nad oedd yr acen 'midlands' yn cilio dim wrth newid iaith! Dyna wedyn gael profiad newydd, sef clywed y cyfryw acen yn ynganu geiriau Llydaweg, 'De-ge-meeeer maaat' a 'trwgareeeez' a Belinda yn ebychu: 'People get well impressed when I pull out some Breton words for them'. Mae'n fwy o ymdrech nag a wneir gan aml i Lydawr neu Lydawes.

Dyma benderfynu wedyn i fynd am dro gydag Arnaud, Mael a Lua a'r ci a hynny o gwmpas Llyn y Dreneg. Rhyw fymryn dros 6km yw'r daith o'i hamgylch felly dyma fentro y byddai'r plant yn gallu dygymod, gydag ambell i gilometr o gael eu cario ar ein hysgwyddau. Cychwyn mas o'r gwersyll drwy'r goedwig at y llwybr sy'n amgylchynu'r llyn. Wrth gychwyn dechreuodd bistyllu'r glaw. Gydag amser cinio ar ein gwarthaf ni wnaethon ni brin gilometr a hanner cyn penderfynu mai da fyddai canfod llecyn i fwyta, er mwyn y plant yn bennaf. Er, roedd fy mola bwytgar innau'n dechrau cwyno hefyd. Er taw gan ddyn y crëwyd y Llyn, mae'n teimlo fel tasai Natur wedi ei dderbyn bellach, gyda'r goedwig yn fyw gan adar a gwyrddni. O'r hyn a ddeallaf, does dim gwarth na sgandal Trywerynaidd yn perthyn i Lyn y Dreneg, fe'i crëwyd dan sêl bendith y trigolion, yn gyffredinol. Pan y'i hagorwyd ym 1982 daeth i wasanaethu anghenion dŵr y mynyddoedd Are a threfi Landerne a Landivizio ac ers 2009 mae na dyrbinau ger yr argae sy'n cynhyrchu trydan o rym y dŵr. Mae hefyd yn gyrchfan boblogaidd i hwylfyrddio, canŵio a chaiacio, nofio a physgota. Mae'n enghraifft o adnodd amlddefnydd ac amlbwrpas. Mae hefyd, ymddengys, yn lle i bartïa'n hwyr y nos.

Fe giliodd y glaw a hebryngwyd ni o amgylch y llyn gan yr haul. Teimlai'r llwybr sy'n gadael y coedwigoedd ar ein hochr ni o'r llyn (ha! fel pe baem yn sydyn yn byw yno'n barhaol, mor hawdd magu agwedd drefedigaethol a gwladychol) fel pe bai'n gynyddol ymdebygu i ryw barc newydd ei greu yn yr Amerig, yn lân a thwt i gyd, yn llai gwyllt, erbyn inni allu gweld ochr arall y llyn a'n trigfan am y noson. Sylwais hefyd fod Llydaweg Lua, merch Arno sy'n 5 mlwydd oed, yn dechrau llifo fwyfwy wrth i fi, Erwan a Sisial ei harddel o'i chwmpas. Mae hi eisoes yn siarad Ffrangeg â'i thad a Sbaeneg â'i mam, ac mae'r broses drochi yn raddol gael effaith arni o ran ei Llydaweg. Mae Mael wedi neidio'n ei flaen yn rhyfeddol o feddwl nad allai siarad Llydaweg o gwbwl flwyddyn a hanner yn ôl, a nawr, ac yntau'n 8 mlwydd oed, mae'n rhugl ei Lydaweg ac yn llawn Ffrangeg a Sbaeneg byrlymus hefyd. Doniol oedd ei wyneb yn ceisio deall Cymraeg parhaus Erwan, ac yn y pen draw, dyma fe'n troi aton ni gan ddweud: 'Ym, sai'n deall gair mae'n ei weud!'. Efallai bod Llydaweg Diwan a Chymraeg Erwan yn esblygiadau o'r ieithoedd Brythonaidd sy'n bellach fyth oddi wrth ei gilydd.

Wrth gyrraedd yn ôl i'r babell wedi wâc werth chweil, fe welson ni nodyn yn Gymraeg ar ein bwrdd. 'Wedi galw i'ch gweld. Neb yma. Galwch draw pan fedrwch. Geraint.'.

Dyna wnaethon ni. Neidio'n y car ar y daith bum munud i'r pentref nesaf ac yn cyrraedd nôl i'w dŷ yn ei fan wen roedd Geraint Jones, y pobydd, yn wên o groeso. Dyma edrych arno wrth ddod o'r car. A'r un edrychiad ar ei wyneb e yn cydnabod ein bod ni wedi gweld ein gilydd gwta bythefnos yn ôl. 'Ti oedd yn holi'r cyfarwyddiadau yn Skrigneg!', meddai wrtha i. Geraint, ymddengys, oedd yn y fan wen gyda dau ŵr arall, y rhai a'n hachubodd wedi inni fynd ar goll ar 'Dro Menez Are'. Fe'n gwahoddodd i'r tŷ a chawsom flasu ei seidr cartref a oedd yn fwy na derbyniol. Gan fod shifft foreuol gynnar yn ei wynebu, a Sant Kadou gyfan yn dal wedi blino wedi'r ŵyl a fu yn y pentre, fe gytunon ni i ddod nôl y diwrnod wedyn er mwyn cael ymweld â'i bopty a chael cwrdd â'r teulu yn iawn.

Cysgon ni'n dda yn nhawelwch y goedwig heno.

Dydd Llun, Mehefin 10, Sant Kadou, Plouye / *Dilun, dek a viz Even, Sant Kadou ha Plouye*

Daeth diwedd penwythnos gŵyl y banc gyda digon o law i'n hannog ni i'w throi am adre. Ond cyn gadael Menezioù Are fe alwon ni eto gyda Geraint a'i deulu er mwyn cael gweld y popty fel a grybwyllwyd y diwrnod cynt. Mae'n gryn ryfeddod o adeilad, yn garreg i gyd a'r ffwrn yn ogof ddofn o wres ac oglau bara. Mae'n debyg fod y cerrig sy'n rhan o'r adeilad a'r ffwrn yn dal i gadw'r gwres am yn hir wedi i'r bara gael ei bobi ynddi ac os ydy wedi bod yn segur, mae angen gwaith i'w gwresogi o'r newydd. Soniodd hefyd fod y cwmni sy'n ei gyflenwi â blawd yn gweithredu polisi iaith, hynny yw, mae'r perchennog yn fwriadol yn chwilio am weithwyr sy'n medru Llydaweg ac yn defnyddio'r iaith o ddydd i ddydd yn ei fusnes. Peth prin, ond gallai flodeuo yn rhywbeth mwy cyffredin. Mae Geraint hefyd wedi cofrestru ei fecws a'r siop gydag ap Stal.bzh, sy'n dynodi fod modd cael eich gwasanaeth drwy gyfrwng y Llydaweg yn ei siop. Gobeithio bydd mwy o fusnesau yn Llydaw yn dilyn ei arweiniad.

Mae Geraint hefyd newydd gychwyn cyflogi cefnder i gefnder imi, Henri George, cyn-athro a chymeriad ffurfiannol yn fy ieuenctid ar fy ngwyliau ym mynyddoedd Are. Gobeithiwn allu galw nôl i ddweud *demat* wrth Geraint a Gaelle, ill dau hefyd wedi magu eu teulu yn amlieithog, yn Gymraeg, Llydaweg a Ffrangeg. Mae'n siŵr y gallwn ddysgu cryn dipyn ganddyn nhw am yr heriau o fagu teulu yn amlieithog. Ond bwrw yn ein blaenau fu rhaid cyn gallu mwynhau digon yng nghwmni Geraint a'i deulu gan bod Lleuwen a'i gŵr Lan, a'r plant, Caradog ac Eira, yn ein disgwyl yn y dafarn Gymreig yn Plouye.

Byn Walters, Cymro adnabyddus i nifer, yw perchennog Tavarn Ty Elise. Fe ddaeth i Lydaw yn sgil siom refferendwm '79 ac ni ddychwelodd fyth i Gymru. Mae Byn yn nabod fy rhieni, felly braf oedd ei weld o'r newydd a braf gweld fod yr englyn canlynol wedi ei fframio ar y bar ers fy ymweliad diwethaf.

I Byn Walters
(Tavarn Ty Elise, Plouye)

Ein caer uwch dyfroedd *Ker Is* yw fan hyn;
    Yfwn nawr, pawb megis
    Duwiau, gan wneud ein dewis:
Awn ni at lan *Ty Elise*.

28/08/17

Dydd Mercher, Mehefin 12, Brest / *Dimerc'her, daouzek a viz Even, Brest*

Llwydwyll biwrocratiaeth Llydaw

Ciwio (unwaith eto!) er mwyn delio gyda'r drefn weinyddol Ffrengig, y tro hwn yn y ganolfan yswiriant iechyd gyhoeddus, CPAM. Wrth aros dyma glywed merch fach yn cyfri faint o bamffledi oedd ar stand yn y gornel, yn cyfri yn Llydaweg. Fe'm tarodd fel acen Gymraeg mewn sgwrs Ffrangeg, a dyna lle'r oedd hi yn bwrw mlaen i gyfri ac yna yn dweud gwahanol liwiau yn Llydaweg. Roedd ei rhieni, neu warchodwyr, wedi gorffen eu busnes nhw ac yn brysio ati er mwyn ei throi hi. Ces fymryn o siom o glywed taw yn Ffrangeg y'i hebryngwyd hi o'na i'r cyrchfan nesaf, ond yna gwenais drachefn wrth feddwl bod o leiaf un Lydawes fach yn gweld y byd trwy liwiau ein hiaith.

Dydd Mercher, Mehefin 19, Lannurvan / *Dimerc'her, naontek a viz Even, Lannurvan*

Aethon ni am ginio heddi i weld Anne-Marie Dantec a'i gŵr Maurice. Roedd ei chyfarwyddyd inni yn y maes parcio yn Lesneven yn dal i ganu yn ein clustiau: 'dim Llydaweg gyda'r gŵr; dyw e ddim yn medru'. Wedi ein gwisgo yn ein Ffrangeg gorau, felly, ar ôl gweld Anne-Marie yn aros amdanom ar ddreif y tŷ, troesom ein golygon draw dros un o'r gerddi hyfrytaf imi ei weld mewn cartref, yn flodau, llysiau a ffrwythau, oll yn lliwiau ac arogleuon ar unwaith. Ac yno'n tendio i'r hyfrydwch roedd Maurice, y gŵr. Wrth i'r plant gael eu denu at y mefus a dechrau eu bwyta (roedd Maurice ac Anne-Marie yn iawn am y peth, diolch byth), yn anorfod ro'n i'n troi o'r Ffrangeg i siarad Llydaweg â'r plant, a Laura yn gwneud yr un fath gan nad oedd

Cymraeg yn iaith ddefnyddiol fan hyn. O'r ennyd fach ymysg y mefus, ac o dipyn i beth ar hyd y pryd o fwyd, synhwyrais fod Maurice yn deall Llydaweg o leiaf. Ond dilyn y cyfarwyddyd a wnaethom, o barch, i beidio siarad Llydaweg o'i flaen. Mae'r weithred o fwyta yn Llydaw, fel yn Ffrainc, gyda llaw, yn grefft, os nad yn gelfyddyd. Dyrchefir bwyd fel rydyn ni'n dyrchafu ein beirdd yng Nghymru. Mae amser yn cael ei greu ar ei gyfer, ac ar gyfer y sgwrs o amgylch y bwyd. Gwelais mewn siart ar twitter yn ddiweddar fod y Ffrancwyr ar frig y siart o ran faint o amser roedden nhw yn ei dreulio wrth y ford bob dydd ar gyfartaledd, sef dwy awr. Yr Eidalwyr yn ail gydag awr a thri chwarter. Roedd Prydain ac America lawr ar waelod y tabl yn treulio cwta chwarter awr bob dydd wrth y bwrdd bwyd. Dyna un peth y byddwn yn parhau i'w wneud pan ewn ni nôl i Gymru am fod hyn yn un ffordd o rannu pethau, profiadau a theimladau fel teulu.

Daeth y pryd i ben ym mhen draw sgwrs hir a difyr, ac fe gynigiwyd ein bod yn mynd am dro. O Lanurvan (sydd i'r de o Landerne ac nid nepell o bentre Diriaou lle mae eglwys Santes Non, mam ein nawddsant) gellir gweld yn bell tua de département Penn-ar-bed gyda Menez Hom a chyffiniau Kemper yn mhellafion y gorwel.

Mae Maurice yn gweithio (ac ar fin ymddeol) fel un o fois y biniau yn ninas Brest o ddydd i ddydd, ond tu hwnt i hynny mae'n llawn gwybodaeth am fyd amaeth a byd natur. Dywedodd wrth Laura ei fod yn 'teimlo'r tir'. Mae angen i fwy ohonon ni fel dynoliaeth deimlo'r tir. Roedd popeth oedd gan Maurice i'w ddweud, o'r dulliau diwydiannol o amaethu nad ydyn nhw'n gwneud lles bellach i'r tir i'r ffactorau sy'n achosi mwy a mwy o lifogydd a newid hinsawdd; mae ein hymwneud â'r tir yn rhan o hyn. Nid syndod, erbyn meddwl, felly, fod yna Lydawr sy'n teimlo'r tir yn medru Llydaweg! Erbyn i fi a fe fod yn cyd-gerdded ar y daith (gan ein bod wedi sefyll i siarad o flaen cae o haidd lle'r esboniai nad arferai hyd y gwenith na'r haidd fod yn unffurf a bod pob planhigyn yn arfer bod o wahanol daldra, mor ddiweddar â'r saithdegau: mae'n debyg fod yr haidd, fel gwenith a sawl math arall o rawn, yn cael eu tyfu'n annaturiol-bwrpasol i'r un taldra er mwyn gwneud gwaith y dyrnwr yn haws, a bod hynny wedyn yn cyfrannu at bobol yn datblygu anoddefedd i bethau fel glwten), a Laura, Anne-Marie a'r plant wedi mynd yn eu blaenau, fe flodeuodd ei Lydaweg a des i sylweddoli mai mamiaith Maurice yw Llydaweg a'i fod yn para'n gymharol rugl, o ystyried nad yw e nac Anne-Marie yn ei siarad â'i gilydd na gyda'u plant chwaith. Ond Llydaweg Kerne o gyffiniau Kemper sydd gan Maurice. Tybiaf mai dyma'r prif reswm nad oes yna Lydaweg rhyngddo a'i wraig, 'neo ket ar memes Brezhoneg' ('nid yr un math o Lydaweg ydyw'). Ond ni allwn ddechrau dyfalu pam y cawson ni gyfarwyddyd i beidio â siarad Llydaweg gyda Maurice, ac nid aethom i holi Anne-Marie chwaith. Fel y gwyddoch bellach, mae yna gymhlethdodau ieithyddol dwfn ar waith ymysg siaradwyr Llydaweg, yn enwedig rhai sy'n ei siarad fel mamiaith.

Ond fe wn i hyn, pe bai Maurice yn treulio wythnos yn byw gyda theulu Llydaweg, fel y gwnaeth Anne-Marie gyda fy rhieni, byddai e'n llawn hyder a gallu a byddai ei Lydaweg yn ôl yn ei flodau.

Dydd Iau, Mehefin 20, Goulc'hen / *Diriaou, ugent a viz Even, Goulc'hen*

Cynhaliwyd noson arall o ddathlu Cymreictod heno, a hynny ar gais Yvonne, perchennog crempogdy Goulc'hen. Menyw ddifyr a diflewyn ar dafod. O ddod i'w nabod, mae hynny'n rhinwedd sy'n cynhesu rhywun ati; mae'n agwedd iach at fywyd. Fe'm gwahoddwyd i, Laura a'r plant, ynghyd â Ronan Hirrien a Ffran

May i ddangos y ffilm ddogfen am yr Eisteddfod a'r gynghanedd ac er mwyn i fi ddarllen cerddi yn Gymraeg (gyda llawer o esboniadau Llydaweg wrth fynd yn ein blaenau) a Ffran i ganu. Mynnodd Yvonne fy mod i'n darllen awdl arobryn y Fenni (a grybwyllir ar ddiwedd y ffilm a gynhyrchwyd gan Ronan), a gan na fyddai'n deg darllen awdl mewn iaith nas deellir yn llwyr i'r gynulleidfa fe'i perswadiais fod darllen un caniad yn hen ddigon, gan dynnu sylw'r glust gynulleidfaol at seiniau'r gynghanedd. Ces hefyd ddarllen rhai o'r cerddi a gyhoeddir yn y gyfrol hon, a braf yw gallu dweud eu bod nhw'n gweithio i gynulleidfa Lydaweg, efallai ddim cystal i gynulleidfa Gymraeg! Cawn weld. Ond fe'm synnwyd gan ddau beth. Yn gyntaf, fe droiodd rhyw bymtheg o siaradwyr Llydaweg lan i'r noson a'r hyn a'm synnai oedd nad o'n i'n nabod dwsin ohonyn nhw. Mae byd y Llydaweg yn un eang a chyfoethog sy'n para i gynnig pethau a phobol newydd i'w darganfod. Yr ail beth a'm synnodd yw'r diddordeb mawr yng Nghymru sydd ymysg y Llydawyr, yn enwedig y siaradwyr Llydaweg. Mae yna ddeialog barhaus sy'n dal i ddathlu, ceisio deall, rhannu a chymharu ac nid llai na braint fu cael fy ngeni yn medru camu yn gymharol ddiymdrech o un byd i'r llall a chyfrannu at y sgwrs fawr hon.

Dydd Llun, Mehefin 24, Lesneven / *Dilun pevar warn-ugent a viz Even, Lesneven*

Diwrnod llawn olaf Sisial yn yr ysgol oedd hi heddi, felly es i a Laura i'w nôl hi o'r ysgol gyda'n gilydd gan adael Erwan yn chwarae *superheroes* gyda Ta-cu a Mammitch. Cawsom ein galw lan i'r stafell athrawon. Dilynon ni'r brifathrawes fymryn yn betrus heb cweit fod yn siŵr o'r rheswm pam y cawsom y wŷs. Wrth gyrraedd dyma ni'n gweld clamp o hamper ar y ford a'r athrawon oll wedi ymgynnull, fel cylch yr orsedd, yn ein disgwyl.

Roedden ni wedi prynu anrhegion i athrawon Sisial ac Erwan, ond roedd yr ysgol yn awyddus i ddiolch i Laura yn enwedig am gynnal wythnosau o wersi yoga yn wirfoddol bob bore Gwener. Aeth hi'n emosiynol yno wrth iddyn nhw ddiolch i ni ac wrth i ni ddiolch o waelod calon iddyn nhw am gyfoethogi bywydau ein plant. Yr hyn y gallem ymfalchïo fwyaf yn ei gylch oedd fod presenoldeb Sisial wedi newid agwedd nifer o blant yn yr ysgol ac, yn llythrennol, newid iaith yr iard gan na fedrai Sisial ddim un gair o Ffrangeg wrth gyrraedd. Llydaweg oedd iaith y chwarae o'r herwydd. Drwy rym y Ffrangeg hollbresennol o'n cwmpas mae Sisial bellach yn deall yn iawn ac yn medru siarad rhywfaint, sy'n dangos mor hawdd yw hi i blant amsugno ieithoedd, ond mae'r rhaff sgipio a'r bêl a gicir rhyngddi a'i ffrindiau wedi eu gwneud o Lydaweg cadarn. Trugarez, Skol Diwan Lesneven.

Dydd Mawrth, Mehefin 25, Gwiseni a Goulc'hen / *Dimeurzh ar pemp warn-ugent a viz Even, Gwiseni ha Goulc'hen*

Diwan C'hoari

Aethon ni i'r traeth heddi. Gweithgaredd digon arferol a rhywbeth y buom yn ei wneud yn wythnosol yn ystod y flwyddyn, mor agos oedd yr arfordir i'n cartref. Ond mynd yno gydag ysgol Diwan Lesneven wnaethon ni heddi ac fe ges i fynd ar fws yr ysgol gyda Sisial gan taw heddi oedd diwrnod mabolgampau'r ysgol, a hynny ar draeth Gwiseni, ger safle ysgol Uwchradd Diwan. Mae'r ysbryd yn yr ysgol honno yn syth pan fyddwch yn cyrraedd yn agored a chroesawgar, yn wirioneddol hapus. Does dim mwy na 150 o blant yn yr ysgol felly mae 'na deimlad teuluol i'r lle, teimlad sy'n ymestyn i'r pedair ysgol gynradd o ogledd Bro Leon sy'n cwrdd yno heddi. Mae heddi'n gyfle i fi hefyd gael cyfrannu fel y gwnaeth Laura bob bore

Gwener a bod yno fel gwarchodwr a swog i helpu i arwain tîm o blant drwy gemau'r dydd.

Dechreuon ni yn y niwl oedd yn meddiannu'r traeth, a'r niwl hwnnw'n ymestyn i'r ansicrwydd oedd rhyngom fel swog a chriw o blant, nifer nad oeddwn i'n eu nabod gan bod rhai yn fy ngrŵp o ysgol Plabenneg a Kastell Paol (St Paul de Leon) yn ogystal ag ambell wyneb cyfarwydd o Lesneven. Penderfynais fod angen imi gyflwyno fy hunan a gosod ethos o siarad Llydaweg ymhlith fy ngrŵp, gan bod yna duedd o'r dechrau i droi i'r Ffrangeg. Ni feddyliais i byth y byddai bod yn Fardd Plant Cymru yn arwain at allu dygymod gyda grŵp o blant ar draeth yn Llydaw, ond fe ddaeth gemau i gynhesu a dod i nabod ein gilydd yn ddefnyddiol iawn, a sawl un eisoes wedi chwerthin cyn inni fynd ati i gystadlu yn yr amryw o gemau oedd yn ein hwynebu.

Enw'r diwrnod yw Diwan C'hoari (Diwan Chwarae) ac mae'n gyfle i ysgolion cynradd yr ardal ymwneud â'i gilydd a dangos i ddisgyblion sydd efallai yn teimlo eu bod mewn addysg Lydaweg ar eu pennau eu hunain gan arwain at gwestiynu i ba ddiben y maen nhw'n parhau i godi a mynd i'r ysgol bob bore. Mae hefyd yn gyfle i'r ysgol uwchradd bontio ac estyn croeso i'w tho newydd o ddisgyblion, gan obeithio y bydd y disgyblion ifancach yn gweld y lle yn atyniadol ac eisiau parhau gydag addysg Lydaweg. Fel sy'n digwydd mewn rhai mannau o Gymru, mae 'na blant sy'n colli eu Llydaweg am eu bod yn symud i ysgolion uwchradd Ffrangeg eu cyfrwng.

Cafodd Sisial fodd i fyw ymysg ei ffrindiau, a hefyd fe deimlai fymryn o dristwch mai dyma ei diwrnod olaf hi yn yr ysgol. Mae'n rhyfeddol fel mae hi wedi gallu addasu i fywyd mewn gwlad arall a'r her nawr fydd cadw ei Llydaweg mor rhugl â phosib a chadw mewn cysylltiad gyda'i ffrindiau newydd pan fyddwn ni'n dod yn ôl i Lydaw. Cyrhaeddodd Laura ac Erwan i ddod i fwyta brechdanau gyda ni amser cinio ac fe welsom mai'r her a'n hwynebai ni yn syth oedd cadw llygad ar Erwan oedd yn rhedeg i bobman fel gwenynen fach rhwng coesau'r plant mwy!

Wedi cinio bu'n brynhawn o adeiladu cestyll tywod yn ein grwpiau unwaith eto. Sylweddolais fod yn well i fi gadw at drio adeiladu cerddi gan taw gweledigaeth bensaernïol digon *brutalist* oedd gen i: rhyw awydd i arwain y plant i adeiladu'r castell tywod mwyaf, tra bod y grwpiau eraill yn addurno eu cestyll gyda broc môr ac yn codi creadigaethau gwirioneddol brydferth. Wrth i'r pnawn fynd rhagddo gadewais i'r grŵp benderfynu ar drywydd eu castell yn sgil fy methiant cychwynnol a dyma ddewis canolbwyntio ar atal y môr o Ffrangeg rhag llifo dros furiau tywod eu Llydaweg. Yr argraff a gefais oedd fod Llydaweg plant Skol Diwan Lesneven yn gryfach na Llydaweg yr ysgolion eraill a bod yna ddiffyg geirfa go elfennol gan rhai. Labour a zo d'ober (Mae 'na waith i'w wneud).

Gyda'r hwyr, roedd hi'n achlysur gwers Lydaweg olaf Laura o blith y gwersi y bu'n eu cael ar hyd y flwyddyn drwy Ti ar Vro. Dyma'r wers fwy diwylliannol ei naws lle bydden nhw'n edrych ar eiriau caneuon a chynnal mwy o sgwrs Lydaweg. Roedd gwahoddiad i fi a'r plant ymuno ar gyfer y Tantad Sant Yann (Coelcerth Sant Yann) a oedd yn ddathliad o ddiwedd blwyddyn o wersi a dathliad o hirddydd haf (rai diwrnodau yn hwyr!). Achlysur bach hyfryd a chyfle i Laura ddiolch i'w hathrawes, Marie. Daeth ei gŵr hi a'u plant i ymuno yn y dathliad hefyd ac fe gafodd ein plant ninnau chwarae'n galed a rhedeg yn wyllt gyda nhw am orig. Mae Nicholas, gŵr Marie, yn dod o ddwyrain di-Lydaweg Llydaw ac wedi dysgu Llydaweg yn hynod o rugl ond Ffrangeg yw'r iaith gryfaf yng ngenau ei blant. Maen nhw mewn ffrwd Lydaweg mewn ysgol ddwyieithog yn hytrach na bod yn ysgol Diwan. Holais eu mam ar y noson sut oedd hi'n teimlo am ddyfodol y Llydaweg a nododd ei bod hi'n goferu rhwng anobaith a gobaith yn ddyddiol. Tebyg i fi, meddyliais. Yna dywedodd 'Graet 'm eus va labour, treuskaset 'm eus ar yezh dezho' (Rwyf wedi gwneud fy ngwaith, trosglwyddais yr iaith iddyn nhw). Ai proses neu ddigwyddiad yw trosglwyddo iaith, meddyliais?

Ar noson braf o haf aeth hi'n go hwyr i'n plant, yn hanner awr wedi naw cyn inni sylweddoli beth oedd yr amser. Wrth fwynhau gwydraid o win a thamaid i'w fwyta yng ngwres y Goelcerth a'r machlud yn mynd rhagddo, y frawddeg a arhosodd gyda fi a Laura oedd yr un pan aethon ni o gyd-destun y wers i baratoi'r goelcerth, ac un o gyd-ddysgwyr Laura yn y dosbarth yn holi Laura yn ei Ffrangeg rhwydd, â Laura yn dal i siarad Llydaweg â'i hathrawes, 'Pam ych chi'n dal i siarad Llydaweg? Mae'r wers ar ben.'

Labour a zo d'ober.

Dydd Iau, Mehefin 27, Douarnenez / *Diriaou, seizh warn-ugent a viz Even, Douarnenez*

Trodd heddi mas i fod yn ddiwrnod twyma'r flwyddyn. Ond wrth inni adael Kelrouan am Douarnenez y bore ma roedd hi'n llwydaidd a mwll, felly pacio a gwisgo ar gyfer diwrnod fel 'na a wnaethon ni. Argoelai yn ddiwrnod twym erbyn inni gymryd saib a chyfle i Mukti fynd am wâc fach yn nhref bert Kastellin (Chateaulin) ar hyd yr afon ac ar draws ei thraphont urddasol. Wrth inni agosáu at Douarnenez, roedd y dref yn gloywi yn yr haul fel rhyw rith a'r môr yn wyneb gwres y dydd yn edrych yn berffaith i neidio mewn iddo'n syth. Yn ein dillad, pe bai rhaid! 'Daear yr ynys' yw ystyr Douarnenez ond clywais ambell un yn dweud mai Daear yn y Nef yw'r ystyr a gellir yn hawdd ddeall pam. Buom yn Douarnenez unwaith o'r blaen, ond i ochr y porthladd pleser. Dyma ddeall fod yna dair rhan i'r dref, yn ogystal â'r canol, gan ei bod ar benrhyn ac felly yn edrych mas i bob cyfeiriad o diriogaeth Bro Gerne. Math gwahanol o Lydaweg o'i gymharu â Bro Leon sydd i'w glywed fan hyn. Wrth inni gyrraedd serch hynny a chanfod ein ffrindiau, ni chlywsom air o Lydaweg am yr awr neu ddwy y buom yn cysgodi rhag yr haul.

Aethom i Douarnenez i gwrdd â Monica ac Arnaud a'u plant, Mael a Lua, sy'n ffrindiau da inni bellach, a hefyd i gwrdd ag Anne-Laure, un o famau ysgol Diwan Lesneven oedd yn hanu o Douarnenez. Bob haf bydd hi'n dychwelyd i fod gyda'r teulu gan bod yna far ac felly gwaith i'w wneud yn y tymor twristaidd. O dipyn i beth, dyma fi'n sôn wrth Anne-Laure ein bod wedi cysylltu â Nolwenn Korbell, a ddywedodd wrthym pe baem yn dod i'r dre y byddai'n hapus i'n croesawu, ond ei bod hi bant ym mhellafion dwyrain Ffrainc yn gweithio yn y byd theatr. Yn y cyfamser, roedd cwpled o gywydd gan y Prifardd Twm Morys, cerdd o'r enw 'Glaw', yn canu yn fy mhen: 'I far Michlin â minnau / a chôt na fedraf ei chau.' Wrth siarad mwy gydag Anne-Laure dyma ddeall mai hi yw wyres Michlin! Yn fwy na hynny, cawsom gwrdd â hi. Esboniodd fel roedd ei bar hi fwy neu lai yn union fel ag yr oedd yn y 90au pan fyddai Twm yn ei dramwyo a'i bod hi'n ymwrthod â'r pwysau a roddir ar fariau'r cei i osod paneli plastig gwydyr unfath o flaen pob bar. Roedd cymeriad Michlin yn pefrio, a'r cymeriad i'w weld yn ei bar hi hefyd.

Dyma fentro wedyn i'r haul ac i ganfod lle i bicnicio, a gan ein bod ni yng nghwmni Anne-Laure sy'n nabod Douarnenez fel cledr ei llaw fe gyrhaeddon ni barc bach hyfryd yn y coed, ger fferm gymunedol a llwybrau cerdded yn arwain i bob cyfeiriad o'r fferm. Yn ôl yr arfer, dyma gymryd ein hamser i fwyta ac yna'n sydyn dyma glywed llond trên o Lydaweg yn agosáu. Rhes o blant gyda'u hathrawes fywiog yn cael mwynhau taith gerdded yn yr hindda. Plant yr ysgol ddwyieithog leol oedden nhw; twymwyd fy nghalon o weld eu bod yn siarad Llydaweg yn rhwydd a rhugl gyda'i gilydd a hawdd deall pam o weld yr arweiniad cadarn a ddeuai o du'r athrawes. Cawsom gyfle i sgwrsio'n glou cyn iddyn nhw fynd yn eu blaenau i weld anifeiliaid y fferm. Dyma ddeall wedyn fod ffrind i Anne-Laure, oedd yn treulio'r diwrnod gyda ni hefyd, Emilie, hefyd yn medru Llydaweg, a'i bod hi'n hyfforddi ar gyfer bod yn athrawes yn un o ysgolion Diwan Kemper. Mae Emilie'n hanu o Naoned ac fe ddysgodd Lydaweg dros y flwyddyn ddiwethaf. Siaradai'n rhwydd a rhugl ac yn llawn cyffro am gael dechrau gweithio mewn ysgol Lydaweg. Mae dysgu iaith a hyfforddi fel athrawes yn ddau newid enfawr i fywyd rhywun. Newid trawsffurfiol.

Wedi taith gerdded fach hyfryd o chwyslyd yn edrych lawr dros y môr aethon ni nôl i'r cei am hufen iâ. Er nad oedd gan y plant ddillad nofio, cawsant ddiosg eu dillad a gwres y dydd o'u cyrff a mynd i badlo yn nŵr y cei ar hyd rhodfa sy'n ymestyn i'r môr. Tra bod Laura gyda'r plant yn padlo ro'n i ac Anne-Laure ac Arnaud yn sgwrsio ar deras caffi ac yn sydyn dyma Anne yn gweld cyfaill iddi, Olivier, neu Ollier yn Llydaweg, sydd hefyd yn siaradwr Llydaweg. Mae'n gweithio i Ti ar Vro Douarnenez ac felly yn nabod Klervi o Ti ar Vro Leon. Ebychodd yn frwdfrydig am y ffaith eu bod nhw wedi trefnu ugain o ddigwyddiadau Llydaweg yn y dre rhwng yr haf diwethaf a'r Nadolig. Ymddengys fod bywyd cymdeithasol a chelfyddydol bywiog iawn i'w gael yn Douarnenez. Mae'n lle sy'n denu artistiaid, cerddorion, beirdd ac actorion, ac yn niwrnodau sgleiniog yr haf ar lan y dŵr mae'n hawdd deall pam.

Anos oedd deall wedyn pam fod Ollier yn siarad Ffrangeg gyda'i ferch dyflwydd oed. Dywedodd fod ei mam yn siarad Llydaweg â hi ond taw Ffrangeg oedd eu hiaith nhw. Fe'm dryswyd braidd gan yr ymhyfrydu blaenorol yn y Llydaweg a ddeuai gan Ollier ond wedyn y ffaith ei fod yn siarad Ffrangeg â'i ferch. Ond dysgais erbyn hyn i beidio â beirniadu a doedd haul tanbaid na thref brydferth Douarnenez, ar y diwrnod yma, ddim yn caniatáu imi wneud chwaith.

Dydd Gwener, Mehefin 28, Brest, Sant Fregan a Lesneven / *Digwener, eizh warn-ugent a viz Even, Brest, Sant Fregan ha Lesneven*

Rydyn ni bellach wedi arfer ymbaratoi i wynebu'r system weinyddol Ffrengig wedi ein harfogi gyda'r arf gorau posib, sef amynedd. Dyma ddychwelyd felly i'r swyddfa dreth ym Mrest gyda'r erfyn pwysig hwnnw, amynedd, a phoced yn llawn o ofn a beiros rhag ofn fod angen llenwi mwy o ffurflenni.

Ond dyma'r syndod cyntaf wrth fynd trwy'r drws – dim ciw! Yn syth ymlaen â fi felly at y ddesg i siarad â swyddog nad oedd yn edrych fel pe bai wedi codi ar ochor iawn y gwely y bore hwnnw. Yn betrus dyma gyflwyno'r ffurflenni treth iddo, gan obeithio bod pob manylyn angenrheidiol a phob llofnod yn ei le. Ennyd o ryw ugain eiliad, mae'n siwr, dreulion ni mewn tawelwch wrth iddo wirio popeth, 20 eiliad a deimlai fel ugain munud, cyn iddo godi ei ben a dweud fod popeth yn ei le a'r ffurflen yn barod i'w chyflwyno. Dyma'r gŵr wedyn yn codi o'r surbychni cychwynnol i ofyn, ai enw Cymraeg (o weld llungopi o'm pasbort a deall o ba wlad yr hanwn) oedd Karadog, gyda K? Ie, esbonies i, ond gan bod fy mam yn Llydawes, ei bod hi a fy nhad wedi ei sillafu fel'na i amlygu'r cysylltiad Llydaweg. Dyma fe wedyn yn holi o ble yng Nghymru. Yn agos at Lanelli, wedes i. 'Ah oui! Llanelli, avec la bonne équipe de rugby, les dragons c'est ça?' Nid y Dreigiau ond y Sgarlets, nodais, gan ryfeddu ar ei ynganiad perffaith o Lanelli. Yna dyma fe'n mynd a sôn am ddirywiad y diwydiannau trwm yn ne Cymru gan holi wedyn pa ddinas oedd agosaf at Lanelli. Abertawe. Swansea, atebais. Ethon ni o fyn'na i drafod pêl-droed a'r ffaith fod Abertawe ar i lawr ar y cae ffwtbol a Brest ar i fyny, newydd gael dyrchafiad i brif adran Ffrainc. Nodais hefyd fod yna debygrwydd rhwng Abertawe a Brest; y ddwy ddinas yn fryniog a ger y môr ac yn cynnwys prifysgolion a bod y ddwy ddinas wedi cael eu bomio yn helaeth yn yr Ail Ryfel Byd. Nodais taw'r Almaenwyr wnaeth y bomio yn Abertawe. Nododd e taw'r Saeson a'r Americanwyr hoff wnaeth y bomio ym Mrest. Ni allaf fanylu ar yr hyn ddywedodd e am 'les Alliés, surtout les Anglais', y cynghreiriaid, yn enwedig y Saeson, wedi hynny. Ond nid cywydd o fawl oedd ganddo iddyn nhw. Dyw hynny ddim i ddweud ei fod e o blaid presenoldeb y Natsïaid chwith, prysuraf i ychwanegu. Ac felly y bu, gydag ambell chwerthiniad pellach ac ambell air tocenistaidd Lydaweg wrth ffarwelio a diolch. Sylwais wrth adael y swyddfa dreth fod yna giw go sylweddol wedi tyfu yn sgil ein sgwrs.

Yn dilyn fy mhrofiad brafiaf wyneb yn wyneb â system weinyddol hynod fiwrocrataidd Ffrainc, roedd yn bryd mynd i wneud yr hyn y neilltuir amser bob dydd iddo gan y Ffrancod a'r Llydawyr fel ei gilydd, sef ciniawa. Ond nid unrhyw ginio oedd hwn ond Lein ar Miz, sef y wledd fisol drwy gyfrwng y Llydaweg. Lle bu'r un diweddaf yn Plouzeniel, roedd hwn heddi yn Sant Fregan. Mae'r cyfleon i gymdeithasu yn Llydaweg yn go brin felly braf yw gallu ciniawa yn hyderus a rhwydd drwy gyfrwng fy mamiaith. Gwell fyth yw fod Laura hefyd yn gallu sgwrsio'n hyderus a rhugl wrth giniawa bellach.

Arwydd sy'n ein hatgoffa bob tro ein bod ni ar fin dychwelyd i Gymru yw pan fyddwn ni'n gorfod mynd â'r ci i gael ei driniaeth llyngyr cyn cael teithio ar y llong. Wedi'r pryd o fwyd aethon ni i Lesneven er lwyn cael y stamp swyddogol ym mhasbort y ci. Tra fy mod i a'r ci yn mynd trwy ein profiad biwrocrataidd olaf yn Ffrainc, mae'n debyg fod Erwan a Sisial wedi cadw rhai o drigolion Lesneven a'u cathod yn brysur yn nerbynfa'r filfeddygfa. Soniodd Laura fod y ddwy ddynes glên oedd yno, er yn siarad Ffrangeg â'i gilydd, yn defnyddio eu Llydaweg gorau i gyfathrebu ag Erwan brysur wrth iddo chwarae yn ei gymysgedd o Gymraeg a Llydaweg.

An dazont / Y dyfodol

Mae ein dyddiau yn byw yma'n Llydaw wedi bod yn llawn o Lydaweg, fel cael mynediad i berllan o goed ffrwythlon drwy'r flwyddyn lle gallem gerdded drwyddi a phigo ffrwythau a'u mwynhau o wythnos i wythnos. Rydyn ni hefyd wedi cael pob math o dywydd, yn law mawr arch Noa o drwm, yn haul crasboeth Chwefroraidd o annisgwyl, yn wynt di-ildio ac yn niwl ar amrantiad. Fe brofon ni yn amal sawl math o dywydd, o law mawr i haul mwy, o fewn yr un diwrnod. Diwrnodau fel yna fyddan nhw hefyd wrth feddwl am yr iaith Lydaweg. Mae rhywun yn profi pob eithaf o'r ddau begwn yn ddyddiol. Ar un anadl yn digalonni ei bod hi ar ben ac yna'n rhyfeddu ar yr anadl nesaf ei bod hi, er gwaethaf popeth, yn dal i sefyll. Ond sut dywydd wneiff hi fory?

Mae 'na enghreifftiau o dros y byd o ieithoedd sydd wedi adennill tir, neu gael ail wynt. Nid dim ond stori anochel o ddifodiant sy'n wynebu ieithoedd bychain y byd. Nid pob iaith leiafrifol sydd cweit mor fach â hynny chwaith. Fe gofia i hyd byth Twm Morys yn adrodd wrthyf am daith a wnaeth i Gerala, India rai blynyddoedd yn ôl lle bu'n siarad â bardd yn y fan honno a bryderai am ddyfodol ei iaith. Dyma Twm yn gofyn iddo maes o law, 'Wel, faint o bobol sydd ar ôl yn siarad eich iaith?' 'Dim ond rhyw dri deg miliwn sydd ar ôl,' atebodd! Fe welwyd adfywiad yn yr Hebraeg yn sgil sefydlu gwladwriaeth Israel ym 1948, a rhyfedd yw meddwl am dwf yr iaith honno yn sgil dioddefaint yr Iddewon tra bod y Llydaweg, yn sgil bod ar gyfandir a gyffyrddwyd gan ddwrn mileinig Natsïaeth, wedi edwino.

O edrych ar Gatalunya, a chymryd yr holl amrywiadau ieithyddol (tafodieithoedd, i bob pwrpas) sydd o'r Gatalaneg – yn Menorquín, Mallorquín, Valenciano, a'r boblogaeth Gatalanaidd ei hiaith a'i diwylliant sydd yn Ne Ffrainc – gellir cyfrif fod yna oddeutu 9 miliwn o bobol yn siarad Catalaneg. Ond ystyriwch wedyn gysylltiadau'r iaith Gatalaneg gydag Ocsitaneg. Ystyrid, hyd at ddiwedd y 19eg ganrif, fod Catalaneg yn dafodiaith o'r Ocsitaneg. Gallai'r 'Langues d'Oc' ('òc' yw'r gair am 'ie', neu'r 'oui' Ffrangeg) fod wedi dod yn iaith Llywodraeth ac yn iaith y Wladwriaeth. Ond ei chyfnither o grŵp ieithyddol a elwir dan y term torfol 'Langues d'Oïl' (i'r grŵp hwn o chwaerieithoedd ar hyd gogledd Ffrainc y perthyn y Gallo ac fe welir fel y canibaleiddiwyd Ffrangeg gynhenid dwyrain Llydaw, Breizh Uhel, gan fersiwn Paris o'r iaith) a ddaeth i feddiannu'r grym ac yn raddol, dod i greu a siapio'r hyn a elwir heddi yn Ffrainc. Pe bai'r elît a'r dosbarth gwleidyddol wedi siarad Ocsitaneg, dyna fyddai'r hyn y byddwn heddi yn ei adnabod fel 'Français'. Gwelir felly mai rhith wedi ei droi yn gastell yr honnir ei fod wedi ei wneud o gerrig yw Ffrainc a'r Ffrangeg, a hwnnw mewn gwirionedd yn gastell o ddyheadau gwleidyddol a dderbynnir gan y boblogaeth bellach fel ffaith. Ie, cyffyrddwch, bobol, y muriau hyn. Fe deimlwch mai o garreg y maen nhw, am ein bod ni'n dweud.

Siaredir Ocsitaneg heddi gan bron i 800,000 fel iaith gyntaf, ac amcangyfrifir y bu rhwng 12 a 14 miliwn o bobol yn ei siarad hi fel mamiaith yn 1921. Ond nid yw'n iaith swyddogol a chredir fod hyd at ddeuddeg miliwn hyd heddi yn parhau i'w deall hi ond heb honni medru ei siarad. Ond mae ganddi broblemau o'r un math ag sy'n wynebu'r Llydaweg. Tu hwnt i'r ffaith nad oes ganddi statud swyddogol yn asgwrn cefn iddi, mae 'na wahanol garfannau a thafodieithoedd sy'n mynnu nad oes ffasiwn iaith ag 'Ocsitaneg', taw continwwm ieithyddol yw hi a taw'r tafodieithoedd, mewn gwirionedd, yw'r ieithoedd sy'n ffurfio teulu'r Ocsitaneg. Cadwyn o dafodieithoedd sy'n gallu deall ei gilydd ac sy'n mynd o Ogledd Sbaen ar hyd De Ffrainc gan gynnwys yr ieithoedd Béarnese, Aranese, Gascon, Languedocien, Limousin, Auverngnat, Provençal a'r is-dafodieithoedd Niçard a Vivaro-Alpine. Cyfoeth yr ieithoedd Ocsitanaidd yw eu henfys o amrywiaethau, ond dyma hefyd, yn glir iawn, sut y bu modd i un iaith bwerus fel Ffrangeg Paris eu traflyncu a'u damsgin yn sgil diffyg undod. Mae'r cyfoeth ieithyddol yn rhyfeddol, a'r holl ddiwylliant a ddaw gyda hynny hefyd, yn fwydydd, diodydd, cerddoriaeth, dawns, crefftau, llenyddiaeth a chymaint mwy. Mae'n rhywbeth i'w ddathlu. Mae gan yr hen fröydd hyn ysgolion dwyieithog o'r enw Calandreta ar fodel Diwan a'r mudiad Meithrin yng Nghymru lle trochir plant yn yr iaith. Mae oddeutu 55 o'r ysgolion cynradd hyn yn bodoli a dwy ysgol uwchradd gyda thros dair mil o ddisgyblion yn astudio o ddydd i ddydd drwy'r Ocsitaneg. Yn ystadegol, mae hynny'n llai nag sydd yn ysgolion Diwan. Bywyd ar y dibyn yw bywyd yn yr ysgolion hynny hefyd, heb fawr o gefnogaeth nac arian gan y Wladwriaeth. Dywedir mai Ocsitaneg oedd prif iaith Ewrop yn y drydedd ganrif ar ddeg. Ond os ewch i Dde Ffrainc, y Ffrangeg fydd yn eich wynebau, yn eich clyw, yn cael ei chynnal a'i bwydo'n barhaus gan wladwriaeth sy'n benderfynol o gadw muriau'r castell i sefyll yn gadarn. Ond wedyn, wrth holi sut dywydd wneiff hi fory, mae'r haul yn gwenu'n amlach ar diroedd Ocsitania, nag ydyw ar Lydaw wleb a gwyntog. Efallai rhyw ddydd y bydd ei belydrau'n toddi muriau'r castell.

Mae Gwlad y Basg wedi gweld cynnydd yn y degawdau diwethaf yn y canran o siaradwyr Basgeg, er gwaethaf y cymhlethdodau sy'n wynebu cenedl y Basgwyr o fod yn byw mewn gwlad sydd ag un troed yn Sbaen a'r llall yn Ffrainc. Fe ddioddefodd y Basgiaid a'r Catalaniaid yn enbyd o dan orthrwm unbennaeth Franco, o gael y Luftwaffe yn eu bomio i gael gwahardd eu hieithoedd o fywyd bob dydd. Mae'n wir fod y

Rhyfel Byd Cyntaf wedi dwyn nid yn unig miloedd ar filoedd o feibion Cymry i'w bedd yn rhy gynnar, ond hefyd filoedd ar filoedd o siaradwyr Cymraeg. Ond yng Nghymru, yn wahanol i'r gwledydd Celtaidd eraill, efallai mai theori a godwyd gan y Prifardd Emyr Lewis mewn sgwrs rhyngom unwaith sy'n cyfri bod y Gymraeg yn para'n gymharol gryf hyd heddi. Y theori yw fod y Gymraeg wedi cael ei hachub nid yn unig gan Feibl William Morgan, ond bod y chwyldro diwydiannol hefyd wedi llwyddo i gadw niferoedd sylweddol o bobol, a denu niferoedd sylweddol o boblogaeth a Gymreigiwyd wedi hynny, yn chwarelwyr, gweithwyr dur a glowyr, fel bod y Gymraeg wedi gallu para yn iaith gymunedol hyd heddi. Cymharwch y Gymru ddiwydiannol, yn feysydd glo, gweithfeydd haearn a dur a chwareli, a gosodwch hi gyferbyn ag Iwerddon, Alban a Llydaw amaethyddol a morwrol. Yr hyn a ddigwydd pan fydd trychinebau fel cnydau'n methu yw fod newyn ac allfudo yn newid siâp iaith yn llwyr.

Mae'r niwed sydd wedi ei wneud i'r Llydaweg wedi cael ei wneud. Nid trwy redeg yn erbyn gwyntoedd amser a throi'r cloc yn ôl mae adfer yr iaith. Rhaid derbyn yr hyn a fu, er mor boenus yw hynny i'r rhai ohonom sy'n colli cwsg am y fath bethau, a rhaid derbyn hefyd fod yna drwch poblogaeth yn Llydaw sy'n ddi-hid neu'n ddi-glem am ddirywiad iaith eu rhieni a'u rhieni nhw. Ond fe ellir ailgodi aelwydydd, cynnau tanau, ail-hadu perllannau, dyfrio a chwynnu a cheisio gochel rhag y gwyntoedd cryfion a'r *reverzhi vras*, y rhyferthwy mawr, sy'n siwr o ddod eto yn y dyfodol, boed yn rhyfeloedd, polisïau gwladwriaethau neu chwit-chwatrwydd pobol wrth benderfynu hongian eu mamieithoedd ar welydd fel hen greiriau.

Bydd rhai yn pwyntio at niferoedd siaradwyr, yn dangos y llinell ar y graff sy'n mynd am i lawr. Bydd eraill yn dangos fod 17,000 o ddisgyblion ysgol sy'n cael eu haddysg yn Llydaweg o'i gymharu â 400,000 sy'n cael eu haddysg trwy'r Ffrangeg yn llwyr yn arwydd o wendid terfynol, yn arwydd nad oes hyd yn oed diben codi o'r gwely. Dim ond marw wneiff hi. Bydd eraill yn nodi taw'r unig Lydaweg a glywch chi yn ninas Brest yn gyson yw recordiad o lais ar y tram yn dweud pa orsaf sydd nesaf, wedi i'r llais ei gyhoeddi yn Ffrangeg. Ac os nad yw Alexa neu Siri eto yn siarad Cymraeg, pa obaith sydd i'r Llydaweg. Ond wedyn, fel y darllenais mewn erthygl bapur newydd yn ddiweddar am gyfarwyddwr ffilm a gynhyrchodd ffilm yn iaith llwyth yr Haida yn British Columbia, Canada, iaith a siaredir gan ryw ugain, ie, ugain o bobol, fe nododd Gwaai Edenshaw: 'Gwn, yn ystadegol, os ody ein hiaith ni wedi cyrraedd lle mae hi, y dylai fod ar ben. Ond nid yw hynny'n rhywbeth rydyn ni'n fodlon ei dderbyn.'

Felly sut dywydd wneiff hi fory? Cyfnewidiol. Cyfnodau heulog. Niwl ben bore, heb os, ond haul braf erbyn y machlud. Bydd yna ddiferyn neu ddau o law. Fel iaith y gallech ddisgwyl ei chlywed ar y stryd, mae mwy o siawns o glywed Almaeneg neu Saesneg yn hafau crempogaidd y twristiaid mewn llefydd fel Kerlouan neu Benodet. Ond mae'r Llydaweg yn styfnig. Mae 'na aelwydydd o blant bach ifanc sy'n cael eu magu'n uniaith Lydaweg. Mae 'na garfan ar garfan o fyfyrwyr sy'n gadael yr ysgol yr un mor rhugl a hyddysg yn eu Llydaweg ac ydyn nhw yn eu Ffrangeg. Mae 'na Lydawyr na feddyliodd am dri deg mlynedd cyntaf eu hoes y byddai angen iddyn nhw ffwdanu dysgu'r iaith, sy'n mynd ar gyrsiau carlam sy'n eu troi'n siaradwyr Llydaweg bron dros nos, neu o fewn tri, chwech neu naw mis. Mae 'na gyfryngau ar radio, teledu, yn y papurau newydd, mae 'na gyhoeddiadau a chynyrchiadau theatrig sy'n defnyddio'r Llydaweg bob dydd fel iaith i fynegiant celfyddydol. Tra eu bod nhw'n dal i anadlu a cherdded a chwerthin, mae rhai hen ddynion neu hen neiniau yn sibrwd wrth ei gilydd, pan fyddan nhw'n gwybod na fydd neb arall yn gwrando, yn eu mamiaith, am mai anadlu yw hynny iddyn nhw o hyd. Yn ara' deg mae'r Llydaweg yn ailddychmygu ei bodolaeth. Mae'n cymryd ei hamser, fel haid o wenyn wrth benderfynu ble hoffai'r frenhines setlo. A sut y gall hi sicrhau y bydd breninesau'r heidiau nesaf yn gallu ffynnu.

Ond mae'n rhaid i rywbeth ddigwydd.

Mae Pauline Daniel yn newyddiadurwraig a chyflwynydd gyda RCF, Radio Crétienne Française, sianel radio Gristnogol sydd hefyd yn cynhyrchu rhai oriau o raglenni diwylliannol trwy gyfrwng y Llydaweg bob wythnos. Fe gollodd ei thad, a'i ffynhonnell wreiddiol o Lydaweg, yn ifanc iawn. Ond fe barhaodd fel disgybl mewn ysgol Diwan hyd nes ei bod hi'n ddeng mlwydd oed. Yna, am bymtheng mlynedd wedi hynny aeth i ysgol uwchradd Ffrangeg ei hiaith ac ni ddefnyddiodd ei Llydaweg. Mae ganddi atgofion o fyd hollol Lydaweg, yn bili-palas o eiriau iaith y tir, iaith ei gwlad, iaith ei thad, yn chwyrlïo o'i chwmpas. Ond wedyn ni siaradai ei mam Lydaweg. Ni siaradai ei ffrindiau Lydaweg chwaith. Fe aeth ei hiaith i gysgu yn rhywle yn ei phen. Ond roedd cysgod ei thad, a'r hiraeth amdano yno o hyd. Aeth ati i felly i wneud gradd meistr a ymchwiliai i hanes yr Orsedd yn Llydaw. Roedd ei thad yn un o hoelion wyth yr orsedd, yn ei ddydd. Aeth hi wedyn i weithio i sianel radio Lydaweg Arvorig FM yn Landerne. Aeth yno i weithio fel rhywun a ddeallai'r iaith o hyd, ond fel un a dderbyniodd na fyddai eto'n siarad yr iaith. Ond fesul tipyn, heb gymryd gwersi Llydaweg y cyrsiau carlam, heb ymroi i drwytho ei hun yng ngramadeg a rheolau treiglo'r iaith, fe ddaeth o ddydd i ddydd, o raglen i raglen, yn ei gwaith fel ymchwilydd gydag Arvorig FM, i allu siarad ei hiaith o'r newydd. Roedd ei thad yntau hefyd yn Gristion mawr. Felly fe ddaeth cyfle i Pauline weithio i RCF gan barchu ffydd ei thad a gwneud hynny yn yr iaith a fyddai'n gyswllt cryf rhyngddyn nhw pe bai wedi byw i fagu ei ferch. Mae ei thad yn un enaid arall ymysg y miliynau o eneidiau a fagodd eiriau, cystrawen a synau'r

Llydaweg yn annwyl rhwng breichiau. Fe barodd ei ddylanwad gan arwain ei ferch yn ôl at yr iaith. Stori brin yw hon falle. Ond stori sy'n golygu fod yna un yn fwy yn arddel yr iaith o ddydd i ddydd.

Sut dywydd wneiff hi fory? Os oes rhaid i rywbeth ddigwydd, beth yn union sy'n gorfod digwydd? Yn ôl Pauline, mae angen i rhywbeth symbolaidd amlwg, rhywbeth o arwyddocâd, ddigwydd ar lwyfan cenedlaethol Ffrainc. Rhaid cael chwaraewr pêl-droed dawnus i ddathlu gôl gan ddefnyddio'r Llydaweg neu gael gwleidydd carismataidd i ysgwyd Llydaw o'i thrwmgwsg. Ai aros am ei Saunders y mae Llydaw?

Ces i, Laura a'r plant, Sisial ac Erwan, y fraint o ddod i nabod cymaint yn fwy o siaradwyr Llydaweg yn ystod ein blwyddyn. Nifer yn ifanc. Nifer yn parhau yn gadarn eu daliadau ac yn arddel eu hiaith ta beth yw'r tywydd. Un o'r cymeriadau difyr, cadarn hynny a godai chwilfrydedd ynof yw Dewi Sibiril. Mae e a'i wraig Gael, sy'n feddyg teulu, a'u mab teirblwydd oed, Eflamm, yn byw bywyd cyfan gwbwl trwy gyfrwng y Llydaweg, neu gymaint ag y bo modd. Mae Gael yn hanu o Naoned a Dewi o Rostren yng nghanol Llydaw. Mae gan Dewi acen Lydaweg hyfryd sy'n hanu o'i ardal, mor gryf fel y credwn heb hyd yn oed gwestiynu mai Llydaweg oedd ei famiaith. Ond wedi dysgu mae Dewi. Wedi dysgu mae ei wraig hefyd, a hithau yn ogystal yn arddel rhinweddau hyfryd acen Treger/Kerne Uhel. Ac yna, fe gwrddodd Erwan ac Eflamm a dechreuodd y ddau gyd-redeg a chwerthin a giglo yn Llydaweg am oriau. Eflamm yntau yn mynegi ei hunan mewn Llydaweg tafodieithol hyfryd.

Ond hyd ei ddeunaw mlwydd oed, ni fedrai Dewi siarad ryw fawr o Lydaweg, er y medrai ddweud ambell frawddeg a deall cryn dipyn o'r hyn a glywai ei famm-gozh (mam-gu) yn ei ddweud. Ond mynd i ymuno â'r fyddin oedd bwriad Dewi wrth droi'n oedolyn. Byddin Ffrainc a'i holl ymhyfrydu yn y

'Marseillaise' a hanes 'la gloire de la République'. Daeth Dewi i synnu at gymaint o bwys oedd ar ddathlu a dyrchafu hanes Ffrainc ymysg ei gyd-ddarpar-filwyr, ac yna dechrau sylweddoli na wyddai ddigon am hanes ei wlad ei hun. Ni dderbyniwyd Dewi i'r fyddin. Ond aeth ar gyrch personol o'r foment honno ymlaen, taith i ddarganfod hanes ei wlad. Deall pam nad oedd e na'i gyd-Lydawyr yn dysgu am hanes Llydaw yn yr ysgol. Cyrraedd y sylweddoliad fod angen iddo lenwi'r bylchau, a'r bwlch mwyaf oedd y diffyg Llydaweg ar ei dafod ac yn ei feddwl. Mae'n rhyfedd meddwl fod rhywun yn gallu mynd o fod ar fin troi'n filwr i gael tröedigaeth ieithyddol, ddiwylliannol a gwleidyddol. Hoffai Dewi weld Llydaw rydd, deg a democrataidd. Rhan o'r holl sylweddoliad a'r deffroad iddo ef yw ailafael yn yr iaith na chafodd e ond ei blasu pan oedd yn blentyn.

A gyda Eflamm, nid yw Dewi hyd yn oed yn sicr mai ei ddanfon i'r ysgol fydd orau iddo, heb sôn am ddewis ei ddanfon i Ysgol Diwan. Ofn glastwreiddio, gwanhau a hyd yn oed llygru ei Lydaweg gyda Ffrangeg. Hyd yn oed mewn ysgol Diwan. Dyna'r dewisiadau anodd sy'n wynebu Llydawyr effro'r unfed ganrif ar hugain. Fel y gwelson ni wrth fagu plant ym Mhontyberem ac yn Llydaw, nid oes angen yr un wers Saesneg na'r un wers Ffrangeg ar ein plant er mwyn iddyn nhw allu siarad yr ieithoedd hynny yn frawychus o rugl. Gwelsom gyda chymaint o rieni sy'n gefnogol i'r Llydaweg, rhai sydd hyd yn oed yn Llydawyr o'r crud, eu bod yn poeni na fyddai Ffrangeg eu plant yn ddigon da pe baen nhw'n siarad dim ond Llydaweg gatre. Siaradais i fyth Saesneg gatre. Do, bu'n rhaid medru rhywfaint o Saesneg wrth ymweld â Mam-gu a Grampa yn Nelson, a'm brawd yn gweud pethau fel: 'Grampa, have ew seen my corrach? I've lost my corrach.' 'What the bloody hell is he on about?!' oedd ymateb serchog Grampa yn aml. Ond fe lwyddais i, yr un a fu, fel disgybl saith mlwydd oed, yn arfer mynd yn welw wrth glywed yr athrawes yn Ysgol Gynradd Pontardawe yn datgan: 'Now, we will have an English lesson...', do, fe lwyddais i, rywsut, i gyrraedd Rhydychen fel myfyriwr a bod yn diwtor Saesneg ym mhrifysgol Brest UBO. Mae Dewi yn deall grym y Ffrangeg o gwmpas ei fab.

Wrth inni deithio nôl i Gymru, gan ddal y llong o Rosko i Aberplymm (Roscoff i Plymouth os nad ydych yn siarad Llydaweg na Chernyweg), pwy welson ni ar hap ar y llong ond Dewi, Gael ac Eflamm! Carlamodd Erwan ac Eflamm yn syth mewn i gyd-chwarae yn eu Llydaweg. Mor naturiol â gweld y dolffiniaid yn cyd-nofio â'r llong enfawr, y Pont-Aven, ym môr Breizh. Chwarae'n naturiol mewn iaith nad yw'n swyddogol. Dyna sydd ei angen ar yr iaith, yn ôl Dewi. Mae angen iddi gael ei derbyn gan wladwriaeth Ffrainc, mae angen deddf iaith i'r Llydaweg. Cymru'r 80au, yn brwydro i gael mwy o addysg Gymraeg, sianel Gymraeg, mwy o arwyddion ffyrdd; Cymru'r 80au yn sgrechian am ddeddf iaith newydd, atgof sy'n para gen i o fod ar sgwyddau fy nhad yn gorymdeithio'n blentyn. Dyna Lydaw heddiw. Ond y peryg yw nad oes digon o bobol yn galw am ddeddf iaith. Nad oes digon yn sgrechian a bod y gwynt o'r dwyrain yn rhy gryf i ganiatáu i'r galwadau gario draw i Baris.

Wrth ddisgwyl i gyfeiriad y gwynt newid a chwythu o'r Kornog, o'r Gorllewin, hyd Baris gan falle, rhyw ddydd, esgor ar newid, parhau i fodoli yn y cloddiau, ar y dolydd, yn y coedwigoedd, ar y traethau, mewn cilfachau o le i le, fel bywyd gwyllt, y mae'r Llydaweg. Mae yn enwau'r caeau a'r strydoedd, mae yn enwau'r ffynhonnau a'r trefi, yng nghyfenwau disgyblion ysgol di-Lydaweg, yno yn y cefndir o hyd.

Gofynnais i Sisial, pan gyrhaeddon ni, a ninnau yn prysur weld mwy a mwy o wahanol fathau o greaduriaid gwyllt, iddi ddechrau cadw rhestr. Aeth y rhestr yn un faith, o'r wenci i'r ystlum, y carw a'r neidr, o'r twrch daear i'r sgwarnog a'r cadno. Ac fel yna y bu ein profiad o'r Llydaweg wrth gamu o'r tŷ: fe welem olion neu arwyddion fod y Llydaweg wedi bod yno. Fe'i clywem yn llafar a chlir weithiau yn y mannau mwyaf annisgwyl, mewn sgwrs rhwng tad a'i fab ar feic ger golau coch ym mhrifddinas Roazhon, ym marchnad Kerlouan neu yn archfarchnad Intermarché. Ac yna, heb wahoddiad, i ychwanegu eu hunain at ein rhestr, daeth y gwenyn...

Pan gyrhaeddon ni Lydaw ddiwedd Awst 2018, roedd y clawdd pridd gyferbyn â'r tŷ yn steddfod o brysurdeb. Roedd miloedd o wenyn unigolyddol, nid gwenyn mêl na chwaith gwenyn sy'n gallu pigo ydyn nhw, ac mae pob un yn byw yn ei dwll ei hun yn y clawdd. Ond peillwyr rhagorol; creaduriaid pwysig i'r ecoleg felly. Aeth y gwenyn hynny maes o law ac fe dawelodd y clawdd a daeth y borfa i'w hawlio unwaith eto. Ond ar ein penwythnos olaf yn Llydaw, es i'r car un bore a chlywed yr hymian rhyfedda. Si barhaus, ond heb feddwl mwy es i Frest i sortio fy ffurflen dreth. Des yn fy ôl y bore hwnnw, ddeuddydd cyn ein bod ni'n gadael am Gymru, a chael y cwmwl mwyaf o wenyn imi ei weld erioed yn llenwi'r awyr o gwmpas y tŷ. Roedden nhw'n ystyried ymsefydlu yn nho ein bwthyn ni. Daeth yn amlwg yn go fuan wedyn bod yna ail gwmwl, corwynt o wenyn a dweud y gwir, ryw hanner canllath lawr y lôn a miloedd o wenyn ar gangen, yn un ddinas o sŵn a si. Ces gyngor gan dad Mael, Arnaud, sy'n wenynwr, fod gwenyn sy'n chwilio am gartref fe hyn yn go ddof ac felly yn annhebygol o bigo. Cawson ni wybod ar ôl dod yn ôl i Gymru fod yna haid o wenyn hefyd yn simne ein cartref ym Mhontyberem. Yn Llydaw ac yng Nghymru felly fe alwon ni gyfeillion a gadwai wenyn ac fe ddaethon nhw a gosod cychod gwenyn i geisio denu'r gwenyn i fyw yn y cychod yn hytrach nag yn ein cartref, bob ochr i'r môr. Mewn cyfnod o newid, symud gwlad, symud tŷ, newid ysgol i'r plant, bod â'n holl drugareddau ar wasgar rhwng Talybont, Dyffryn Ogwen a Phontypridd, mae'n siwr fod yna drosiad ac arwyddocâd sylweddol i'r ffaith fod yna wenyn yn ceisio ymgartrefu ym mhobman sy'n filltir sgwâr inni. Ond gorffennaf gyda hyn.

Ar ein noson olaf yn Llydaw, roedd hi wedi bod yn ddiwrnod heulog braf, a'r haul yn machludo'n araf o drawiadol fel ag yr oedden ni bellach wedi dod i arfer ag e. Do'n i ddim wedi sylwi cyn byw mewn gwlad sy'n fwy gwastad na Chymru fod rhywun yn gweld mwy o'r awyr a bod gan yr haul fwy o gynfas i daflu ei liwiau drosto bob nos. Dyna lle'r o'n i yn sefyll yng nghae y cymydog mwyn o ffarmwr y des i allu sgwrsio yn naturiol yn Llydaweg ag e bob tro yr arhosem i gyfarch ein gilydd a lapan. Fyn'na yn ei gae, roedd 'na gorwynt o wenyn o'm cwmpas yn un si a dreiddiai drwy fy nghroen, drwy fy nghnawd, drwy'r esgyrn i fy mêr. Ro'n i yno mewn crys t a sandalau. Gallen i gael fy mhigo. Ond fe wyddwn mai si oedd yn eiddo i fi, am yr ennyd hon, oedd y si o'm cwmpas. Roedden ni fel teulu wedi llwyddo i lenwi ein clustiau o ddydd i ddydd gyda si Llydaweg, heniaith na ŵyr rhai Llydawyr, hyd yn oed, am ei bodolaeth, heb sôn am y miliynau sy'n bwrw mlaen a'u gorchwylion beunyddiol yn casglu eu paill eu hunain ledled y byd na wyddant ddim am Lydaw, Cymru na'n brwydrau mawrion ni. Yno, yn y cae, yn yr ennyd honno, roedd pob gwenynen yn air, yn ffrind newydd, yn ddosbarth o blant Diwan, yn nodau caneuon Yann-Fañch Kemener, yn bob diwrnod o ddyfodol yr iaith fydd ar wefusau fy mhlant i hyd fy anal olaf, a hyd eu hanal olaf hwy. A hyd yn oed wedyn, bydd yna rywun yn dal i fynnu siarad Llydaweg ar y ddaear hon, boed yn filiwn neu'n filoedd, cyhyd â bod yna flodau'n para i gynnig eu paill...

Yoga e Brezhoneg! Laura'n cael ei ffilmio wrth ddysgu yoga i blant Diwan Lesneven

Ym mhen y lôn mae 'na le…

Erwan a Sisial yn eu helfen yn yr ardd. Gwelir yn y cefndir y cae amaethyddol mawr sy'n ffinio â'r cartref.

Enw Llydaweg ar foulangerie, *Brest*

Croesawu cerflun Dewi Sant gyda gorseddogion Llydaw, Karnoed

Machlud dros draeth Meneham, Kerlouan

Kenavo

Aethom dros fôr ein hyfory, byw
  a bod a chael nesu
  at aelwyd hen y teulu;
  dod i fyw'r Llydaw a fu.

A byw yr iaith gan barhau i'w harddel
  yn ein gardd o eiriau.
  Fe dyfwn hi a dyfnhau
  wnawn, â'r addysg, ein gwreiddiau.

O'r ysgol a'i brawdoliaeth, i'r wendon
  o ffrindiau'r gymdogaeth,
  ara' droi'n llanw ar draeth
  a wna'r môr ym mae hiraeth.

Fe fu'n flwyddyn i floeddio amdani.
  Yn drwm down dan forio
  i afael Cymru a chofio'n
  cynhaeaf hardd. *Kenavo*.

Epilog : Yn ôl i Lydaw

Profiad rhyfedd fu gadael y Brifwyl yn Llanrwst bnawn Mercher er mwyn teithio yn ôl i Lydaw, yn ddi-deulu, di-gi a di-gar, er mwyn gweithio yng Ngŵyl Ryng-Geltaidd Lorient ar gyfer S4C. Maen nhw'n galw'r Sioe Fawr yn Llanelwedd yn Eisteddfod yr Anifeiliaid, wel, gallech alw gŵyl An Oriant, i roi'r enw Llydaweg ar y dre, yn Eisteddfod y Celtiaid. Os ydych yn tybio fod y Sioe Fawr neu'r Eisteddfod Genedlaethol yn enfawr o ran eu maint erbyn hyn, yna mae'r loddest o gerddoriaeth a diwylliant Celtaidd a ddigwydd yn Ne Llydaw bob Awst (ac yr un wythnos â'n prifwyl ni, yn anffodus) yn gawr sy'n gwneud i'n gwyliau ni edrych fel sioe flodau mewn pentref yng nghefn gwlad Cymru! Mae dros 750,000 o filoedd o bobol yn cael eu denu i wylio, perfformio, yfed, bwyta, canu a dawnsio yn yr Ŵyl Ryng-geltaidd. Dyma ŵyl Geltaidd fwya'r byd a phob blwyddyn mi fydd gwlad Geltaidd wahanol yn cael bod yn ganolbwynt i'r ŵyl a'i dathliadau. Tro Galisia oedd hi eleni, a chyn ichi boeri eich disgled a bytheirio nad yw Galisia yn un o'r chwe gwlad Geltaidd draddodiadol(sef Cymru, Llydaw, Iwerddon, yr Alban, Cernyw a Manaw), bydd y Galisiaid, Astwriaid, Acadiaid a gweddill y diaspora Celtaidd yn Awstralia a'r Unol Daleithiau yn sicr o godi ar eu traed yn barod i bledio eu hachos drwy ganu eu pibgyrn traddodiadol yn eich gwynebau neu floeddio'r ysbryd Celtaidd yn eu hieithoedd unigryw eu hunain. Wedi'r cyfan, Celtiaid oedd trwch pobloedd cyfandir Ewrop yn Ffrainc, Sbaen ac Ynys y Cedyrn cyn i'r Rhufeiniaid fod mor garedig â chyflwyno eu Pax Romana. Nododd pennaeth y ddirprwyaeth o Galisia wrthyf fod dros 330 miliwn o bobol yn fyd-eang, yn siarad Galiseg neu ei chwaeriaith, sef Portiwgaleg. O boblogaeth Galisia i'w cymdogion ym Mhortiwgal, i'r cefndryd ym Mrasil a'r diaspora Galisaidd yn yr Ariannin, heb sôn am Angola, Cape Verde a Mozambique, i enwi ambell le.

Braf oedd gweld hefyd fod y Llydaweg yn chwarae rhan amlycach yn yr ŵyl y tro hwn. Y tro diwethaf imi fod yno, sef blwyddyn Cymru yn 2008, i weithio fel bardd a chyflwynydd rhaglen arbennig ar gyfer *Wedi 7* ar S4C, doedd gan y Llydaweg ddim presenoldeb mor amlwg. Ond sylwais y tro hwn fod cyhoeddiadau ar yr uchelseinydd yn Llydaweg a Ffrangeg a bod arwyddion yn gwbwl ddwyieithog (er bod ambell Lydawr yn honni fod yna rywfaint o gyfieithu carbwl os nad cwbwl sgymreigaidd ar brydiau! Er enghraifft, stondin fwyd i lysieuwyr – 'enebkigour' – yn llythrennol yn Gymraeg: 'erbyncigwr'!). Darlledwyd y rhaglen ar S4C ddiwedd Awst a gellir ei gweld ar Clic, yn llawn o Lydaweg, Galiseg, Astwreg, Gwyddeleg a sawl iaith arall na chlywsoch, o bosib, amdanynt.

Ar ddiwrnod ola'r ŵyl, dydd Sul yr 11eg o Awst, cefais adael Lorient, y gwaith ffilmio wedi ei wneud, a Dyffryn y Seintiau yn gwahodd. Gan nad oedd gen i gar, a chan bod La Vallée des Saints, neu Traoñienn ar Sent yn Llydaweg, awr a hanner tuag at ganolbarth gwledig Llydaw, ro'n i'n ddiolchgar i fy rhieni a yrrodd ddwyawr o bentref Kerlouan i'm casglu yn An Oriant. Efallai ichi glywed am gerflun bron i bedwar metr o uchder o Dewi Sant a gludwyd mewn llong o Sir Benfro ac yna ar gwch drwy rwydwaith camlesi Llydaw er mwyn cael ei osod yn barhaol ymhlith 125 o gerfluniau eraill o seintiau yn Karnoed. Fe gyrhaeddodd Dewi ŵyl An Oriant ar gyfer wythnos yr ŵyl ac yna fe'i cludwyd i'w drigfan barhaol ar Sadwrn ola'r ŵyl, wedi i'r gloddestwyr Celtaidd gael cyfle i'w edmygu yn nhref Lorient. Fy mraint y Sul hwnnw oedd cael datgan cywydd a gyfansoddais ar wahoddiad Cymraes o'r enw Ffran May, a fu'n ymwneud a'r prosiect, gan ei bod hi'n hanu o'r Preseli ac yn byw yn Llydaw ers bron i 30 mlynedd. Gyda llaw, a grybwyllais i fod Gorsedd Llydaw yn mynd i fod yn bresennol, yn ogystal â miloedd o bobol i ddathlu'r achlysur, gan gynnwys criw ffilmio o raglen deledu *Songs of Praise*?!

A dyna gyrraedd Karnoed. Bu'r cyfle i weld fy rhieni eto a sgwrsio'n braf yn y car yn rhyfedd o ystyried fy mod i newydd dreulio blwyddyn yn byw drws nesa iddyn nhw. Roedd hi fel petawn i'n ymwelydd, yn dwrist eto a hwythau yn perthyn i'r wlad hynafol, hynod hon. Nhw oedd yn fy niweddaru am newyddion y dydd yn Llydaw ac yn Ffrainc a hynt a helynt aelodau'r teulu a'r cymdogion wrth fy hebrwng ar hyd lonydd y wlad. Wedi inni gyrraedd, dyma weld pobol y daethwn i'w nabod ar hyd y flwyddyn, yn gyfres o olygfeydd megis *This is your Life*, (neu 'this is your blwyddyn yn Llydaw'!) ac roedd eu gweld eto yn codi gwên ac yn gwneud i rywun berthyn i'r ennyd, i'r tir ac i'r wlad. Roedd yna ŵyl arall yn digwydd yn Karnoed (efallai ichi sylwi fod y Llydawyr yn defnyddio unrhyw esgus i gynnal gŵyl!) fel rhan o achlysur dadorchuddio Dewi Sant ynghyd â cherfluniau newydd eraill. Aeth yr ŵyl rhagddi a dyma fi'n sylweddoli fy mod i prin wedi siarad unrhyw Ffrangeg (ac acenion Llydaweg ardal Karnoed oedd yr anoddaf i'w deall, ond yr hyfrytaf i wrando arnyn nhw, yn llawn llyncu cytseiniaid a genau'n dawnsio i gyfeiliant pob brawddeg) pan ddaeth hi'n awr anrhydeddu a dathlu Dewi Sant. Fe'm galwyd yn frysiog gan Ffran ac fe'm hebryngwyd gyda fy rhieni i'r fan lle roedd Gorsedd Llydaw yn ymgynnull yn barod i orymdeithio'n osgordd yn ysblander eu gwisgoedd. Dyma gwrdd â rhai o'r gorseddogion, nifer ohonyn nhw yn wynebau cyfarwydd o'r Brifwyl yn Llanrwst, Caerdydd a'r Fenni, ac yna dod i ddeall fod cwpwl arall yn eu plith yn fam-gu a thad-cu i un o ffrindiau Sisial, fy merch, yn Skol Diwan Lesneven. Roedd blwyddyn gyfan yn cael ei chyfannu yn Karnoed. Yna ces gwtsh gwresog a gwên lydan fel cleddyf gorseddol gan eu Harchdderwydd, Ar

Druizh Meur Pêr-Vari Kerloc'h. Gŵr y des i'w nabod ar ddydd ein nawddsant pan fûm gydag e yn ffilmio rhaglen ddogfen i deledu Llydaw am y gynghanedd, a hynny yng nghylch gorseddol Llydaw yn Brasparzh (man lle bu'r Prifardd Rhys Iorwerth yn cynrychioli Gorsedd Cymru ym mis Gorffennaf.) Ymfalchïodd Pêr-Vari o glywed fod y cyn-archdderwydd Jim Parc Nest wedi ennill y Gadair gydag awdl am Iolo Morganwg, un o arwyr mawr Pêr-Vari.

Ymlaen â'r osgordd felly, o'n man ymgynnull ar lawr y maes parcio, drwy faes gŵyl Kan ar Vein (Cân y Meini) tuag at y man lle roedd Dewi Sant yn ein haros. Fy rhieni a chyfeillion Llydaweg eu hiaith a'u hysbryd yn ein dilyn a Ffran yn chwifio'r ddraig goch wrth iddi hi a finne gerdded ar ysgwyddau'r Drouiz Meur. Er na lwyddais i ddod â'm gwisg wen, gwnes ymdrech i wisgo yn smart gyda chrys du a thei o liwiau Llydaw (yn ddiarwybod i'r Llydawyr, lliwiau Clwb Rygbi Nelson hefyd!) a dyna lle'r o'n i, yng ngosgordd Gorsedd Llydaw yn cyrchu tuag at gerflun Dewi Sant. Â seiniau'r bagad a'u bombard a phibgyrn yn udo a'r Drouiz Meur yn bloeddio ei gyfarwyddiadau yn Llydaweg a'r dorf yn agor megis Môr Coch o'n blaenau cyrhaeddon ni'r cerflun a ffurfio hanner cylch o'i gwmpas. Roedd yna bobol ym mhobman, a'r egni'n arallfydol. Aeth y ddefod rhagddi gyda Paul B. Kincaid, y Cerflunydd o Lansawel, Sir Gâr, yn rhoi gair o esboniad yn Ffrangeg gan gyfeirio at y golomen a naddodd ar galon Dewi, ac yna daeth y gweddill o enau'r Drouiz Meur yn Llydaweg. Daeth hi'n awr datgan fy nghywydd, yn Gymraeg, i'r miloedd a'n hamgylchynai. Darparwyd cyfieithiadau Ffrangeg a Llydaweg i ambell un, ond yn ddigyfaddawd, a gydag arddeliad, fe ddatgenais fy nghywydd. Nododd rhywun wrtha i wedyn, gŵr a glywodd sôn am y gynghanedd, fod y cytseiniaid a'r odlau i'w clywed yn clecian. Arwydd bach o lwyddiant. Cyfeiria'r cywydd at y ffaith fod mam Dewi, Non, wedi cael ei threisio gan Sant a thaw cynnyrch trais yw Dewi. Difyr yw nodi fod Non wedi ffoi i Lydaw a sefydlu ei heglwys ei hunan, ac un arall yn enw ei mab. Gellir ymweld â'r eglwysi hyd heddi ym mhentref Dirinon (sef deri Non), ger Landerne. Aiff ail hanner y cywydd yn ei flaen i ddathlu fod cymaint o ddaioni, ar ffurf buchedd ac egwyddorion Dewi, wedi esgor o bennod mor dywyll â'r trais a ddioddefodd y Santes Non.

Ynom o hyd

(Dewi Sant)

Nid byw i newid y byd
yn gawraidd ar hyd gweryd
na hawlio'r sêr, hela'r si,
na chreu cad chwerw, codi
delw o'i hun i adael ôl
ar y ddaear yn dduwiol
na dadlau â dyrnau'n dâl
a wnâi Dewi. Nid dial
â'i holl wae a dwrdio llid
at Sanctus â ieuenctid
ei fam wedi'i ddwyn. Mae'n fab
drwy ysfa 'Sant'. Yn dreisfab.

Tyfu'n flaguryn o'r gad
a gwawrio'n haul o gariad,
yn boen wyneb newynog
a'n gwên pan ddaw cân y gog;
y sêr gwanaf, si'r gwenyn,
y byr o wynt, copa'r bryn,
chwa aden colomennod;
ei wyneb e yw ein bod.
Byw i achub popeth bychan
yw bod a gweld byd a gân.
Gwisg y wawr neu gwsg gweryd,
y mae e ynom o hyd.

Fel petai'r anrhydedd hon ddim yn ddigon i fy llorio, wedi imi ddatgan fy ngherdd yng nghysgod Dewi Sant, aeth y ddefod orseddol rhagddi; fe estynnwyd yr hanner cleddyf, cleddyf a rennir rhwng Gorsedd Llydaw a Chymru, ac o ddwylo cadarn y Druizh Meur fe'i rhoddwyd i mi. Fe'i daliais yn dynn yn nghledr fy llaw ac yn agos at fy nghalon ar hyd weddill y ddefod. Nid yw dyfnder na pherthyn na hiraeth, hyd yn oed, yn ddigon o eiriau i gyfleu'r hyn a deimlwn yn y foment honno.

Aethom wedyn yn ein blaenau at foment a arhosiff gyda fi am byth, sef camu i ben bryncyn ar safle'r seintiau lle anerchwyd y dorf gan y Drouiz Meur yn uniaith Lydaweg. Nododd mai yn y pentref hwn, Karnoed, y ganed Taldir, y bardd a gyfieithodd yr Anthem Genedlaethol i'r Llydaweg o'r Gymraeg. Nododd mai ar y bryncyn lle y safem y gollyngodd Lemenik, Archdderwydd cyntaf Gorsedd Llydaw, ei fodrwy aur yn arwydd o sancteiddrwydd y tir. Ac yna, o flaen y dorf a'n dilynodd at y bryncyn, fe ganon ni Hen Wlad fy Nhadau a'r fersiwn Lydaweg, 'Bro Gozh Ma Zadoù'. Afraid dweud fy mod i a Ffran wedi profi dagrau o lawenydd, balchder, dagrau o ymlyniad dwfn at ein gwledydd. Y peth a'n cyffyrddodd fwyaf oedd pan enwyd Lemenik, fe gododd y gwynt yn chwa aruthrol gan achosi i ddraig Ffran gyhwfan ac i nodiadau'r archdderwydd grynu yn ei ddwylo. Cyn i'r diwrnod ddod i ben, fe'm gwahoddwyd i arwyddo'r llyfr aur, lle bu gwladweinwyr a fu ar ymweliad â Dyffryn y Seintiau yn ysgrifennu cyfarchiad ac yn torri eu llofnod. Nodais neges yn Gymraeg a Llydaweg ac yna'r englyn canlynol a sgwennais sbel yn ôl:

Dyro eiriau drwy arwain, rho i bawb
    air bach fesul cytsain
  ac ym mhob bro, byw y rhain
  yw baich y pethau bychain.

Braint wedyn oedd cael bod yn rhan o un o arferion defodol Gorsedd Llydaw, ac nid drwg o beth fyddai i Orsedd Cymru fabwysiadu hyn hefyd, sef yfed Chouchenn, neu fedd, ar ei ben o'r Corn Hirlas. Y Derwyddon yn gyntaf, yna pawb o blith y gorseddogion yn ei dro, yn arwydd o undod a theyrngarwch i Lydaw a'r Llydaweg. Mae gŵyl Ryng-Geltaidd An Oriant yn dathlu'r hanner canmlwyddiant y flwyddyn nesaf ac ar ben hynny mae'n flwyddyn Llydaw. Drwy ryfedd gyd-ddigwyddiad, am un flwyddyn yn unig, ni fydd yr ŵyl yn cyd-daro â'r Eisteddfod Genedlaethol yn Nhregaron gan y digwydd hi yr wythnos ganlynol yn 2020. Beth am i gymaint ohonom felly, fel Cymry, ac fel ateb perffaith i flŵs yr Eisteddfod, fynd i ŵyl An Oriant a galw yn Nyffryn y Seintiau i dalu gwrogaeth i Dewi Sant? Os gwela i chi yno, yna *yec'hed mat*!